THE HANDBOOK OF DRAMATHERAPY

울력연극치료총서 06

연극치료 핸드북

수 제닝스, 앤 캐터넉, 스티브 미첼,
애너 체스너, 브랜더 멜드럼 지음
이효원 옮김

울력

총서 기획 | 이효원
연극치료 핸드북(울력연극치료총서 06)

지은이 | 수 제닝스, 앤 캐터넉, 스티브 미첼, 애너 체스너, 브랜더 멜드럼
옮긴이 | 이효원
펴낸이 | 강동호
펴낸곳 | 도서출판 울력
1판 1쇄 | 2010년 3월 10일
1판 2쇄 | 2016년 11월 10일
등록번호 | 제25100-2002-000004호(2002. 12. 03)
주소 | 서울시 구로구 고척로12길 57-10, 301 (오류동)
전화 | (02) 2614-4054
FAX | (02) 2614-4055
E-mail | ulyuck@hanmail.net
값 | 19,000원

ISBN | 978-89-89485-78-0 93680

· 잘못된 책은 바꾸어 드립니다.
· 옮긴이와 협의하여 인지는 생략합니다

차례

일러두기

1. 이 책은 Sue Jennings, Ann Cattanach, Steve Mitchell, Anna Chesner and Brenda Meldrum 등이 지은 *The Handbook of Dramatherapy*(Routledge, 1994)를 완역한 것이다.
2. 이 책은 원서의 체제를 따랐다. 단 각 장 말미에 있는 원주는 각주로 처리하였다.
3. 옮긴이의 주는 본문 중에 [ ]로 표시하여 옮긴이라고 표시하였다.
4. 본문에서 책과 잡지 등은『 』로 표시하였고, 논문이나 기사는「 」로 표시하였다. 그리고 연극과 관련된 희곡이나 작품은 모두〈 〉로 표시하였다.
5. 원서에서 이탤릭으로 강조된 부분은 이 책에서 중고딕으로 표시하였다.

텔레마쿠스 당신은 너무나도 놀라운 비전을 그려왔군요. 감히 생각할 수조차 없는 걸 말이오. 그런 행복은 난 바라지도 않소.

호머, 『오디세이』

보틈 내가 얼마나 희한한 꿈을 꾸었는지…

셰익스피어, 〈한여름 밤의 꿈〉 4막 1장

이것이 환상이냐, 아니면 백일몽이냐?
그 음악은 사라졌다 — 나 지금 깨어 있는가 잠들었는가?

키츠, 「나이팅게일에 부치는 노래」

문화로서의 드라마와 연극

극장은 우리가 "꿈"을 보기 위해 — 그것이 어떠한지 혹은 어땠는지 혹은 정말로 어떨 수 있는지를 보기 위해 — 찾는 장소이다. 연극은 이야기를 시간과 공간과 행동으로 압축하여 우리가 그것을 하나의 작품으로 받아들일 수 있게 만든다. 그리고 이야기를 확장하여 새로운 인식이나 이해를 제공하기도 하며, 스펙터클을 통해 연극은 우리가 누구인지 그리고 이 세상 속에서 어디에 있는지를 이해할 수 있게 도와준다.

그러나 이 견해는 전혀 새롭지 않다. 개인적이고 사회적인 정체성을 형성할 수 있는 극적 의식儀式은 형식을 바꿔 가며 수천 년 동안 지속되어 왔다. 초기의 연극 형식은 예언적이고 치유적인 기능에서 매우 명백했다. 연극은 우리를 위해 펼쳐지는 이야기의 연행 속에서 우리가 관객으로서 반응하거나 상호 작용하는 구조화된 경험이다. 그것은 개인이자 집단으로서의 우리에게 말을 걸고 또 우리를 대변한다. 그리고 그것은 그 자리에 있는 특정한 관객에게 고유한 경험이다. 연극은 아무리 잘 알려진 이야기일지라도 매 공연이 다르다. 배우들은 공연을 할 때마다 다름을 창조하며, 그럼으로써 해당 관객에게 특화된 비전을 허락한다. 그리고 바로 이것이 이미지는 고정되어 있고 그에 대한 시청자의 반응에만 편차가 존재하는 텔레비전이나 영화와 연극이 구별되는 점이다. 연극에서는 그와 달리 배우가 관객의 반응에서 힘을 받아 그 기대와 에너지에 따라 드라마를 만들어 간다. 그런 점에서 관객은 진정으로 공연의 일부이며 연극 과정의 중요한 한 차원으로 존재한다.

글린 위컴(Wickham 1985: 7)은 우리에게 다음을 상기시킨다.

> 모든 관객은 (우리 자신을 포함한) 일상의 대부분을 몇몇 선택된 역할(흔히 강요된 역할)을 연기하면서 날마다 '공연'을 한다. 우리가 일상의 과정에서 만나는 사람들이 우리의 "관객"이며, 우리는 또한 역할에 어울린다고 생각하는 옷이나 "의상"을 입는다.

그는 우리가 자각하지 못하는 상당한 시간 동안, 그러니까 긴장을 풀고 쉬면서 여러 페르소나를 바꿔 써왔음을 깨달을 때를 제외하고는 언제나 우리가 배우라는 사실을 일깨워 준다. 이 현상은 극적인 예술에서의 고유한 집단 경험을 이해하는 데 결정적으로 중요하다. 왜냐하면,

> 그것이 모방적 행동을 통해 우리 모두를 우리가 배우라 이름 붙인 특별하고도 흔치 않은 사람들과 연결시키기 때문이다. 배우는 우리와 같은 인간이지만, 그들이 삶에서 연기하기로 선택한 역할은 이 전 과정을 거꾸로 뒤집는다. 일상생활의 역할 연기가 주관성을 띤다면 직업 배우의 연극 공연은 객관성을 특징으로 한다.
>
> (Wickham 1985: 8)

이 과정, 곧 우리 모두가 대부분의 시간 동안 배우라는 사실을 이해할 때, 우리는 드라마와 연극의 치료적 본질에 대한 이론적 근거를 얻게 된다. 그리고 그 근거 위에서 감추는 동시에 드러내는 연극의 역설적 가능성을 고려할 필요가 있다. 일상생활에서 우리는 사적으로 남겨 두길 원하거나 상황에 적절치 않은 모습을 감춘다. 한편 무대 위의 배우는 인물을 표현하는 데 방해가 될 수 있는 모습을 감춤으로써 적절한 것을 드러내고 관객을 놀라게 하며 또 미처 알지 못했던 세계로 데리고 간다. 환영 혹은 스펙터클의 창조를 통해 현실에 속한 뭔가를 또 다른 방식으로 받아들이거나 새로운 것을 이해할 수 있게 해주는 것이다.

연극과 드라마는 우리와 여러 가지 수위에서 동시에 관계를 맺는다. 만일 우리의 생각하는 자아가 이야기의 전제를 수용할 수 없다면, 우리가 연극의 한 장면에 대해 갖는 감정적 반응은 별 의미가 없다. 연극의 힘은 두뇌의 양쪽 반구 모두를 동원하는 데 있다. 좌반구는 이성과 지성에 호소하며, 우반구는 직관과 창조성과 예술과 극적 상상을 관장한다.

한 편의 연극을 위해 얼마나 많은 예술가와 장인이 동원되는지 꼽아 보는 것도 흥미롭다. 배우는 물론이거니와 연출자, 디자이너, 의상 제작자, 기술자, 엔지니어, 건축가, 화가, 음악가에 이르기까지 실로 다양하다. 여느 인간 집단만큼이나 다채로운 이 집단은 주어진 작품을 위해 힘을 합하여 앙상블을 창조해야 한다. 연극치료적 장치 역시 배우에만 집중하기보다 참여자 집단이 갖고 있는 여러 내면의 예술가들을 탐험하고자 한다. 실제로 많은 참여자들이 "치유의 연극" 내에서 자신을 배우일 뿐 아니라 무대와 의상과 조명 디자이너로 또 연출자와 제작자로 생각할 것이다.

위컴이 말하듯 일상생활의 연기는 주관적으로 이뤄지지만, 그것이 원한 만큼 매끄럽게 진행되지 않을 때 "객관적인" 연기를 어떻게 활용할 수 있는지를 알고 있다. 우리는 새로운 조절 기술을 익히거나 상황을 탐험하거나 자신 있게 자기주장을 펴는 연습을 하거나 고통스런 과거의 경험을 재연하는 역할 연기 기법에 익숙하다. 이러한 유형의 역할 연기는 대개 우리가 살고 있거나 살기를 원하는 일상 세계의 현실에 매우 근접해 있다. 그에 비해 배우의 객관적 현실은 또 다른 유형의 현실, 이른바 "극적 현실"을 구축한다. 그것은 극적 거리두기, 곧 상징적 시간과 공간과 행동을 통해 창조된다. 다양한 참여자 집단을 대상으로 하는 연극치료사의 작업은 "일상 현실"과 대비되는 바로 이 "극적 현실" 내에서 이루어진다.

연극은 자아의 다양한 양상뿐 아니라 여러 예술 형식을 통합하는 능력에서도 독보적이다. 미술과 음악과 무용과 놀이와 이야기와 드라마를 하나로 어우르기란 다른 구조에서는 상상하기 어려운 일이다. 연극은 시각적 이미지와 소리와 움직임과 감각적이고 감정적이며 사고적인 차원의 언어 표현으로써 보는 이를 극에 몰입시킨다. 연극을 가장 위험한 예술이라고들 하는 이유가 바로 그것이고, 플라톤이 그의 이상 국가에서 연극을 추방하고 또 중세 교회가 연극을 금지한 데도 그러한 배경이 있다. 그 딱한 사정은 지금도 별반 다르지 않아 요즘의 연극은 돈 때문에 쇠락해 가고 있고, 연극 교사들은 과잉이거나 아니면 주변적인 존재로 치부되기도 한다. 뿐만 아니라 연극치료사의 존재가 공식적으로 "인식"된 것도 음악치료사와 미술치료사보다 몇 년이나 뒤처져서였다. 연극과 드라마는 여전히 사람들을 불안하게 만든다. 특히 그 적극적 형식이 설명되지 않거나 이해되지 않을 때 혹은 주술이나 샤머니즘적 의식과 등치될 때 그러하다. 학교에서 셰익스피어를 가르쳐야 한다는 최근의 요구도 공연보다 희곡 읽기를 강조해 왔다. 그러나 정작 셰익스피어는 극적 현실이 삶 자체를 이해하는 수단으로서 얼마나 중요한지를 알았다. 그는 인간의 처지를 이야기할 때 끊임없이 배우와 무대와 극장의 은유를 사용한다.

> 이제 배우들이 등장하겠습니다. 이들이 하는 것을 보시면 여러분이 아시고자 하는 것을 모두 아실 수 있게 될 겁니다.
>
> (〈한여름밤의 꿈〉 5막 1장 115-6)

> 지금의 나는 멍청한 배우 같구나,
> 대사를 잊고 넋이 나가 망신을 톡톡히 당한 것만 같다.
>
> (〈코리올라누스〉 5막 3장 40-2)

> 그건 훌륭한 희곡이었어, 장면 구성이 잘 됐고, 문구도 자제되었으면서도 교묘했었지.
>
> (〈햄릿〉 2막 2장 438-9)

그러므로 우리가 연극을 한편으로는 상상력을 발휘하여 참여하고 상호작용하는 별개의 현실로서, 또 다른 한편으로는 우리 모두의 삶과 개인적 이야기와 밀접하게 관련된 것으로 받아들일 수 있다면, 그때 비로소 연극의 치료적 효능에 대한 성찰을 시작할 수 있을 것이다. 연극은 극적 거리를 창조하여 개인의 삶의 양상과의 상호 작용을 촉진하며, 또한 너무 가까이 있어 제대로 볼 수 없었던 측면을 이해할 수 있게 해준다. 그러므로 연극치료는 연극이 우리의 삶과 연결되어 있기 때문에 우리의 삶과 연결된다. 연극에 참여함으로써 우리는 우리가 어떤 모습인지 혹은 어떤 모습일지에 대한 환영을 경험할 수 있다.

발달 과정으로서의 드라마와 연극

그러나 연극치료는 연극이라는 문화적 형식의 중요성에만 의존하지 않으며, 인간 자체의 발달과 밀접하게 연관된다. 아기가 태어나는 순간부터 관찰해 보면, 아기는 아주 일찍부터 부모와 돌봐 주는 사람들과 주변 세상에 대해 "모방적으로 관계 맺고" 있음을 알 수 있다. 아기들은 리듬과 함께 "움직이고 소리를 내며," 음식과 침으로 "흔적을 만들고," 친숙한 소리와 얼굴 표정을 "모방"한다. 이러한 모방적 실험은 유아가 걷기도 전에 시작되어 목격자로서의 관객을 필요로 하는 10개월 무렵이 되면 "공연"으로 발전해 간다. 이러한 "원형적-드라마"는 학령기 이전에 감각적이고 극적인 놀이로 발전되며, 7살 경에 드라마로의 전이를 이룬다. 이러한 극적 발달의 패러다임은 "체현-투사-역할(EPR)"로서 익히 잘 알려져 있다. 7살 이후의 발달 양상은 가족과 학교와 문화가 드라마와 연극에 교육적, 문화적, 사회적으로 어떤 가치를 부여하는가에 영향을 받는다. 실제로 해당 사회가 비전을 갖는 능력에 가치를 부여하는가(아니면 교정이나 감독 혹은 텔레비전에 더 관심을 기울이는가)? 하지만 그 가치 체계가 어떠하든, 인간의 발달 과정을 통틀어 다양한 단계를 구획하는 극적인 의식儀式이 존재한다는 사실을 이해할 필요가 있다.

드라마와 의식으로서의 연극

극적 의식儀式은 삶의 여정을 지나는 매 단계에서마다 중요한 역할을 한다. 이행의 의식은 우리가 연령 단계와 지위의 변화를 거쳐 앞으로 나아가게 한다. 결혼식이나 명명식 혹은 장례식에서 우리는 평소와 다른 복장을 하고, 다른 역할을 취하며, 다른 언어를 사용한다. 우리는 의식의 극적 형식 속에서 이러한 변화를 연행한다. 의식은 또한 모든 신념 체계에 존재하는 종교적 실천의 일부를 형성하며, 예식과 기념의 일부가 되기도 한다. 많은 의식이 그 자체로 참여자들에게 환영적인 상태를 이끌어 내도록 의도된다. 물론 이러한 생각은 전통적인 기독교인에게 약간의 불안을 유발한다. 그러나 그럼에도 불구하고 우리는 대부분의 종교 의식이 인간 의식意識의 변화뿐만 아니라 변형된 의식 상태의 효과를 목표로 하는 것을 볼 수 있다. 이것은 극적 의식儀式 자체와 향, 음악, 성상聖像, 복장, 움직임, 춤 등 그에 동반되는 다양한 감각적 자극에 의해 유발된다.

서구 사회는 20세기 후반에 들어 의식의 쇠퇴를 목도해 왔다. 그리고 일부 경우에는 치료 전문가가 의식 전문가를 대체하기도 한다. 장례 의식이 전보다 간소화된 대신, 사별 경험을 전문적으로 다루는 상담가의 역할이 새로 생겨난 경우가 그러한 예이다. 의식으로서의 드라마와 의식으로서의 연극치료는 변화와 이행이 가능한 안전한 극적 구조의 재건에 크게 기여한다. 극적 의식은 연극 예술의 출현과 연관된다. 고대 사회의 극적인 집단의식으로부터 좀 더 형식을 갖춘 연극이 유래되었다는 것과 또 초기의 연극이 믿음과 환영과 관련되어 있었다는 데는 대다수 학자들이 의견의 일치를 보인다. 어떤 사회나 그 집단의 의식儀式을 보려면 아이들의 극적 놀이를 관찰하면 된다. 아이들의 극적 놀이는 그 가족과 사회의 규범을 반영한다.

드라마와 극적 놀이

우리는 모두 긴 아동기를 채우고 있는 게임과 드라마에 익숙하다. 감각적 놀이, 장난감 놀이, 이야기 놀이, 연극 게임, 극화된 놀이는 아이들의 삶에서 핵심을 이룬다. 서구 사회에서는 일단 아이가 학교라는 진지한 세계에 들어서게 되면 놀이를 권하지 않거나, 놀이를 하면서 자기와 다른 사람들과 인간적인 관계를 맺는 대신 비디오나 미디어 게임을 권한다. 물론 후자는 앞서 언급한 영화와 텔레비전처럼 나름의 기능을 갖고 있다. 하지만 그것이 주고받는 놀이의 본질 속에서 또래와 관계 맺는 경험을 대신하지는 않는다. 아이들은 다양한 형식의 놀이를 통해 과거의 두려움을 해소하고, 현재의 전략을 연습하며, 새로운 경험을 기대한다. 극적 놀이는 앞서 언급한 발달적 드라마의 자연스러운 축적이며, 그를 통해 사람들은 일상과 예상치 못한 경험을 다룰 수 있도록 도와주는 내재된 치료적 기제를 갖게 된다. 연행을 통해 우리는 행동할 수 있는 힘을 얻는다. 연기acting는 우리가 "행동action" 할 수 있게 도와준다. 우리는 극적 놀이에 참여하면서 행동하는 법을 익힌다. 거기서 적절한 역할과 행동을 계발할 수 있다. 선택의 결과에 대해 배우고, 앞으로 필요한 기술을 연습하며, 미래로 투사하여 우리의 현실과 꿈을 검증할 수도 있다. 부지중에 예방적인 연극치료의 바탕이 마련되는 것이다. 한편 어른들은 다시 한 번 극적 놀이에 참여하는 기회를 통해 자기-치유가 일어나게 할 필요가 있다. 복잡한 사회에 살면서 다양한 범주의 역할이 요구될 때, 우리가 연기하는 역할은 삶을 위한 교육이 되며, 무엇보다 놀이 자체가 꿈과 미래의 비전을 품을 수 있게 해준다.

드라마와 연극과 역할

지금까지 우리는 드라마와 연극, 발달로서의 드라마, 드라마와 의식, 드라마와 극적 놀이를 이야기했는데, 그 주제들은 모두 "역할" 개념을 바탕에 깔고 있다. 역할이 없다면 어떤 형식의 드라마와 연극도 생각할 수 없다. 연극에서는 역할보다 여러 역할을 품고 있는 인물이라는 말을 더 많이 사용한다. 개인이자 사회적 존재로서 잘 기능하기 위해서는 광범한 역할 레퍼토리와 그에 어울리는 기술이 필요하다. 또 역할이 중첩될 때는 역할-혼동이나 역할-갈등이 일어날 수 있다. 예를 들어, 아버지가 교장 선생님이거나 접수원이 의사와 인척 관계라거나 하는 경우들이다. 우리는 역할에 따라 그에 어울리는 복장과 언어와 행동이 있다고 생각하며, 그것은 제도에 의해 주어지기도 하고 개인적인 선택의 여지가 있기도 하다.

그렇다면 우리는 역할을 어떻게 획득하는가? 앞서 말했듯이 우리는 태어난 지 몇 개월 지나지 않아서부터 모방을 시작한다. 다른 사람들을 "역할-모델링"하면서 학습이 일어나고, 어린 시절에는 더욱 그러하다. 부모와 교사가 우리를 대하는 태도가 우리의 역할과 역할 레퍼토리를 조형한다. 그런데 다양한 범주의 역할을 자유롭게 취할 수 없다면, 특정한 상황에 적절하지 않을 수 있는 한 가지 역할에 갇히기가 쉽다. 그런 경우에는 놀이와 드라마에서 역할을 연습하면서 그 역할이 다른 사람들에게 어떤 영향을 미치는지를 알아보고 "잘 맞는지 입어 볼" 필요가 있다. 우리는 그렇게 해서 역할을 정련하고 반응의 미묘한 차이를 보면서 섬세하게 조율해 나간다. 이러한 역할 행동은 성장과 함께 내면화되며, 그 결과 "일상 현실"에서의 "연기 생활" 상당 부분은 더 이상 리허설을 필요로 하지 않게 된다. 하지만 삶은 새로운 상황과 중요한 변화를 동반하므로 모종의 준비는 늘 있어야 할 것이다. 연극은 우리가 삶에서 뭔가를 변화시키거나 해결하거나 행동의 의미를 실현할 수 있도록 영감을 준다. 그러나 역할은 우리의 내적 자아에 연결되어 있음을 명심할 필요가 있다. 역할을 연기한다는 것이 간단하게 옷을 바꿔 입는 문제가 아니라는 뜻이다. 우리의 내적 삶은 역할에 동기를 제공하고, 그것을 사회적 상호 작용에 투사한다. 역할 행동을 바꾸려 한다면 새로운 역할에 적극적으로 몰입할 필요가 있다. 통찰만으로 지속적인 변화를 기대하기란 역부족이기 쉽다.

드라마와 연극과 연극치료

앞서 우리는 연극치료의 다양한 모델과 함께 그에 대한 여러 가지 관점을 살펴보았다. 이 책의 핵심은 극적 행위의 무수한 변형을 드러내어 연극치료적 행위의 다양한 변주 가능성을 보이는 데 있다. 하지만 그중 어느 것도 집단이나 개인 작업을 위한 고정적인 모델이 될 수 없다. 참여자의 욕구와 연극치료사의 기술과 경험에 준하여 어떤 모델을 선택할 것인가 혹은 어떤 모델들을 조합해야 하는가를 결정할 뿐이다. 드라마와 연극은 너무나 광범한 주제이기 때문에 도식화의 유혹에 빠지면 오히려 길을 잃기 쉽다. 이 책의 여러 필자들은 연극치료의 실제라는 넓디넓은 캔버스를 두루 다루고 있지만, 연극치료가 극적 현실을 창조함으로써 극적인 거리 조절을 가능케 한다는 명시적인 혹은 암묵적인 전제에서 하나로 만난다. 극적 연행 혹은 역할-연기는 참여자가 어느 정도 극적 거리를 가지고 작업하게 하며, 극적 상상력을 불러낸다. 그리고 그것은 신체 안팎의 물질적 공간과 함께 극장 혹은 연극치료실이라는 외적 공간과 상상의 세계의 내적 공간으로 우리를 끌어들인다.

연극치료 공간

연극치료 공간은 극적 현실을 창조하기에 적절하고 안전한, 현실의 "구체적" 장소를 말한다. 대개 그 공간은 연극치료뿐 아니라 여러 쓰임새를 지닌 곳이기 쉬우므로, 치료사는 연극치료 공간으로의 변화를 의식화하는 데 특별한 주의를 기울이도록 한다. 연극치료를 위해 특별히 지정된 공간일 경우에는 연극치료적으로 다양한 발전이 가능하다. 활동 중인 연극치료사 두 명에게 작업 공간에 대한 견해를 물었다.

> 나는 맨 처음의 생각 없는 반응을 극복해야만 한다. "스무 명 가량이 들어갈 만한 크기의 공간." 물론 그게 필요하다. 하지만 가장 중요한 요건은 그게 아닐 수 있다. 무엇보다 공간은 외부자 혹은 집단원이 아닌 사람들이 쉽게 들어올 수 없는 곳이어야 한다. 그리고 다양한 공간을 창조하기 위해서는 폭과 넓이와 높이가 모두 충분히 확보되어야 한다. 물론 시끄럽지 않아야 하지만, 새로운 생명을 품는데 "자궁과 같은 공간"을 만들려는 경향이 반드시 도움이 된다고는 믿지 않는다. 때로는 가장 "부적합한 공간"에서 의미 있는 경험이 만들어질 수도 있다. 공간은 답을 내기보다 질문을 하는 데 더 적합해야 한다. 그러니까 집단이 공간을 사용해야지 공간이 집단을 사용해서는 안 된다는 말이다. 무엇보다 중요한 건 "인물을 낳는" 공간이어야 한다는 점이다.
>
> (Roger Grainger)

그레인저가 공간의 상징적 가능성을 언급한다면, 아래 응답은 좀 더 실질적인 문제를 다룬다.

> 다음은 가상의 참여자 집단 — 신체적이고 정신적인 복합 장애를 가진 사람들을 염두에 두고 정리한 사항이다.
>
> 스튜디오: 사적인 공간이되 외지지 않아야 하고 필요에 따라 문을 잠글 수 있어야 한다. 연극치료사는 스튜디오가 지나치게 통행이 많거나 여러 가지 용도로 사용되는 공간이 아닌지를 점검할 필요가 있다. 나는 차갑지 않다는 점에서 카펫이 깔린 공간을 좋아하며 여덟 명 정도가 충분히 움직일 수 있는 크기면 된다. 어지럽지 않게 정돈되어 있어야 하며 의자는 접어 치울 수 있는 것이 쓰기 좋다. 물품 보관을 위해 선반과 수납장이 필요하며, 창에는 커튼이나 블라인드가 있어야 한다. 그리고 독자적으로 가동할

수 있는 난방기가 필요하다.

준비물: 물품은 단순하고 필요에 따라 다양하게 바꿔 쓸 수 있는 것이 좋다. 여러 가지로 변형할 수 있는 커다란 블록(딱딱한 것과 푹신한 것), 부드러운 매트, 녹음이 가능한 카세트플레이어, 음악과 빈 테이프, 감각 놀이를 위한 물체, 모자, 망토, 가면, 안경, 간단한 의상, 여러 가지 질감의 물건들, 거울, 고무줄, 밧줄, 상자, 가방, 쿠션, 담요, 작은 장난감, 점토, 물감, 물병과 컵, 휴지, 수건, 콩 주머니. 가능하다면 기록 작업을 위한 카메라와 참여자에게 즉각적인 피드백을 줄 수 있는 폴라로이드 카메라를 준비한다.

(Becky Wilde)

준비물은 연극치료사가 개인적으로 오랜 기간을 두고 수집하는 것이 보통이다. 물품은 쓰던 것일 수도 있지만, 다른 사람들이 쓰다 버리거나 너무 "헌" 것은 삼가도록 한다. 나는 개인적으로 러시아 둥지 인형과 다양한 종류의 가면 재료를 좋아한다. 구비된 물품은 모두 노출되어 참여자에게 부담을 주지 않도록 잘 정리해 두도록 한다. 연극치료사는 물품과 소모품의 준비뿐 아니라 작업에 소요되는 예산을 고려할 필요가 있다.

연극치료사는 어디서 일하는가?

이어지는 장에서는 여러 연극치료사들이 다양한 참여자 집단과 함께한 작업을 논하면서 연극치료의 활용과 연구 과제에 대한 아이디어를 제시한다. 많은 연극치료사들이 병원 — 특히 의료 환경 — 에서 작업을 하며, 지역 사회뿐 아니라 교육 기관과 교도소와 사회복지 분야에서 일을 한다. 그리고 그 대상에는 노인과 어린이와 성인이 모두 포함된다. 연극치료사들은 일반적으로 의료와 대체 의학 스태프, 사회복지사, 다른 예술

치료사를 포함하는 치료 팀의 일부로 작업하는 편이 좀 더 효과적이라고 생각한다. 그리고 그 연장선에서 다른 스태프 및 기관과의 접촉과 관계 형성에 들이는 시간이 결국은 연극치료 작업에 도움을 줄 거라 믿는다. 연극치료를 간단하게 설명하는 유인물의 보기가 부록 1에 제시되어 있다. 관련 직종에 종사하는 사람들이 단기 혹은 장기 연극치료 과정을 이수한 뒤에 연극치료적인 접근법을 기존 작업 방식에 통합하여 쓸 수는 있지만, 연극치료사가 되어 자격증을 가지고 작업하기를 원하는 사람은 반드시 보건부와 영국연극치료사협회(BADTh, 부록 3 참고)에서 인정한 교육 기관 중 한 곳에서 대학원 과정을 이수하여야 함을 명심해야 한다. 연극치료사는 또한 직업윤리 강령(부록 2 참고)을 준수해야 하며, 영국연극치료사협회(부록 4 참고)에 가입하기를 권고한다.

연극치료연구원

이 책에 글을 쓴 분들은 모두 연극치료연구원Institute of Dramatherapy에서 훈련을 받았거나 그곳의 수업에 중요하게 기여하였다. 연극치료연구원은 표준 체계 안에서 장기간 훈련받을 수 있게 한다는 점에서 매우 독특한 조직이며, 그래서 영국뿐 아니라 해외에서도 많은 학생들이 찾고 있다. 최근 몇 년 사이에 급속하게 규모가 확장되어 1992년과 1993년에는 연극치료와 놀이 치료를 합해 학생 수가 두 배 이상 늘기도 했다. 그리고 1994년에는 로햄튼이라는 큰 틀 안에 독자적인 조직인 로햄튼 스쿨(서레이 대학)로 개편된다. 이는 음악 치료, 무용–동작 치료, 미술 치료, 놀이 치료뿐 아니라 드라마와 연극이라는 풍성한 자원에 보다 용이하게 접근할 수 있다는 것을 뜻한다. 또 수년 내에 치료적 놀이와 예술 치료 분야의 통합 센터가 생길 예정이다.

『연극치료 핸드북』

1장에서 브렌더 멜드럼은 영국의 연극치료 역사를 돌아보면서 현재의 입지를 검토한다. "연극치료"를 정의하면서 그녀는 "드라마"와 "연극" 개념의 종합을 시도하며, 연극치료 분야를 떠받치고 있는 공연 모델, 치료적 드라마 모델, 역할 이론에 바탕한 모델, 인류학적 모델에 대해 언급한다. 1장에서 독자들은 연극치료 작업의 다양성을 맛볼 수 있을 것이다.

2장에서 앤 캐터넉은 전체 인생 여정의 일부로서 참여자의 창조적 삶을 탐험한다. 그녀는 개인과 집단의 삶의 단계를 구성하고 재구성하는 작업의 중요성과 경험의 갈등 요소를 통합하고자 하는 노력을 강조한다. 그녀는 이 과정을 "예술을 통해 삶을 회복"하는 과정이라고 표현한다. 그리고 그 모델을 설명하기 위해 극적 놀이와 발달 심리학과 사회 심리학 이론을 끌어들인다. 캐터넉은 그 과정을 "시간 안에 살기와 시간 밖에 살기," "극적 허구"와 "유희성"으로 규정한다.

스티브 미첼이 쓴 3장은 다양한 참여자 집단을 대상으로 공연 구조를 치료적 양식으로 활용하는 방식에 대해 자세히 기술한다. 직업 연극인으로서의 경험뿐 아니라 연극치료사로서의 임상 작업을 토대로, 미첼은 단기 치료 환자, 재활 집단, 노인, 외래 환자들과의 경험을 거울삼아 개인이나 집단 규모의 참여자에게 적용할 수 있는 유용한 과정을 제공한다.

애너 체스너가 쓴 4장은 대규모 기관에 수용된 특정한 욕구를 가진 학습 장애인이라는 맥락에서 연극치료를 시도한다. 체스너는 장애에 초점을 맞추기보다 총체적 인간을 보아야 한다고 역설하면서, 연극치료를 집단 안에서는 어디서든 가능한 능력 계발의 도구라고 묘사한다. 집단 자체가 자존감과 동료들에 대한 감사를 북돋우는 치료자 역할을 할 수 있다는 것이다. 또한 임상 사례와 함께 단일 회기와 전체 작업을 기준으로 연극치료의 진행 과정, 곧 의식화되고 구체적인 데서 출발하여 상상적 몰입의 강도를 점차 높여 집단의 자발성을 향상시키는 방향으로 옮겨가는 과정을 설명한다.

멜드럼은 5장에서 논쟁을 보여 준다. 그녀는 미국의 선구적인 연극치료사인 로버트 랜디의 "역할" 개념을 정의하고, 어빙 고프먼의 사회 심리학적 저작을 통해 그 이론의 발달을 추적한다. 그리고 사회적 존재로서 우리가 "실제 생활"에서 배우와 동일한 방식으로 역할을 연기한다는 주장에 대한 브루스 윌셔의 비판론을 소개하고, 그러한 견지에서 역할 모델을 검토한다. 멜드럼은 사회 심리학자인 G. H. 미드의 상징적 상호 작용론과 구조주의적 인성 이론가인 세러 햄슨의 이론을 통해 역할을 바라보는 대안적인 방식을 제시한다.

6장에서 나는 극적이고 연극적인 구조에 참여함으로써 인간의 경험과 시각이 확장되는 것에 대해 논하면서 앞서와 사뭇 다른 이야기를 전개한다. 특히 아르토에게서 받은 영감과 현대 인류학을 바탕으로 의식이 치유 과정의 일부로서 매우 중요하고도 필수 불가결함을 제시한다. 형이상학적 모델은 흔히 현실보다 큰 규모의 가면과 인형을 통해 "밖에서부터 안으로" 작업하는 형식으로 간주된다.

이 책을 읽는 많은 사람들이 "심리극과 연극치료는 어떻게 다른가?"를 궁금히 여길 것이다. 애너 체스너가 7장에서 이 질문에 답한다. 그녀는 두 방법론이 공유하는 영역이자 각 분야의 핵심을 구성하는 드라마의 중요성을 탐험한다. 가상의 사례를 통해 접근법과 철학과 기법을 관찰하면서 둘의 차이를 조명한다. 그녀는 심리극이 좀 더 정련된 기법을 사용하는 반면, 연극치료는 드라마와 연극에서 사용되는 모든 구조와 방법에 열려 있다고 말한다. 또한 심리극의 직접적이고 주인공 중심적인 특성을 지적하면서, 연극치료는 모호하고 은유적이며 집단 중심적이라고 표현한다.

8장에서 앤 캐터넉은 흔히 연관이 없다고 간주되는 두 분야의 연계와 종합을 시도한다. 놀이 치료는 "나"인 것의 통합과 "나 아닌 것"과의 분리에 초점을 맞춘다. 그에 비해 연극치료사는 삶과 죽음과 외부 세계라는 주제에 보다 관심을 갖는다. 그녀는 놀이와 드라마가 단지 이야기나 해석을 위한 자극에 머무르지 않고, 어떻게 치료의 핵심이 되는지를 강조한다. 그리고 임상 사례를 통해 단일한 회기 안에서 놀이와 드라마가 서로 넘나들 수 있음을 보임으로써 현장에서 작업하는 사람들이 좀 더 광범한 관점을 이해할 필요가 있음을 강조한다.

9장에서 스티브 미첼은 "연극치료 모험 프로젝트"라고 알려진 혁신적인 작업을 소개한다. 다트무어에서 함께 먹고 자면서 연극치료 작업을 한 집단의 사례를 자세히 다루면서 실내와 야외 활동을 모두 아우르는 집중적인 프로젝트를 어떻게 준비하고 디자인할 수 있는지를 보여 준다. 미첼은 이 프로젝트를 초超연극적 모델에 준하여 진행하면서, 치유적 이미지를 창출하기 위해 의식 과정을 사용한다. 이 장은 연극과 치료와 치유의 접점에 대한 그의 독특한 탐험으로 일관한다.

10장은 저명한 연극치료사들과의 인터뷰를 싣고 있다는 점에서 다른 장과 구별된다. 나는 그들에게 "연극치료는 무엇인가?"라는 질문을 던진다. 고든 와이즈먼, 로버트 랜디, 물리 라하드, 파멜라 몬드는 각자의 배경에서 드라마와 연극을 거쳐 연극치료에 이르게 된 과정을 이야기하면서 또 여전히 의문을 품고 있는 지점을 솔직하게 공유한다. 그들은 모두 연극치료에 깊이 있게 연구하고 탐험해야 할 것들이 산재해 있으며, 그 과정의 복잡다단함에도 불구하고 앞으로 꾸준히 그 작업을 해나가야 한다는 점에서 의견의 일치를 보인다.

브렌더 멜드럼이 쓴 마지막 장은 연극치료 작업을 사전평가/평가 하는 방식을 고찰한다. 그녀는 먼저 스토리메이킹을 사용하는 연극치료사의 작업을 논하고, 두 번째로 국립보건원에 근무하는 연극치료사의 사전평가를 살펴본다. 아직 연구 결과를 책으로 출간한 경우는 많지 않지만, 연극치료 작업에 대한 연구는 증가세에 있다. 멜드럼은 다섯 가지 연구 프로그램을 기술하면서 집단과 개인을 대상으로 한 현재의 연구와 평가 방법을 검토한다. 그리고 나서 계획 단계에 있는 연구 프로그램 몇 가지를 간단하게 살핀다. 연극치료는 "과학적"일 수 없으며 그래서도 안 된다는 주장에도 불구하고, 멜드럼은 대다수 연극치료사들이 국립보건원에 근무하는 상황에서 예산과 사전평가와 평가에 대한 감독의 요구를 무시할 수 없다는 점에 주목한다. 그리고 진실로 연극치료적인 방식으로써 그러한 요구에 접근하는 것이 연극치료사들의 몫이라고 결론짓는다.

마지막으로 짧은 에필로그에서 연극치료 접근법과 그 다양한 활용을 독려하는 멜드럼의 당부를 다시 한 번 반복한다. 나는 연극치료를 배우고자 하는 사람들과 실제 작업이 매우 빠른 속도로 팽창하면서 바야흐로 연극치료가 르네상스에 근접하고 있다고 믿고 있다. 그리고 그것은 미래에 변화를 위한 강력한 힘을 제공해 줄 것이다.

부록은 "연극치료는 무엇인가"에 대한 간략한 소개와 함께 연극치료 연구원의 작업과 윤리 강령 그리고 연극치료 교육 기관을 정리하고 있다.

필자들은 한결같이 이 책이 명료한 개념과 상상력으로 독자들이 한 발 앞으로 나아가는 데 도움이 되길 바라지만, 또한 여기 글로 씌어진 것이 실제 작업 경험을 대신할 수 없음을 강조한다.

참고 문헌

Wickham, G. (1985) *A History of the Theatre*, Oxford, Phaidon.

1. 연극치료의 역사적 배경과 개관

브렌더 멜드럼

개관

이 장에서는 연극치료가 무엇이고, 어디서 왔으며, 누가 왜 어디서 그것을 하는지를 실제에 대한 진술을 통해 다소 숨 가쁘게 정리하고 있다. 나는 이를 통해 서로 다른 분야와 모델과 영향으로부터 생겨난 연극치료의 복합성이 드러나기를 바란다. 먼저 그 발생 과정을 간략하게 살피는 글로 시작하여, 연극치료에 대한 몇 가지 정의와 함께 1990년대 초반 연극치료의 직업적 위상을 점검한 다음, 마지막으로 작업의 배경이 되는 몇 가지 모델을 살펴볼 것이다.

연극치료의 간단한 역사

연극치료라는 새로운 분야는 1960년대에 교육 연극과 임상 드라마로부터 발달되었다. 이 장은 주로 영국에서의 발달에 초점을 맞춘다.

새로운 세대의 젊은이들이 심리 치료의 권위를 포함하여 기존의 많은 것들을 공격하던 1960년대 초반에 영국과 유럽 대륙에서 예술 치료 집단이 형성되기 시작했다. 그들은 당대의 낙관주의에 영향을 받았고, 교육과 예술에 대한 새로운 아이디어와 급진적 접근이 정말로 사회를 바꿀 수 있을 거라고 믿었다.

유연한 강철의 마음을 지닌 신사, 피터 슬레이드는 어린아이들이 드라마를 통해 자기를 표현하도록 독려하였다. 하지만 성인 — 부모와 교사 — 에게는 어른들이 아이들에게 귀를 기울여야 한다는 메시지를 전했다. 그는 어른들이 아이들의 행동을 통제하면서 과제 집중력을 망쳐 놓고 그 창조성을 부인하기 일쑤라고 말했다. 아이들에게 귀를 기울이라고? 1960년대에 그것은 참으로 급진적인 메시지였다!

동시에 국제적인 연극 연출자인 피터 브룩은 아르토의 "잔혹극"과 같은 연극 형식을 실험하면서 페터 바이스의 〈마라-사드〉를 비롯한 여러 공연을 제작하였고, 그로써 상상의 부엌 싱크대를 둘러싼 지미 포터의 불평[1950년대 영국의 반체제 극작가 존 오스본John Osborne의 대표작인 〈성난 얼굴로 돌아보라 *Look back in Anger*〉의 주인공이다. '성난 청년' 세대를 대변하는 지미 포터의 도전적이고 거친 하층민의 언어는 당대 관객에게 큰 충격을 주었다: 옮긴이]보다 영국의 연극계에 훨씬 지대한 영향을 미쳤다.

폴란드에서는 예르지 그로토프스키의 연극 실험실이 "인류의 패러다임" — "연기자로서" 연기하는 데만 익숙해 있던 배우들에게 진실로 새로운 역할이 아닐 수 없는 — 으로서 자신과 자신의 작업을 생각하도록 훈련받은 비범한 배우들을 양성해 냈다. 거기서 배우를 위한 과정은 분석의 형식이자 배우와 관객을 위한 치료의 형식이었다.

한편 교육 분야에서 도로시 히스콧은 지식 추구의 영역에 드라마를 편입시켰다. 히스콧의 접근법은 진정으로 아동 중심적이었다. "아이를 본성에 맡겨 방임하는 급진적인 교사와 달리, 그녀는 가르침이란 아이들의 삶에 친절하게 개입하는 행위임을 받아들인다"(Johnson and O'Neill 1984: 12).

히스콧의 개혁은 교사로서 거리를 유지하면서 아이들에게 지시하는 대신 역할을 맡아 드라마 속으로 들어가는 것이었다.

> 역할과의 조우는 학생들에게 강렬하고 몰입적이기도 하지만, 다른 한편으로는 객관적이고 성찰적이기도 하다. 성찰 없는 경험은 학습으로 이어지지 않기 때문이다.
>
> (Johnson and O'Neill 1984: 12)

그녀의 많은 제자 중 오닐과 램버트는 이렇게 썼다.

> 드라마 경험이 학습에 기여하는 가장 의미 있는 측면은 인간 행동과 자기 자신 그리고 자기가 사는 세상에 대한 이해를 성장시키는 것이다. 그 성장은 관습적으로 느끼고 생각하는 방식에 변화를 가져올 것이며, 그러한 점에서 드라마 교수의 주요한 목표가 될 것이다.
>
> (O'Neill and Lambert 1982: 13)

안타깝게도 이러한 급진적 메시지는 기득권층을 두렵게 만든다. 그들은 아이들이 새롭게 생각하기를 원치 않는다. 드라마는 잠재적으로 매우 전복적이기 때문에 정식 교과 과정에 포함되지 않으며, 우리는 경험의 다양한 방식을 살펴보는 대신 느슨하게 이름 붙여질 뿐 단 한 번도 엄밀하게 정의되지 않은 "전통적 가치"로 돌아가기를 권고 받는다. 교사들이 그리고 때로는 법이 대안적인 종교적 경험과 다양한 가족과 성적 관계에 대해 배울 수 있는 기회를 차단하는 것이다.

1960년대 초반에 드라마와 교육에서 일어난 이러한 급진적 접근은 임상 드라마 그룹을 만들어 교육에서 개발된 드라마 기법들을 임상 영역에 적용한 수 제닝스(이 책의 공동 편집자인)에게 영향을 주었다. 그 그룹은 런던의 임상 드라마 센터로 발전하였고, 후에 특수한 욕구를 가진 성인과 아동을 대상으로 하는 창조적이고 표현적인 드라마 과정을 가르치는 첫 번째 전문 기관이 되었다. 1970년대에 들어 "연극치료센터"로 이름을 바꾸었고, 1972년에는 아동과 성인을 대상으로 집단 작업을 하고 연극치료사를 훈련시키는 사설 상담 기관으로 확장되었다. 그리고 그와 나란히 빌리 린크비스트가 킹스웨이 대학Kingsway College에 드라마와 움직임의 전일제 교육 프로그램인 세서미를 시작하였다.

연극치료는 1977년이 되면서 예술 치료 분야에서 심리극의 대안으로 알려지기 시작했다. 그리고 하트퍼드셔 예술 · 디자인 대학Hertfordshire College of Art and Design이 처음으로 연극치료 전공 학생을 받으면서 예술 · 심리학 학부를 확장하기로 결정했다. 그 다음해에는 리폰 앤드 요크 세인트 존 대학College of Ripon and York St John이 특별 연구원을 뽑아 연극치료에서 또 하나의 과정이 시작되었다. 1980년 즈음에 세 번째 학위 과정이 사우스 데본 기술 대학South Devon Techincal College에 생겼다.

1988년에 연극치료사협의회로부터 연극치료연구원이 설립되었고, 거기서 연극에 바탕을 둔 연극치료 학위를 수여했다. 현재는 영국에 모두 다섯 군데의 대학원 교육 과정이 있으며, 이후에 이에 대해 더 자세히 논의할 것이다.

"연극치료"의 정의는 무엇인가?

명확하게 이야기하면, "연극치료"는 두 가지 과정, 곧 "드라마"와 "치료"의 종합이다. 먼저 "드라마"가 무엇이고, "치료"가 무엇인지 짚어본 뒤에 "연극치료"의 개념을 정의해 보자.

드라마란 무엇인가?

『쇼터 옥스퍼드 사전』은 드라마를 이렇게 정의한다.

> 무대에서 상연할 목적으로 산문이나 운문으로 쓴 글로서, 이야기가 대화와 행동으로 전개되며 몸짓과 의상과 배경 그림을 동반하여 마치 현실에서와 같이 재현된다.

그러나 드라마는 무대를 필요로 하지 않으며, 의상이나 소도구 또는 배경 그림 역시 요구하지 않는다. 드라마에서 필요한 것은 이야기를 전하기 위해 행동과 말로써 자기 자신 — 몸과 마음 — 을 사용하는 개인 혹은 일단의 사람들이다.

고대 그리스에서 "드라마"는 행위화되거나 살아내는 어떤 것을 의미했다. 나는 내 삶의 이야기를 말할 수 있다. 그때 나는 나 자신에게 초점을 맞춤에도 불구하고 내 삶의 드라마는 다른 사람들과의 상호 작용이라는 사회적 맥락 안에 놓이게 된다. 드라마는 "본질적으로 사회적이며, 접촉, 소통, 의미의 협상과 관련된다. 그 작업의 집단적 속성은 참여자들에게 일정한 압력을 부과하며, 또 그에 상응하는 상당한 보상을 제공하기도 한다"(O'Neill and Lambert 1982).

아주 어린 아이들도 빈 컵을 들고 뭔가 마시는 "척을 한다." 말을 못 할 때도 소리는 모방한다. 어쩌다 그러는 것이 아니라 맥락 속에서 그렇게 한다. 다시 말해 엄마가 부드럽게 어르는 소리를 장난감을 가지고 놀면서 모방하는 식이다. 아이들은 그렇게 하면서 인간에게 필요한 본질적 요건, 곧 다른 사람의 역할을 취할 수 있는 능력을 발달시킨다. 우리가 다른 사람들의 정서적 반응을 인식하는 것은 다른 사람이 느끼는 것을 느끼기 때문이다. 극적 활동은 "역할 연기를 할 수 있는, 다른 사람의 입장에 처하는 것이 어떤 느낌인지를 알고자 하는 능력의 직접적인 결과이다"

(Heathcote, in Johnson and O'Neill 1984).

드라마는 그러므로 특정한 시간과 공간 내에서의 자기와 자기 아닌 것의 분리라 할 수 있다. 곰 인형에게 컵으로 물을 먹이는 "시늉"을 하는 아이는 극적 현실에서 움직이는 것이다. 그 아이의 행동은 현실에서 일어나지만, 한편으로는 상상의 시간 속에 존재하기도 한다. 현실은 늦은 아침인데 아이가 가장하는 시간은 오후 2-3시쯤일 수 있으며, 실제로는 정원에 앉아 있지만 상상 속에서는 버킹엄 궁에서 여왕과 차를 마시고 있을 수도 있다. 극적 거리는 배우나 관객을 막론하고 그 주체가 주관적 세계와 객관적 세계의 두 국면을 오갈 수 있게 해준다.

이 경험은 연극 공연에서 가장 명확해진다. "연극은 사람들이 자기 자신이 아니라 다른 시간, 다른 곳에 있는 다른 사람인 듯이 상상하고 행동할 때 공유되는 직접적인 경험이다"(Neelands 1990: 4).

우리는 관객으로서 배우들이 우리를 대신하도록 허용하지만, 그러면서도 여전히 거리 혹은 분리를 유지한다. 배우가 연기하는 인물에 동일시할 때 "우리는 그 피조물과의 친연성을 받아들임으로써 우리 존재의 영역을 확장한다"(Wilshire 1982: 10). 배우들은 그들이 연기하는 인물이 되지 않는다. 하지만 텍스트 속에 있는 역할을 해석하는 데 자신의 경험과 자아를 쏟아 붓는다. 그런 식으로 배우들 역시 드라마의 미적 거리를 통해 주관적이고 객관적인 현실을 모두 경험하게 된다.

그러므로 드라마는 특별한 공간과 특별한 시간 속에서의 사회적 조우라 할 수 있다. 배우와 관객은 현실의 시간과 상상의 시간을 오가며 실존적 현실에서 극적 현실로 이동한다.

치료란 무엇인가?

"치료"란 말은 "치유"를 의미하는 그리스어에서 유래되었다. 그러므로 "심리 치료"는 마음의 치유이며, "연극치료"는 드라마를 통한 치유이다.

"연극치료"는 단순히 심리 치료에서 드라마 기법을 사용하는 것이 아니며, 고유한 전문 기구와 연구 방식을 갖춘 독자적인 분야이다. 이 시점에서 심리 치료에 대한 몇 가지 정의와 그것이 연극치료와 어떻게 연관되는지를 살펴볼 필요가 있다.

콕스(Cox 1986: 45)는 "심리 치료"를 이렇게 정의한다.

> 환자가 스스로 할 수 없는 것을 자기 힘으로 할 수 있게 하는 과정. 치료사가 환자를 위해 치료하지는 않지만, 치료사 없이 환자가 치료를 할 수는 없다.

여기서 치료사의 역할은 참여자가 행동할 수 있게 도와주는 일종의 촉진자이며, 그런 의미에서 치료사/참여자 관계는 역동적이다.

독터(Doktor 1992: 9)는 홈즈와 린들리(Holmes and Lindley 1991: 7)를 인용하여 심리 치료를 이렇게 정의한다.

> 인지와 감정과 행동상의 변화를 위해 — 약리학적이거나 사회적인 방법론과 대조되는 것으로서 — 치료사와 환자의 관계를 체계적으로 사용하는 것.

이 정의는 치료사와 참여자의 관계가 그 자체로 치료적 매체라고 진술한다.

얄롬(Yalom 1985)은 치료사와 참여자가 자유롭게 말하면서 책임감의 필터를 제외한 모든 내면의 검열 장치를 벗어던질 것을 권한다. "치료 집단에서 자유는 오직 책임감과 짝지어질 때만 실현 가능하고 또 구조적이게 된다"(Yalom 1985: 225). 치료사는 참여자와 치료 과제에 대한 책임을 진다. 다시 말해 자기 자신을 핵심되는 자리에 가져다 놓는 것이 아니라 치료 과정을 진행시키는 사람으로서 그 과정 자체를 관할한다는 것이다. 치료사는 자기가 아닌 참여자의 여정을 책임지는 촉진자 역할을 한다.

치료의 첫 번째 목표는 고통 완화에 있다. 치료는 그 형식이 개인 작업이든 집단 작업이든 사람과 사람의 관계를 본질로 한다. 치료사는 무엇보다 먼저 참여자가 정신적 스트레스와 고통을 덜 느끼도록 돕는다. 그런 다음의 치료 목표는 "불안이나 우울로 인해 위로를 원하는 데서 다른 사람들과 소통하는 법을 배우고 싶어 하는 것, 사람들을 좀 더 믿음직스럽게 대하는 것, 사랑하는 법을 배우는 것으로 변화"해 간다(Yalom 1991: 7).

치료는 단지 정서적인 카타르시스가 아니다. 그것은 정서적이면서 동시에 인지적인 경험이다. 어떤 경험이 참여자를 강하게 끌어당기면 참여자는 경험을 둘러싼 감정들과 그 경험이 함축하는 바를 이해하려 노력한다. 이 과정은 지금 여기에서의 실존적 경험과 직접적인 연관이 있다.

얄롬(1985)은 성공적인 심리 치료를 가름하는 것이 치료 과정의 핵심에 존재하는 인지적 요소임을 명확하게 입증하는 연구를 제공한다. 그런 의미에서 통찰과 이해는 치료적 변화를 위한 본질이다. 참여자는 그가 처한 삶의 곤경에 대해 책임이 있다. "참여자가 자신의 문제를 자기 외부의 어떤 존재나 힘에 의해 발생한다고 믿는 한 치료에서 지렛대 효과를 기대할 수 없다"(Yalom 1991: 8). 그런 다음 자기의 진실에 대한 지적인 이해로부터 그에 대한 정서적인 경험으로 초점이 옮겨진다. "치료는 심층의 감정들을 끌어낼 때 비로소 변화를 위한 강력한 힘이 된다"(Yalom 1991: 35).

그러므로 치료는 강렬한 감정과 통찰과 지적 이해와 변화와 관련된다. 치료의 핵심은 치료사와의 관계 혹은 치료사와 집단의 관계이며, 그것은 참여자들이 혼자서 하지 못하던 것을 할 수 있도록 돕는다. 삶을 지금 여기서 일어나고 있는 것으로 경험할 수 있는 힘을 주는 것이다.

연극치료란 무엇인가?

연극치료에 대한 정의는 표현과 창조의 영향력을 강조하는 반면, 정신분석적 심리 치료는 치료사와 내담자의 관계와 그 관계 내에서 갈등과 긴장을 통한 작업을 강조한다. 그리고 그 과정은 "전이"와 "역전이"라고 불린다. 드라마 구조는 참여자의 창조성과 표현력을 고취시켜 감정의 상징적이고 비언어적인 표현을 가능케 한다. 그리고 그 점 또한 말로 이루어지는 심리 치료와 대조되는 측면이다. 연극치료사들 역시 언어적인 감정 표출을 격려하지만, 대체로 드라마 자체를 통해 직접적이지 않은 방식을 통한다.

1979년 영국연극치료사협회는 연극치료를 다음과 같이 정의했다.

> 소통과 연관된 음성적이고 신체적인 창조적 구조를 통해, 참여자가 개인과 집단으로서 자기 자신과 접촉하게 함으로써, 상징적 표현을 촉진하면서 사회적이고 심리적인 문제와 정신적 질환과 장애를 이해하고 완화하는 데 도움을 주는 수단이다.

1970년대와 달리 요즘에는 "정신 질환"과 "정신 장애"라는 용어의 명확성을 의심하며, 부정적으로 가치 부여된 측면을 부각시킨다.

1991년 영국연극치료사협회는 연극치료를 다소 유연하게 다시 정의하였다. "연극치료는 치료적 과정에서 드라마의 치유적 측면을 의도적으로 (계획에 따라) 사용하는 것이다." 이 정의는 "드라마의 치유적 측면은 무엇인가?"와 "그렇다면 드라마에 해로운 측면도 존재하는가?"를 비롯해 많은 질문을 내포한다.

제닝스는 "치료로서 공언된 목적을 가지고 드라마 과정과 연극 구조를 구체적으로 활용하는 것"이라고 연극치료를 정의한다(Jennings 1992b: 229). 여기서 우리는 제닝스의 공연 모델을 반영하는 "연극 구조"라는 용어를 접하게 된다. 그녀는 연극치료사를 "심리"치료사가 아닌 창조적 예술가로 보며, 연극치료 역시 연극 예술에 굳게 뿌리내리고 있는 직업이라고 생각한다. 그녀에게 연극치료는 치료사와 참여자의 창조성을 끊임없이 새롭게 재생시키는 예술 형식이다.

젠킨스와 배럼(Jenkyns and Barham 1991: 3)은 명확한 개념 정의라는 제약 안에서 연극치료의 복합적인 과정을 요약하기가 매우 어렵다는 사실을 인정하면서, 전문가들 사이에서 가장 자주 사용되는 정의 중 한 가지인 리드 존슨의 개념(Read Johnson 1982)을 인용한다.

> 연극치료는 여타 창조적 예술 치료(미술, 음악, 무용)와 같이, 심리 치료에 창조적 매체를 활용하는 것이다. 특히 연극치료는 참여자와 치료사 사이에 치료적 이해관계가 확립된 상태에서, 치료적 목표가 진행되는 활동의 부산물로서가 아니라 일차적으로 설정되는 활동을 일컫는다.

이 정의에 따르면, 연극치료는 창조적 심리 치료라고 할 수 있다.

저명한 미국의 연극치료사인 로버트 랜디 박사는 연극치료사의 목적을 열거하면서 개념 정의의 과제를 우회적으로 비껴간다.

> (그들은) 본질적으로 극적인 목표에 이르는 것을 목적으로 한다. 일반적인 목표는 참여자들이 역할 레퍼토리를 확장할 수 있게 돕고, 한 가지 역할을 좀 더 효율적으로 연기할 수 있게 하는 것이다. 구체적인 목표는 참여자의 특성과 필요에 따라 크게 달라질 수 있다. 본질적으로는 치료적이라 하더라도, 치료 목표는 흔히 교육 연극과 레크리에이션 드라마의 목표와 상당히 흡사하다. 더구나 연극치료는 참여자를 의식과 마음, 몸, 감정과 직관의 무의식 과정을 총체적으로 체현하는 존재로 본다는 점에서 주요 심리 치료 이론과 연관된다.
>
> (Landy 1986: 59)

이러한 그의 진술은 실제 작업에 반영된 절충주의와 그에 수반될 수 있는 부정확성의 위험을 변호한다. 하지만 그럼으로써 연극과 드라마에 바탕을 둔 고유한 언어를 갖춘 독자적 분야로서의 연극치료를 옹호하는 데는 실패하였다. 존스(Jones 1991: 8)는 이렇게 말한다.

> 연극치료에서 일어나야 하는 것은 연극치료 집단 안에서 실제로 발생할 수 있는 것을 고유한 방식으로 규명하고 기술하는 것 그리고 그 과정에 관한 명확한 중심과 방향성을 갖는 것이다.

역할 모델을 사용하는 랜디는 그럼에도 불구하고 연극치료를 심리 치료로 보는 사람들과 드라마에 바탕을 둔 것으로 보는 사람들 사이에 심심찮게 신랄한 논쟁이 일고 있다는 점에서, 연극치료가 "어떻게 해서" 주요 심리 치료 이론과 관계가 있는지를 강조하는 것이 필요하고도 중요한 일이라고 말한다.

이분법으로 인해 고통 받는 일은 비단 연극치료에 국한되지 않는다. 영국을 중심으로 심리 치료에서 절충주의의 영향을 살피기 위해, 데이비드 필그림(Pilgrim 1990)은 심리학적 작업과 의료적 처치 사이에서 정체성의 혼란을 겪는 여러 분야의 딜레마를 탐험한다. 그러면서 인본주의적 심리치료와 전통적인 생물학에 바탕을 둔 인간에 대한 기계론적이고 환원론적인 의학 이론들 그리고 행동주의 심리학 사이의 경계 논쟁을 검토한다.

> (만일) 심리 치료가 영국의 정신 보건 산업의 주류로 궁극적인 절충적 통합을 이루게 된다면, 나는 그것이 더 이상 정신 보건 산업의 급진적인 인본주의적 양심으로서의 역할을 주장할 수 없게 될까 두렵다. 이는 소유권과 규정을 둘러싼 직종 안팎의 논쟁과 전문 직종으로서의 승인이라는 장신구를 획득하려는 강박적 욕망으로 인해 낭비된 에너지의 결과라고 할 수 있다.
>
> (Pilgrim 1990: 15)

이 논쟁은 연극치료와 여타 심리 치료 그리고 예술 치료 사이에서 확장되어 왔으며, 아직 해결되지 않은 상태이다. 어떤 사람들은 연극치료를 연극 예술에 기반을 둔 독자적인 치료로서 공표하고 싶어 하고, 또 다른 사람들은 연극치료가 심리 치료의 한 형식이라고 주장하고 싶어 한다. 예를 들어, 연극치료사인 도로시 랭글리(Langley 1989: 74)는 이렇게 말한다.

> 치료사와 참여자 혹은 참여자 집단이 언어적으로 소통하는 심리 치료적 모델이 있는가 하면, 비언어적인 소통이 주를 이루는 예술 치료적 접근법이 있다. 후자의 경우 여러 이유에서 말을 사용하지 않기 때문에 언어 치료가 부적절한 사람들을 포함할 수 있다.

랭글리는 말할 수 없는 참여자를 치료할 수 있다는 점에서 연극치료가 언어에 바탕을 둔 심리 치료와 본질적으로 다르다고 본다. 드라마는 마임, 소리, 몸짓, 말, 신체 언어이다.

그러나 영국 심리치료 상임회의 인문 · 통합 분과의 존 로완(Rowan 1992)이라는 사람에게 연극치료가 심리 치료의 한 형식이라고 보는지에 대한 견해를 묻자, 그는 이렇게 말했다.

> 심리 치료란 간단히 말해 내담자를 문제의 시작에서 끝으로 데려가는 것을 의미한다. 그 문제는 항상은 아니지만 대개 중요하고도 꽤 중심적인 삶의 문제이다. 다시 말해 심리 치료 과정 자체에서 일어날 수 있는 어려움과 장해를 거치면서 참여자와 함께 머무는 것이라 할 수 있다.
>
> (p. 6)

이 정의는 언어를 통한 소통 대신 심리 치료적 관계의 본질을 언급한다. 심리 치료에 대한 로완의 정의에 비추어 볼 때, 많은 연극치료사들이 드라마를 치유 매체로 사용하여 치료 과정 내내 참여자와 함께 한다는 점에서, 연극치료 역시 심리 치료의 일환이라 할 수도 있다. 하지만 이 논쟁은 여전히 뜨겁게 진행 중에 있으며, 이 책을 쓰고 있는 지금도 해결되지 않고 있다. 대다수 연극치료사들은 절충주의의 자유를 환영한다. 그리고 광범한 드라마적 기반을 사용하면서도, 참여자 집단과 개인에게 적절하다고 여겨지는 다른 분야들을 취합하여 쓴다.

아마도 이 시점에서는 치료와 치료적인 것을 명확하게 구분하는 편이 더 현명할 듯하다. 관극 행위는 관객이 자신의 관계와 갈등에 대한 통찰을 주는 공연 때문에 깊은 감동을 받을 경우에 치료적 체험이라 할 수 있다. 어윈(Irwin 1979)은, "치료적 체험"은 "개인이 좀 더 유능감을 느끼도록 돕는 일체의 경험"을 뜻한다고 말한다. 반면에 "치료"는 "심리 내적, 관계적, 행동적 변화를 유발하기 위한 구체적인 형식의 개입"이라고 정의된다. 이러한 구분은 연극치료에서도 역시 유의미하다. 연극치료사가 구체적인 목적, 그러니까 의식意識으로부터 차단된 감정을 경험할 수 있게 하고, 행동의 동기를 통찰하게 하며, 그 과정이 다른 사람들과의 상호 작용과 지금 여기의 삶에서 참여자에 대한 다른 사람들의 반응에 어떻게 영향을 미치는지를 볼 수 있게 하려는 의도로 드라마 구조를 사용한다는 점에서 그러하다.

앞서 정리한 "드라마"와 "치료"의 개념을 종합하면서 내 나름대로 "연극치료"를 정의하면 이렇다.

> 극적 구조를 사용해 참여자가 현실과 상상을 오가는 특별한 공간 속에서 일어나는 사회적 만남 가운데 통찰을 얻고 감정을 탐험할 수 있도록 돕는 드라마를 통한 치유.

전문 분야로서 연극치료의 입지

영국연극치료사협회는 전문 기구로서 다음과 같은 목적을 표방한다.

- 정신적 건강과 신체적 건강을 다양한 방식으로 촉진하지만, 특히 드라

마의 방식을 사용한다.

- 그 성원들의 이해관계를 보호하고 증진한다.
- 협회의 '동등한 기회'에 대한 방침을 지지한다.
- 적합한 사람이 연극치료사가 될 수 있도록 독려하며, 교육 과정을 감독하고 후원함으로써 적절한 직업적 능력 기준이 유지되도록 한다.

협회는 회원 자격을 전문 회원, 정회원, 학생 회원, 자유 회원의 네 가지로 구분한다. 전문 회원은 자격증과 협회가 인정하는 경험을 갖춘 회원이다. 정회원은 협회의 목표 진작에 관심을 가진 회원을 말한다. 이들은 연극치료에 관심이 있는 예술치료사와 심리학자와 교육자일 수 있다. 학생 회원은 협회가 인정하는 교육 과정에 적을 둔 사람으로서 후에 전문 회원이 될 사람들이다.

협회는 정기 총회에서 전문 회원이 선출한 위원회에 의해 운영된다. 집행위원회는 협회장 1명, 부협회장 1명, 회계 1명, 회원 10명으로 구성되는데, 그중의 여덟 명은 전문 회원에서 선출하고 나머지 두 명은 정회원에서 선출한다. 협회의 법적 지위는 비영리 단체로서 보증에 의해 제한된다. 연극치료사 교육 과정을 감독하고, 자격을 취득한 회원 조직을 관리하며, 영국의 다양한 고용 기관과 여타 직업 기구를 상대로 그들의 이해를 대변한다.

협회는 또한 감독, 교육, 동등한 기회, 기금 조성 등 다양한 소위원회를 둔다. 협회는 교육위원회 내에 있는 예술 치료 분과나 예술 치료 분야를 위한 상임위원회나 예술치료연구위원회와 같이 연극치료와 관계된 위원회에 대표를 파견한다.

1990년에 국립보건원에서 일하는 연극치료사들이 미술치료사와 음악치료사에 이어 전문적이고 기술적인 "A" 위원회 산하의 위틀리 협의회의 회원이 되었다. 위틀리 협의회는 연극치료사에 대해 다음과 같은 정의에 동의하였다.

> 개인이나 집단 규모의 환자를 대상으로 적절한 드라마 활동 프로그램을 조직하여 치료적으로 활용할 책임이 있는 사람으로서, 공인된 대학원 교육 과정에 입학할 수 있는 자격과 함께 상급 교육 기관에서 소정의 훈련 과정을 마친 뒤에 연극치료 부문의 자격을 획득한다.
>
> (Jenkyns and Barham 1991에서 인용)

1991년 7월, 협회는 의학보조직업기구(CPSM)에 가입하기를 청원했고, 이 사회는 이를 받아들여 곧 내무위원회에 미술치료사와 음악치료사와 나란히 청원서가 제출될 것이다.

연극치료 대학원 교육 과정

현재는 영국 내에 다섯 개의 대학원 연극치료 교육 과정이 있다(부록 3 참고). 세인트올번의 하트퍼드셔 대학, 요크의 리폰 앤드 요크 세인트 존 대학, 토퀘이의 사우스 데본 대학, 로햄튼 인스티튜트(서레이 대학)로 알려진 런던의 연극치료연구원, 스피치 · 드라마 센트럴 스쿨(세서미)이 그것이다. 각 과정은 보건부에 등록되어 있다. 과정을 성공적으로 마친 학생은 연극치료 준석사 학위[준석사Graduate Diploma는 영국의 독특한 학제로서, 학사와 석사 중간의 학위라 할 수 있다. 주로 마케팅, 전산, 교육학 등의 전문 분야 직종과 연결된 9-12개월 과정이 많다.: 옮긴이]를 받게 된다. 그리고 새로운 준석사 학위 과정이 맨체스터에서 협상 중에 있다.

일정 기간 동안 작업을 한 뒤에는, 하트퍼드셔 대학 연극치료학과에서 1년제 파트타임의 고급 교육 과정과 2년제 파트타임의 석사 과정을 들을 수 있다. 이들 과정은 석사나 박사 과정을 위한 바탕과 더 심도 있는 연구를 촉진하는 데 목적이 있다.

협회는 학위를 딴 사람들이 임상 작업을 시작하는 데 필요한 부가적인 감독 규정을 채택하였다. 자격증을 가진 연극치료사라 해도 전문 회원 자격을 유지하려면 교육 과정을 마치는 3년 동안 40회의 슈퍼비전을 의무적으로 받아야 한다. 협회는 나아가 작업을 하는 동안 내내 슈퍼비전을 지속하도록 권장한다.

연극치료사와 활동 공간

1991년 4월에 협회가 작성한 회원 명부에는 127명의 전문 회원, 78명의 정회원, 76명의 학생과 31명의 자유 회원이 등록되어 있다. 전문 회원 중 40%는 의료 기관에서 일하고 있으며, 28%는 "프리랜서," 25%는 교육 기관에 소속되어 있으며, 나머지 7%가 교도소나 극단 혹은 심리 치료 기관에서 작업한다.

연극치료사는 무엇을 하는가?

연극치료사는 개인과 집단을 대상으로 작업한다. 개인과 기관을 상대로 직장에서의 문제를 살펴보고 스트레스를 극복하는 데 도움을 주는 상담을 하기도 한다. 또한 경영 훈련을 하기도 하고, 스태프 지지 집단과 훈련 집단을 운영하기도 한다. 그리고 정신 분열증 진단을 받은 참여자로부터 초등학교 어린이에 이르는 광범한 범주의 치료 집단과 함께 장기 치료와 단기 치료를 실시한다.

작업 내용은 참여자 개인이나 집단의 욕구에 맞춘다.

> 연극치료는 참여자와 치료사 사이에 확립된 치료적 이해를 바탕으로 진행되며, 활동의 우연한 부산물로서가 아니라 그에 선행하는 주된 치료적 목표를 갖는 작업을 말한다.
>
> (Jenkyns and Barham 1991: 3)

나아가

> 참여자들은 드라마를 통해 치료된다. 왜냐하면 과거를 극화하고 연기하면서 자신의 역기능적 이미지를 창조했기 때문이다. 연극치료에서 참여자들은 그 이미지를 재창조하면서 다시 살펴보고 통합할 수 있게 되며, 그리하여 보다 기능적인 자아가 나타나게 된다. 허구와 현실의 맥락 사이를 오가는 드라마의 변증법적 본질은 연극치료의 개념적 기저뿐 아니라 그 실제를 살피는 방식을 제공해 준다.
>
> (Landy 1986: 47)

심리 치료와 마찬가지로 연극치료에서도 참여자와 치료사가 일종의 계약을 맺는다. 그때 치료사의 목적과 목표는 드라마 구조와 활동을 의도적으로 사용함으로써 참여자가 스스로 치유하도록 돕는 데 있다. 연극치료사는 가면, 인형, 분장, 의상과 같은 연극적이고 극적인 재료를 폭넓게 사용할 수 있으며, 참여자의 이야기를 드라마로 사용할 수도 있고, 신화나 전설을 끌어올 수도 있다. 하지만 그 모든 것은 계약에서 명시한 치료적 목적 안에서 이루어져야 한다.

연극치료의 네 가지 이론적 모델

연극치료는 연극과 치료적 드라마 그리고 심리학과 인류학에 이론적 바탕을 둔다. 제한된 분량 안에서 각기 다른 접근법의 다양한 양상을 포괄하기란 불가능하지만, 그 실제의 특징적인 측면을 조명할 수 있기를 바란다.

공연 모델

연극은 직접적인 경험이다. 거기서 사람들은 주어진 시간에 특정한 공간에서 서로 조우하기로 동의하며, 그중 일부는 자기 자신이 아니라 마치 다른 사람 혹은 다른 무엇인 듯이 행동할 것이다. 배우들이 그렇게 다양한 인물과 역할을 취하는 동안 관객은 불신을 중지한 채 상상의 시간과 가장된 장소에서 움직이는 배우를 인물로서 받아들인다. 그런 의미에서 연극치료의 공연 모델은 배우/참여자 혹은 배우/참여자 집단, 연출자/치료사, 무대 공간, 동의된 시간과 공통의 목표를 포함한다.

공연 모델의 대표적인 인물은 수 제닝스(Jennings 1990, 1992a, b, 이 책 6장 참고)이다. 제닝스는 연극치료사를 심리치료사가 아닌 창조적 예술가로 간주한다. 그리고 연극치료는 연극과 드라마에 그 뿌리를 굳게 내리고 있는 하나의 체계라고 여긴다. 수년에 걸쳐 제닝스는 드라마 자체의 치유적 가능성에 대한 이해에 바탕하여 "진실한" 연극치료 모델을 개발해 왔다. 그 "진실한" 모델 안에는 창조적-표현적 모델, 과제 중심적 모델, 심리 치료적 모델과 같이 참여자 집단과 맥락에 따라 작업 양상을 달리하는 모델들이 존재한다. 그 주요 과정은 연극이며, 따라서 연극치료는 극적 혹은 미적 거리와 연관된다. 미적 거리는 역설적으로 우리가 현실을 보다 깊은 차원에서 경험할 수 있게 해준다. 이와 달리 심리극은 주인공의 실제 이야기를 가지고 작업한다. 연극치료에서는 이야기와 신화와 드라마 자체가 참여자 모두의 이야기가 되며, 그 드라마를 해석하지 않는다. 참여자는 그에 힘입어 객관적이고 주관적인 현실, 소우주와 대우주 사이를 빠르게 이동할 수 있다.

"연극치료의 치료 효과를 위해 본질적인 것은 참여자 이외의 다른 한 사람과 특별한 장소이다"(Jennings 1990). 제닝스는 "특별한 제의적 장소, 구별된 공간"(1990)의 필요성을 강조한다. 은유는 연극과 드라마와 연극치료의 매체이며, 의식은 빈 공간에서 연행된다.

공연 모델에서 치료사는 촉진적 연출자의 역할을 한다. 공연 모델에 심취한 또 다른 연극치료사인 스티브 미첼(Mitchell 1990, 그리고 이 책 3장과 9장 참고)은 연극치료사와 연극 연출가의 역할을 피터 브룩의 예를 들어 비교하고 대조한다. 브룩은 연출가의 역할을 촉진자로 간주한다. 즉, 배우가 인물을 발견하고 다른 배우들과의 상호 작용 속에서 역할을 연기하며, 그리하여 궁극적으로 관객 앞에서 그렇게 하기 위해 요구되는 것을 할 수 있게끔 돕는 사람 말이다. 미첼의 공연 모델은 치유의 모델이다. 연극치료사는 참여자가 현실의 일상적 문제를 연극적 현실로 전환시키도록 돕는다. 그리고 그 안에서 적절한 이미지를 포착하여 정서적이고 인지적인 것으로 만든 다음, 다시 일상의 현실로 돌아가도록 촉진한다.

멜드럼(Meldrum 1993, 그리고 이 책 5장 참고)은 연극치료사를 책임질 수 있는 촉진자 역할을 취하는 감정이입적 연출자로 보는 공연 모델을 제안한다. 거기서 연극치료사는 참여자들이 연극적 은유의 사용을 통해 삶에 대한 책임감을 가지도록 돕는다. 이 모델의 핵심은 연극치료 회기가 연극 공연 제작 과정처럼 구조화될 수 있다는 사실이다. 리허설 혹은 회기는 참여자/배우가 몸을 사용하고, 역할 속에서 인물 구축을 진전시키며, 지성을 사용하도록 구조화된다. 참여자들은 투사 기법을 빌어 자기를 표현하고, 드라마를 통해 자신의 감정과 욕망에 목소리를 부여할 수 있다. 치료사와 집단의 다른 구성원들은 배우와 관객의 역할을 모두 맡음으로써 보알(Boal, 1992)이 말한 "관객 배우" — 관객이면서 배우인 — 가 된다. 관객 배우로서 다른 사람들의 드라마를 지켜보면서, 그 이야기들을 거울삼아 자기 자신을 비추어 본다.

연극치료의 공연 모델은 그러므로 연극과 드라마로부터 영감과 구조를 취한다고 할 수 있다.

치료적 드라마

치료적 드라마는 흔히 신화, 전설, 민담뿐 아니라 참여자의 이야기를 사용한다. 이야기와 신화를 사용하는 연극치료사 중에는 물리 라하드와 알리다 거시를 손에 꼽을 수 있다. 그리고 마리나 젠킨스는 셰익스피어와 버코프의 텍스트를 집단 연극치료에서 극적 구조로 사용한다. (이 책의 10장과 11장을 보면 라하드의 방법론을 더 자세히 알 수 있고, 11장에는 알리다 거시에 관한 정보도 있다.)

거시(Gersie 1991)에 따르면, 전통적 이야기는 전달의 형식을 품고 있으며, 그렇기 때문에 친숙한 이야기를 가지고 작업하면 기억과 이미지가 자극된다. 물리 라하드(Lahad 1992)는 이야기를 사용하여 참여자가 사용하는 언어를 찾아낸다. 참여자가 이야기를 하면, 치료사는 이야기에 함축된 내용을 살펴 그가 스트레스에 대한 반응으로 어떤 종류의 대응 기제를 선택하는지를 알아낸다. 라하드의 다중 양식 접근법은 그의 경험상 참여자의 대처 양식에 잠재된 여섯 가지 차원, 곧 믿음과 가치, 정서(감정), 사회성, 상상력, 인지, 신체에서 유래한다. 그는 이를 BASIC Ph라고 부른다. 이들 요소는 각 개인에게서 고유한 대처 양식으로 조합된다.

거시와 라하드는 참여자가 동화나 신화의 요소에 바탕을 둔 이야기에 자기를 투사하도록 하는 치료 기법으로 스토리-메이킹을 사용한다. 거시는 배경, 거주지, 주인공, 장애물, 조력자, 결말을 스토리-메이킹의 기본 구조로 사용한다. 라하드의 구조는 주인공의 과제나 사명, 조력자, 주인공을 방해하는 장애물, 인물이 그에 대처하는 데 사용하는 전략, 결말을 포함한다. 참여자가 이야기를 그림으로 그리고 말하거나 연행하면, 치료사는 이야기의 톤, 곧 그 내용과 메시지 혹은 주제와 인물이 대처하는 방식을 귀 기울여 듣고 관찰한다. 거시가 참여자를 위해 가장 가능성 있는 치유의 영역으로 조력자를 강조한 반면, 라하드는 주인공의 대처 전략에 가장 흥미를 보인다. 이야기에서 조력자가 활용되지 않을 수 있으며, 그런 경우에 치료사는 참여자가 스스로 문제를 풀어갈 수 있도록 돕는다.

마리나 젠킨스의 텍스트에 대한 심리 역동적 접근법은 사뭇 다른 종류의 치료 형식이다. 젠킨스는 셰익스피어의 〈태풍 *The Tempest*〉과 같은 텍스트를 투사나 은유를 사용하여 참여자들이 개인적 여정을 탐험하도록 한다. 그것이 가능한 이유는 셰익스피어의 언어가 그 자체로 은유적 이미지를 내장하고 있는데다, 참여자들이 그 텍스트를 일종의 극중극으로 사용하기 때문이다. 다시 말해 텍스트의 공연 속에 참여자들의 여정을 그린 또 다른 공연이 담겨 있는 격으로, 참여자는 거기서 경험을 다중적으로 연기하게 된다. 배우처럼 자신의 일부를 인물로 형상화하고, 역할의 목소리를 사용하여 극적 주제로 구조화된 집단 안에서 자기 자신을 표현하는 것이다.

치료적 드라마는 여러 가지 형식을 취할 수 있지만, 극적 구조와 형식 안에서 역할을 체현한다는 점을 공유한다.

역할 모델

역할 모델은 뒤에서 상세하게 다루고 있다(5장 참고). 역할 모델은 개인이 다양한 생물학적, 가족적, 직업적, 사회적 역할을 연기하며, 현실뿐 아니라 연극치료 회기에서도 그 역할을 연기한다고 본다.

이 모델에서 연극치료사의 치료적 목표는 참여자가 갖고 있는 역할의 가짓수를 늘리고, 한두 가지 역할에 고착되지 않도록 하며, 한 가지 역할에서 다른 역할로 유연하게 이동할 수 있는 능력을 키울 수 있게 돕는 것이다. 역할 이론 모델은 자아실현에 별 관심을 기울이지 않는 대신, 개인이 연기하는 사회적 역할의 특징에 집중한다. 치료사가 참여자들과 함께 역할로 들어가 여러 가지 역할을 탐험할 수도 있다. 역할 이론은 연극치료사가 정신 병리학보다는 참여자의 치유적 측면에 주목하기를 권한다. 치료는 "참여자가 자기의 치유적 부분과 그 중요성을 인식하고, 치료사가 자기에게 하듯이 자신을 대할 수 있게 될 때" 성공적이라고 할 수 있다(Landy 1992: 103).

연극치료 과정을 통해 참여자들은 내면의 인물과 역할을 조명하게 되고, 그럼으로써 스스로 "완전한 배우"가 된다. 다시 말해 생각과 행동 속에서 이들 역할을 통해 작업했기 때문에 일상의 현실에서는 숙련된 연기자가 될 수 있다는 것이다(Landy 1992).

데이비드 리드 존슨(Read Johnson 1992)은 연극치료사가 참여자를 위한 전이 대상이자, 참여자의 드라마에 등장하는 인물이나 역할, 그리고 치료사라는 역할까지 세 가지 역할을 연기한다고 한다. 그는 "놀이 공간" — 치료사와 참여자가 공유하는 대인적이고 상상적인 영역 — 이라는 개념을 사용한다. 이 놀이 공간은 연극치료 회기에서 발생한 일종의 환영이자 대안적 현실이다. 치료사는 참여자를 그의 내면 풍경으로 이끄는 안내자로서 기능하면서 놀이 공간 내에서 다양한 기법과 여러 수준의 참여를 통해 변화를 이끌어 낸다.

영국에서보다 미국에서 더 인기 있는 역할 이론 모델은 관련 서적이 잇달아 출간되면서 점차 영향력을 축적해 가고 있다.

인류학적 접근법

위대한 폴란드의 연출가 예르지 그로토프스키는 배우를 샤먼이자 영적 사제로 간주한다. 그리고 연극에서 의식을 "개인 내에 있는 그리고 사람들 사이에 존재하는 많은 분열을 치유하는 방식으로" 재창조하는 데 몰두한다(Kumiega 1987: 129). 배우를 치료사나 주술사의 이미지로, 의식에 참여하거나 목격한 사람들을 미지의 영토로 이끄는 샤먼/배우로 보는 것이다.

일부 연극치료사들은, 그로토프스키와 같이 인도, 아프리카, 미국 인디언 문화에서 행해지는 종교적 행위에 영향을 받아, 연극치료사의 역할을 샤먼으로 간주하기도 한다. 수 제닝스(Jennings 1992b)는 사제-샤먼의 역할을 전통적인 치유자의 역할과 연관 지으면서, 많은 문화권에서 그것들을 혼용한다고 말한다. 샤먼은 집회를 하는 동안 무아경 상태로 들어간다. 그리고 참여자와 역할을 바꾼 다음에는 "질병과 그 뿌리에 대한 상징적 극화가 따른다"(p. 235). 리드 존슨(Read Johnson 1992)에 의하면, 연극치료사는 샤먼의 역할 속에서 반드시 편안해야 하며, 그 관계는 치료사와 참여자의 역할 관계 중에서 가장 친밀하다. 거기서 배우/샤먼으로서의 치료사는 참여자가 관객으로서 지켜보는 동안 드라마에 나오는 이미지를 연행한다.

하지만 치료사가 배우가 되고 참여자가 관객의 역할을 연기하는 것은 적절하지 않다는 점에서 이러한 흐름에 비판적인 입장을 취하는 사람들도 있다. 참여자가 자기 이야기를 직접 체현하는 것이 치료의 핵심이며, 치료적 협력 관계는 바로 그것을 요구한다고 보기 때문이다. 그러나 연극치료의 이 새로운 분야는 매우 흥미롭고, 앞으로도 급격히 발달할 것이 확실하다.

공연, 드라마, 역할 이론, 인류학과 의식은 절충주의적이고 폭넓은 연극치료의 작업 방식 중 일부를 차지할 뿐이다. 많은 특징을 공유하는 심리극이나 게슈탈트 치료와 달리, 연극치료는 합의된 이론적 바탕을 갖고 있지 않고, 교육과 실제 작업을 떠받칠 수 있는 명확하게 정의된 구조 역시 확립하지 못한 상태이다. 연극치료 작업은 셰익스피어 작품 안에서 지적으로 은유와 그 의미를 탐험하는 것에서부터 심한 뇌손상 장애인과 함께 단순한 마임과 접촉을 사용하는 것에 이르기까지 다양한 범주에 걸쳐 있다.

결론

이 장을 통해 연극치료라는 분야의 창조성과 복합성과 절충주의의 느낌이 잘 전달되었기를 바란다. 발달상으로 볼 때 연극치료는 어렵게 첫발을 떼고 나서 이제 막 뛸 준비를 하는 시점에 있다.

참고 문헌

Boal, A. (1992) *Games for Actors and Non-Actors*, trans. Adrian Jackson, London, Routledge.

British Association for Dramatherapists (1991) Membership List and Code of Practice, London, BADth.

Cox, Murray (1986) *Coding the Therapeutic Process: Emblems of Encounter,* London, Pergamon Press.

Doktor, Ditty (1992) "Dramatherapy a psychotherapy?," *Dramatherapy*, 14(2): 9-11.

Gersie, Alida (1991) *Storymaking in Bereavement: Drangons Fight in the Meadow*, London, Jessica Kingsley.

Holmes, J. and Lindley, R. (1991) *The Values of Psychotherapy*, Oxford, Oxford University Press.

Irwin, Eleanor C. (1979) "Drama therapy with handicapped," in Ann Shaw and C. J. Stevens (eds) *Drama, Theatre and the Handicapped*, Washington, DC, American Theatre Association.

Jenkyns, Marina and Barham, Michael (1991) *BADth Application to Join the Council for Professions Supplementary to Medicine, on Behalf of the Profession of Dramatherapy*, London, BADth.

Jennings, Sue (1990) "Dramatherapy," public seminar at the Institute of Dramatherapy, 6 March.

Jennings, Sue (1992a) (ed.) *Dramatherapy Theory and Practice 2,* London, Routledge.

Jennings, Sue (1992b) "The nature and scope of dramatherapy: theatre of healing," in

Murray Cox (ed.) *Shakespeare Comes to Broadmoor*, London, Jessica Kingsley.

Johnson, Liz and O'Neill, Cicely (eds) (1984) *Dorothy Heathcote: Collected Writings on Education and Drama*, London, Hutchinson.

Jones, Phil (1991) "Dramatherapy: five core processes," *Dramatherapy*, 14(1).

Kumiega, Jennifer (1987) *The Theatre of Grotowski*, London and New York, Methuen.

Lahad, Mooli (1992) "Storymaking: an assessment method for coping with stress. Six-piece storymaking and the BASIC Ph," in S. Jennings (ed.) *Dramatherapy Theory and Practice 2*, London, Routledge.

Landy, Robert (1986) *Drama Therapy: Concepts and Practices*, Springfield, IL, Charles C. Thomas.

Landy, Robert (1992) "One-on-one: the role of the dramatherapist working with individuals," in S. Jennings (ed.) *Dramatherapy Theory and Practice 2*, London, Routledge.

Langley, Dorothy (1989) "The relationship between psychodrama and dramatherapy," in P. Jones (ed.) *Dramatherapy: State of the Art*, Papers presented at 2-day conference held by the Division of Arts and Psychology, Hertfordshire College of Art and Design.

Meldrum, Brenda (1993) "A theatrical model of dramatherapy," *Dramatherapy*, 14(2): 10-13.

Mitchell, Steve (1990) "The theatre of Peter Brook as a model for dramatherapy," *Dramatherapy*, 13(1).

Neelands, Jonothan (1990) *Structuring Drama Work: a Handbook of Available Forms in Theatre and Drama*, T. Goode (ed.), Cambridge, Cambridge University Press.

O'Neill, Cecily and Lambert, Alan (1982) *Drama Structures*, London, Hutchinson.

Pilgrim, David (1990) "British psychotherapy in context," in Windy Dryden (ed.) *Individual Therapy*, Milton Keynes, Open University Press.

Read Johnson, David (1982) "Developmental approaches in drama," *The Arts in Psychotherapy*, 9, 183-90.

Read Johnson, David (1992) "Thedramatherapist 'in-role'," in S. Jennings (ed.) *Drama Theory and Practice 2*, London, Routledge.

Wilshire, Bruce (1982) *Role Playing and Identity: the Limits of Theater as Metaphor*, Bloomington, IN, Indiana University Press.

Yalom, Irvin (1985) *The Theory and Practice of Group Psychotherapy* (3rd edn), New York, Basic Books.

Yalom, Irvin (1991) *Love's Executioner*, London, Penguin Books.

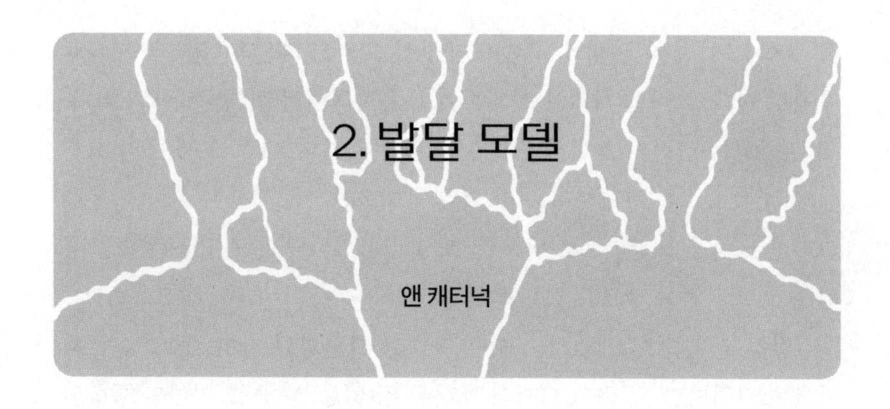

2. 발달 모델

앤 캐터넉

스무 살 무렵까지는 원숭이처럼 어리석고
삼사십 먹기까지는 사자처럼 용맹스럽고
육칠십 되기까지는 여우처럼 교활하고
그런 뒤에는 사람이 아니라 당나귀 같은 바보가 된다.

(전래되는 말)

열 살에는 아이 같고, 스무 살에는 용감하며,
서른에는 명성을 추구하고,
마흔에는 현명해지며, 쉰 살에는 부자가 된다.
그리고 예순 살에는 선한 이가 되거나 그 반대가 된다.

(전래되는 말)

정의

연극치료의 발달 모델은 전체 인생 여정의 일부로서 참여자의 창조적 삶을 탐험하며, 삶의 단계의 구성과 재구성 그리고 개인과 집단의 변화를 주제로 한다. 그러한 작업은 사회적이고 문화적이며 심리적인 측면을 통해 경험되는 변화와 흐름과 변형을 포함할 것이다. 다시 말해 우리가 경험의 갈등 요소를 통합하기 위해 어떻게 애쓰는가를 다룬다. 허구를 통해 그러한 노력을 상징적으로 탐험할 때, 연극치료의 치유 과정은 예술을 통해 삶을 회복하는 것으로 표현될 수 있다.

진정성을 향한 이 개인적 투쟁은 우리가 파편화된 자아, 곧 그렇게 되기를 소망하지만 한 번도 거기에 다다른 적 없는 자아, 그 자아와 통합되지 못한 자아, 묻혀 있는 자아, 잘못 놓여진 자아를 지속적으로 탐험하고 있음을 의미한다. 드라마 과정을 통해서 우리는 삶의 단계를 따라 앞뒤로 탐험할 수 있고, 이미지와 상징과 이야기와 텍스트를 통해 우리가 누구이며 혹은 지금까지 어떤 사람이었는가를 찾아낼 수 있을 뿐 아니라 우리가 원했던 어린 시절이나 그렇게 살지 않아서 감사한 가상의 삶을 창조할 수 있다.

다른 시기에 한 가정에 입양된 두 아이가 있다. 제인과 톰은 모두 네 살 때 입양되었는데, 톰이 제인보다 두 해 먼저였다. 두 아이는 마치 고양이와 개처럼 서로 미워하며 싸웠고, 다른 아이가 자기보다 더 주목받는 걸 못 견뎌했다. 제인의 전략은 "말 안 듣기"였고, 톰은 "착하게 굴기"로 일관했지만, 둘이 함께 있을 때면 다툼이 끊이질 않았다.

연극치료를 함께 하면서, 아이들은 남매가 한 부모에게서 태어나 함께 자라는 내용의 헨젤과 그레텔 같은 이야기를 만들었다. 그리고 친남매를 연기하면서 싸움과 재미와 두려움과 위험으로 가득한 가상의 어린 시절을 창조했고, 또 그 허구적 경험을 통해 현실에서 경험하지 못한 협력 관계를 배우게 되었다.

여전히 다툼은 그치지 않았고, 각기 다른 가정에서 얻은 상처로 인한 문제를 노출했지만, 아이들은 서로 지지하는 모습을 보여 주었고, 상대의 성취를 질투하기보다 자랑스러워하는 남매다운 관계를 만들면서 긍정적인 관계를 형성하기 시작했다.

톰과 제인은 입양 전의 경험으로 인해 부정적이고 왜곡된 자아상에 고착되어 있었고, 그러한 자기-부정을 거울처럼 서로에게 되비추었다. 그런데 극적 놀이를 하면서 부정적 측면에 대항해 싸우기 위해 서로 힘을 합하였고, 그에 따라 점차 자기 자신과 상대의 긍정적인 가치를 발견하게 되었다. 발달의 관점에서 보면 혼란과 명료함, 고통과 기쁨, 통합과 분열은 모두 삶의 이야기가 펼쳐 보이는 양상일 뿐이다. 발달적 접근에서는 고통을 발달 과정에서의 정지나 고착으로 간주한다. 삶의 여정이 이어지지 않고 어떤 단계에서 멈출 때 문제가 생긴다는 말이다.

데이비드 리드 존슨(Read Johnson 1982)에 따르면, 다른 패러다임은 뭔가가 결여되거나 균형이 깨진 데서 인성의 문제가 발생한다고 보고 그를 바로잡으려 한다면, 발달적 관점은 인성의 장애를 발달 과정상의 정지나 고착으로 간주한다. 따라서 치료는 참여자가 발달의 어느 지점에 머물러 있는지를 진단하는 데서 출발한다. 그런 다음 치료사는 길동무이자 안내자로서 참여자와 함께 그 여정을 다시 시작한다.

톰과 제인은 고무젖꼭지를 물고 노는 극적 행위 속에서 그들이 원했던 유아기의 경험을 상징적으로 재현하면서 출생 이후의 여정을 다시 시작했다.

리드 존슨에 의하면, 발달적 접근법이란 일련의 게임과 기법을 늘어놓기보다 참여자가 발달 단계상에서 어떻게 진행해 나갈지 혹은 퇴행할지를 잘 아는 치료사와 함께 그 과정을 구성하는 것이다.

발달 단계는 단순히 아동기에 국한되지 않고 생애 전반에 걸쳐 있으며, 성인이 된 후에도 발달은 지속된다. 우리는 시간 속에서 살아가고 있다. 필리다 새먼(Salmon 1985)은 시간에 대한 우리의 경험은 우리가 일상적으로 받아들이는 것보다 훨씬 더 복잡 미묘해서, 우리 안에는 우리였던 존재와 우리가 될 존재가 함께 담겨 있으며, 삶의 모든 국면을 부정하지 않고 통합할 수 있을 때라야 비로소 우리가 창조하는 운명에 충분한 의미를 부여할 수 있다고 한다.

창조적 발달은 놀이로 시작된다

수 제닝스(Jennings 1990)는 놀이가 초기 유아의 감각 놀이에서 아동기의 극적 놀이까지 세 개의 발달 단계를 거친다고 말하며, 그것을 체현 놀이, 투사 놀이, 역할 놀이로 구분한다.

체현 놀이

유아는 주변의 감각적 세계를 언어가 아닌 몸으로 탐험하면서 체현 놀이를 즐긴다. 얼굴에 우유를 바르고, 접시를 숟가락으로 두드리며, 배설물을 문지르면서 즐거워하는 것!

유아가 앉고 기고 걷기 시작하면서 접촉 범위가 넓어지고, 감각적 세계 역시 그에 따라 확장된다. 이러한 감각적 세계의 최초의 경험은 자기에 대한 감각과 물리적 세계에 대한 쾌감의 기초를 형성한다.

투사 놀이

주변에 있는 사물을 탐험하기 시작하면서 아이들의 세계는 더욱 확장된다. 위니컷은 유아가 처음으로 "내가 아닌" 소유물로서 특정한 의미를 부여하는 사물을 첫 번째 특별한 물건이라고 말한다. 이 첫 번째 대상은 대개 냄새가 밴 담요 귀퉁이로 — 내 아들은 수건이었지만 — 어디를 가든 늘 가지고 다닌다. 그것이 특별한 이유는 "내가 아닌 다른 것"이라거나 "내가" 아닌 것이라는 데 있는 것이 아니라 전이 대상으로서 환상의 영역에 위치하기 때문이다.

이 전이 대상에서 놀이 활동으로 곧장 발달이 진행된다. 아이는 장난감과 자기 외부의 사물을 탐험하기 시작하고, 이 외부 매체의 사용을 통해 경험을 연기하기 시작한다. 이는 아동이 최초로 하나의 대상이 다른 대상을 재현할 수 있음을 깨닫기 시작하는 상징적 놀이의 시작이기도 하다.

피아제(Piaget 1962)는 상징적 놀이가 아동에게 필수 불가결하다고 말한다. 상징적 놀이는 아이가 현실에 적응하는 것이 아니라 강제나 금기 없이 현실을 자기에게 동화시키는 활동 영역으로서 아동의 정서적이고 지적인 균형을 유지하게 해준다는 점에서 그렇다. 놀이가 동화를 통해 현실을 자기 필요에 따라 변형하는 장이 되는 것이다.

역할 놀이

아이들은 자기 재현의 하나로서 "가장" 놀이를 시작하며, 다른 아이들과 함께 장난감과 여러 가지 대상을 가지고 놀면서 점차 다른 사람이 된 듯 연기하는 법을 배우게 된다. 이때 역할 맡기는 자기를 유지하면서도 맡은 역할에 완전히 동일시한다는 점에서 단순히 모방이라 할 수 없다. 아이들이 4살 무렵이 되면 역할 연기를 좀 더 세련되게 발전시켜 역할 놀이와 다른 아이들의 가장 놀이를 조합할 수 있다. 이 단계에서 아동은 자신의 역할에 몰입하면서도 함께 놀기와 혼자 놀기의 감각을 모두 갖고 있으며, 협상 기술과 사회적 상호 작용의 복합적 규칙을 익힘에 따라 놀이 또한 극적 교환의 복합성을 두루 갖춘 극적 놀이로 발전해 간다.

극적 은유

놀이의 이 세 단계는 아동의 의식과 기술이 성숙해 가는 발달 과정의 일부이지만, 한편으로는 드라마를 만드는 집단의 발달 단계로도 볼 수 있다. 정말로 흥미로운 극적 탐험은 신체적 자각과 투사 놀이와 역할 맡기의 요소를 모두 포함한다.

수 제닝스(1990, 그리고 이 책 6장 참고)는 체현되고 투사되고 역할로써 연기된 은유가 근본적인 변화를 가능케 한다고 말한다.

브루노 베틀하임(Bettelheim 1978)은 이 발달 과정을 한 편의 동화처럼 표현한다. 이야기가 없다면 아이의 삶이 무시당하고 버림받고 사방이 꽉 막힌 듯한 느낌으로 무너질 지경인 그런 시기에 비로소 동화가 시작된다고 말이다. 아이가 상상력을 사용할 때 — 비록 성인의 합리적인 방식과는 대조되지만 — 이야기는 장려한 전망을 열어 보임으로써 극심한 절망의 순간적인 감정을 극복할 수 있게 해준다.

필리다 새먼(1985)은 발달 심리학을 제대로 탐험하려면 은유의 세계로 들어갈 수밖에 없으며, 그것은 비유적 해석을 통해서만 삶의 가장 심오한 의미를 경험할 수 있기 때문이라고 말한다.

발달 심리학

발달 심리학은 인간의 발달을 이해하기 위한 방편으로 시간 안에 살기라는 개념을 사용하며, 삶의 단계와 메커니즘과 인간 발달의 과정을 탐험한다. 개별적인 이론가들은 자아의 다양한 양상을 강조하는 발달적 도식을 제시한다. 이들 이론은 참여자가 삶을 하나의 여정이라는 비유로 탐험하도록 도와준다. 피아제(1962)의 이론과 에릭슨(Erikson 1965)의 이론은 인지적이고 정서적인 발달 단계에 대한 아이디어를 제공하며, 발달적인 연극치료 집단의 탐험 과정과도 많은 연관성이 있다.

발달 단계 이론들

장 피아제: 인지 단계 이론

피아제는 삶이 시작되는 시점부터 우리가 주변 세계에 대한 적절한 모델, 곧 상존하고 움직이는 사물들 그리고 시간과 공간의 틀거리에서 반복적으로 벌어지는 일을 담아내면서 규칙적인 질서를 보이는 세계의 모델을 구축한다고 말했다.

인간의 발달은 이러한 내적 모델을 구축할 수 있는 개인의 능력이 점진적으로 발현되는 과정이다.

감각-운동기(0-2세)

이 시기의 핵심은 행동 양식이다. 그것은 유아가 감각과 움직임의 조합을 통해 항구적인 세계상을 형성하기 때문이다. 피아제는 이러한 행동 양식을 일러 "도식"이라 했고, 어린이가 성장함에 따라 새로운 대상을 도식에 동화시키고 또 새로운 상황에 적응하는 법을 배운다고 했다. 아기는 외부에 대해 행동하면서 대상과 사건을 도식에 동화시킨다.

전개념적 사고기(2-5세)

이 시기에 비로소 재현적 사고가 시작되고, 유아는 상징적 수단을 통해 자기와 세계를 구별할 수 있게 된다.

상상적인 놀이, 탐험하기, 실험하기, 질문하기, 듣기와 말하기를 통해 유아는 세계에 대한 모델을 확장하고 풍부하게 만든다.

직관적 사고기(5-7세)

이 단계는 언어와 사회적 관계의 발달이 특징적이지만, 사고는 여전히 행동과 지각에 묶여 있다. 추론 과정은 아직도 다소 자기중심적이지만, 현실에 존재하지 않는 대상이나 사건을 마음속에 환기할 수 있다.

구체적 조작기(7-11세)
이 시기에 있는 아이들은 논리적이고 수학적으로 사고한다. 한 가지 상황의 여러 측면을 동시에 고려할 수 있고, 시간 순서에 따른 추론이 가능해지며, 대상을 여러 묶음으로 분류할 수 있게 된다. 형식을 갖춘 게임과 놀이에 좀 더 흥미를 갖게 된다.

형식적 조작기(11세 이상)
이론적 사고가 시작된다. 미래를 예측하고 자기 체계를 선택할 수 있는 능력 그리고 자기가 속한 사회적 환경과 다른 관점들을 동화시킬 수 있는 능력이 이 시기의 특징이다.

피아제의 인지 발달 모델은 놀이와 상징적 과정과 재현을 인간 발달의 맥락에 위치시킨다는 점에서 중요하다.

에릭 에릭슨: 정서 단계 이론

에릭슨의 정서 단계 이론은 "인간의 여덟 단계"를 규정한다. 내면의 대조적인 요소의 대립으로 구성된 각 단계는 연극치료사들에게 흥미로운 개념을 제공한다.

기본적 신뢰감 대 기본적 불신감
아기의 신뢰감은 어머니의 보살핌을 통해 형성되고, 그것이 정체감을 낳는다. 거꾸로 불신감을 갖게 되면, 정서적 모델은 상실이 있을 때마다 상처를 즐기게 된다.

자율성 대 수치심과 의심

3세와 4세 사이에 근육이 성숙하면서 "붙들고 있기"와 "놓아 주기"의 느낌을 실험한다. 붙들고 있기는 파괴적이고 적대적인 구속이나 집착이 될 수도 있고 사랑스럽고 온화한 보살핌의 형태 — 소유하고 유지하는 것 — 가 될 수도 있다. 놓아 주기 역시 파괴적인 발산이나 이완되고 "유유자적"한 상태로 발전할 수 있다.

주도성 대 죄책감

5세에서 7세 무렵이 되면 주도성을 가지고 과제를 계획하고 "실행"할 수 있다. 이 단계의 위험은 과제 "수행"을 공격적으로 강요당할 때 나타날 수 있는 죄책감이다. 죄책감은 그 결과로 질투와 경쟁심을 불러온다.

근면성 대 열등감

학령기에 접어들면서 아이들은 부지런하게 일을 끝내는 데서 기쁨을 얻는다. 그렇지 못할 때는 자기를 부적절하게 생각하고 열등감을 발달시킨다.

정체성 대 역할 혼동

청소년기의 정서는 주로 자신의 느낌과 비교해 다른 사람들 눈에 자기가 어떻게 비치는가와 관련된다. 이 시기의 위험성은 역할 혼동으로, 자기만의 정체성을 갖지 못할 경우에는 여러 집단과 대중의 영웅에 동일시하게 된다.

친밀감 대 고립감

정체성을 추구하는 단계를 막 벗어난 청년은 다른 사람들의 정체성과 자기의 정체성을 융합시키고 싶어 하며 기꺼이 그렇게 한다. 자아 상실의 두려움 때문에 그런 행동을 기피하면 고립과 자기 몰두를 가져올 수 있다.

생산성 대 침체감

생산성은 다음 세대를 길러내고 안내하는 데 대한 관심이다. 그러나 그러한 시도가 모두 실패할 경우, 개인은 자신의 욕구와 만족에만 몰두하여 마치 어린애처럼 마음대로 행동하게 된다.

자아 통합 대 절망감

노년기에 이르면 최선의 경우 자신의 삶이 의미 있다는 감정을 갖게 된다. 그러나 그 삶이 수용되지 못할 경우, 절망을 뒤에 숨긴 혐오감으로 죽음에 대한 두려움을 표현하게 된다.

인지 발달의 상징적 특성을 강조한 피아제의 모델은 은유와 허구를 통해 상징적 과정 안에서 작업하는 연극치료사에게 유용하다.

에릭슨의 모델은 갈등을 강조한다는 점에서 연극의 생명인 극적 갈등 그리고 절망을 결과하는 '비극적 결함' [이는 아리스토텔레스가 비극을 설명하면서 사용한 개념으로, 고의적으로 신들의 법을 어기는 것이 아니라 행동상의 실수나 과도함으로 인해 고상한 인물이 몰락하게 되는 것을 말한다. 안티고네와 오이디푸스 또 셰익스피어의 리어왕이 비극적 결함의 유명한 예이며, 현대에 와서는 〈세일즈맨의 죽음〉의 윌리 로먼이나 피터 셰퍼의 〈아마데우스〉에 등장하는 안토니오 살리에리를 들 수 있다: 옮긴이]과 매우 유사하다.

연극치료 발달 모델에서의 접점

치료적 여정은 자기만의 방식을 찾아가는 과정이며, 치료사의 역할은 그 여정을 위해 충분히 안전한 장소와 길을 내는 데 있다. 연극치료 과정에서 참여자에게 안전과 보호를 제공할 수 있는 몇 가지 개념을 정리하면 다음과 같다.

시간 안에 살기와 시간 밖에 살기

리처드 코트니(Courtney 1985)에 의하면, 극적 행동은 과거와 미래로부터 허구적 현재를 창조하며, 그를 통해 우리는 삶의 경험을 기능적이고 상징적인 차원에서 직면할 수 있다. 드라마에서 창조된 허구적 현재를 탐험하면서 우리는 심층적이고도 개인적인 방식으로 문제를 해결할 수 있다.

허구적 현재는 우리가 일상의 경험으로부터 안전하게 거리를 둔 채 탐험할 수 있다는 점에서 현실의 삶과 다르다. 우리는 연극치료의 전이적 공간 안에서 "시간을 벗어나" 연기함으로써 시간에 적응하는 법을 배울 수 있으며, "만약"이라는 상상을 통해 삶의 여정의 일부를 탐험할 수 있다.

발달적 접근을 사용하는 연극치료사는 시간 안에 살기라는 개념을 가지고 작업하며, 집단이 창조한 허구는 삶의 각 단계의 역설을 탐험하는 발달적 구조의 다양성을 통해 앞으로 또 뒤로 움직일 수 있다. 이 구조에 내재한 역설과 대립은 극문학의 바탕이다. 로버트 랜디(Landy 1986)는 인간 존재의 대조적 양상을 탐험하면서, 연극치료사는 대립의 개념 — 내적 요인과 외적 요인에 대항하는 개인 — 을 가지고 작업하며 거기서 위대한 실존적 투쟁을 무대화하는 극적 형식을 발견한다고 말한다.

아이들은 놀면서 여러 가지 근거로부터 선택을 하기 위해 상상적 사고와 극적 행동을 사용하며, 내적 세계와 환경을 연결한다고 리처드 코트니(1985)는 말한다. 달리 말하면, 지식은 사물이 아니라 과정이자 관계이며 극적인 역동이라는 것이다.

극적 허구

드라마 작업을 할 때 우리는 별도의 공간이자 하나의 세계인 극적 현실을 창조한다. 수전 랭거(Langer 1953)는 『감정과 형식』에서 예술에서의 이러한 미적 환영을 현실로부터의 타자성이자 실제로부터의 분리라고 묘사한다.

다른 곳에서(Cattanach 1992b) 나는 치료에서 발생하는 이러한 현실 세계로부터의 분리의 기능을 현실의 제약과 불안으로부터 자유로운 허구 세계를 실험할 수 있는 방식으로 표현해 왔다. 허구적 세계 안에서는 그 논리를 흐려놓을 우연한 사건이나 엉뚱함이 존재하지 않으며, 따라서 현실의 제약에서 벗어나 우리 자신을 위해 새로운 의미를 발전시킬 수 있다. 현실적 환경의 희생자 역할에서 벗어날 수 있는 것이다.

수 제닝스(1992, 이 책 6장 참고)는 일상 현실에서 극적 혹은 연극적 현실로의 이행이 존재한다고 말한다. 일상의 경험으로부터 확보된 극적 거리는 실제에서 상징으로, 구체적인 것에서 비유적인 것으로 이동할 수 있게 해준다. 그리고 그렇게 일상 현실에서 극적 혹은 연극적 현실로 옮겨감으로써 경험의 변형이 가능해진다.

한 예로 스트레스를 받으면 칼로 자기 팔을 긋곤 하는 24살의 여자가 있었다. 마리는 자해를 할 때의 감정을 이해하고 싶어 했는데, 도무지 그것을 표현할 방법을 찾지 못했다. 그리고 직접적이고 사적인 연극으로는 그 느낌을 탐험할 수 없음을 알게 되었다. 결국 마리는 한 소녀와 관객 사이에서 일어나는 짧은 장면을 썼다. 글로 쓰고 그것을 표현하는 과정에서 마리는 그 경험을 안전하게 만들 수 있을 만큼 현실로부터 충분한 거리를 확보할 수 있었다. 그녀가 쓴 드라마는 주로 자해 행동을 다루었지만, 그 저변에 깔린 자기혐오를 드러내 보여 주었다. 글을 쓰고 연기하는 행위는 마리에게 굉장한 만족감과 자존감을 주었고, 장면을 반복해 연기하면서 자기 목소리를 찾아 그 경험을 반영하고 변형하는 방식을 찾아갈 수 있었다.

다음은 마리가 쓴 대본이다.

소녀: 당신한테 나에 관해 얘기해 주고 싶어요. 난 내 팔을 칼로 긋는답

니다.

관객: 왜요?

소녀: 가슴속에 불덩이가 있다고 상상해 보세요. 당신을 전부 태워 버릴 만큼 거센 불덩이요. 그러면 당신은 어떻게 하겠어요?

관객: 잘 모르겠는데요.

소녀: 내가 말해 줄게요. 가슴이 너무 아파서 조여 오는 것 같아요. 머릿속은 온통 피 생각으로 가득하고 눈앞은 캄캄하죠. 마치 온몸의 근육이 꼬인 듯이 옴짝달싹도 못하겠다는 느낌이 들어서 어떻게든 이 긴장을 풀어야만 해요. 그래 옷소매를 걷고 칼을 찾아 쥐어요. 얼마나 깊이 찌를지는 생각하지 않아요. 칼날을 팔에 갖다 대고 재빨리 당기는데, 힘을 꽉 줘야 살갗을 찢을 수가 있어요. 가끔은 뼈가 드러날 때까지 깊이 찌르기도 하지요. 그러면 피가 흘러나와 바닥을 적실 거예요. 그때서야 그 더러운 느낌에서 놓여나는 걸 느껴요. 왜냐하면 피를 보면 정말 사랑스런 기분이 들거든요.

관객: 그럼 팔은 어떻게 되죠?

소녀: 아, 그건 걱정 말아요. 꿰매면 되니까요. 얼마 안 가 또 그럴 텐데요, 뭐.

관객: 좀 바보 같지 않아요?

소녀: 내가 지금 여기 서 있는 건 내 느낌이 어떤지를 설명하려는 거예요.

관객: 그렇게 하지 않고도 얼마든지 다른 방법을 찾을 수 있잖아요.

소녀: 아뇨. 다른 도리가 없어요, 그 느낌이란 게 몸속에 있기 때문에 칼로 도려내야만 하거든요.

관객: 당신 미쳤군요.

소녀: 그래, 이 나쁜 놈아, 누가 날 이해하겠어.

유희성

마리는 희곡을 썼고 사람과 동물과 사물에 대한 이야기를 만들었다. 불안의 경계를 넘지 않도록 필요에 따라 이야기를 멈추었다가 다시 시작하면서 "놀" 수 있는 것이 그녀에게 매우 중요했다. 늑대와 허수아비에 관한 이야기는 결국 "이야기일 뿐"이었고, 그 유희적인 세계 속에서 그녀는 안전을 보장받을 수 있었다. 마리는 놀아도 좋다고 허락받는 것과 그 활동의 타당성을 인정받기를 즐겼다. 놀이는 그녀를 보살펴 자라게 하는 퇴행 행동이었을 뿐 아니라 좋은 이야기에 필요한 규칙과 구조를 갖춘 스토리텔링이라는 복합적인 창조 행위이기도 했다.

유희성을 문화적 삶의 중요한 특징으로 간주한 호이징가(Huizinga 1955)는 놀이를 "현실의" 삶에서 잠정적인 활동 영역으로 물러서는 것으로 묘사했다. 그와 동시에 놀이 속에는 삶의 즉자적인 요구를 초월하고 행위 자체에 의미를 부여하는 강도와 몰입이 존재한다고 보았다. 그에 의하면, 놀이는 문화적 현상으로서 고정된 형식을 갖고 있으며, 기억에 저장된 것을 새롭게 발견된 창조물로 담아낸다.

마리는 자신의 삶과 많은 측면에서 공감되는 허수아비에 관한 이야기를 만들었다. 하지만 결국에는 그 모두가 "단지 놀이"이기 때문에 이야기라는 틀 속에서 안전함을 누렸다.

옛날에 랭커셔라는 마을 당근밭에 허수아비 하나가 서 있었다. 매일 새들이 날아왔지만 허수아비 찰리는 아무것도 할 수 없었다. 팔다리를 뜻대로 움직일 수도 없었고 몸통도 땅에 박혀 있는 처지라 자유로워질 날만을 기다릴 뿐이었다.

어느 차가운 밤 거센 바람과 함께 무시무시한 폭풍이 쳤는데, 바람이 어찌나 셌는지 찰리는 그만 바닥에 쓰러지고 말았다. 하지만 그는 그렇게라도 자유로워진 게 너무나 행복했다. 그런데 제대로 걸을 수가 없어서

헛간까지 간신히 기어가 망치와 못을 찾아 들판으로 돌아왔다. 찰리는 먼저 가장 긴 나무토막을 땅에 세우고 나머지 판자를 풍차 모양으로 못질했다. 그리고 들판의 다른 쪽 끝으로 비틀거리며 걸어갔다. 새들이 날아왔을 때 달려가 쫓으려 했지만 뒤뚱거리다가 그만 쓰러져버렸다. 그는 들판에 앉아 울었다. 새를 쫓을 수도 없고 풍차도 돌아가지 않아 너무 슬펐다. 그는 주저앉아 곰곰이 생각했다. "힘을 내야 해." 그리고 일어나서 이렇게 말하기 시작했다. "난 달릴 수 있어, 난 달릴 수 있어" 끊임없이 그렇게 되뇌었다. 그는 들판을 이리저리 가로지르며 내달렸고, 그러면서 몇 번이나 쓰러졌지만 좌절하지 않고 다시 힘을 내 일어나 달리고 또 달렸다.

그러던 어느 여름날 또다시 새들이 몰려오자 찰리는 힘껏 뛰어가 새들을 날려 버렸다. 새들이 떠난 들판에는 당근이 가득하게 잘 자라고 있었다. 강한 의지가 없다면 들판엔 잡초만 무성해질 거라고 생각하면서 그는 자신이 아주 대견스러워졌다.

마리는 허수아비와 늑대 인간의 이미지를 가지고 놀았다. 두 인물은 사납고 사랑스럽지 못한 모습 때문에 안달을 했고, 사람들에게 애정을 구하면서도 겁을 주어 쫓아 보내는 싸움에서 벗어나지 못했다. 그들은 그녀를 닮았지만 그녀가 아니며, 단지 그녀가 만든 허구일 뿐이다.

구조

발달 심리학자들은 유아가 초기에 신체적으로나 정서적으로 외부 구조에 의존하는 것이 성장을 촉진한다고 말한다. 리드 존슨(Read Johnson 1982)은 깨끗하고 안전하며 양육적인 환경은 유아가 불안에 반응하는 대신 세계에 적응하고 동화하는 데 필요한 안전감을 제공한다고 말한다. 불안정하고 갈등적이며 혼란스러운 육아 환경은 세상과 자기에 대한 안정적인 표상의 발달을 저해할 뿐만 아니라 장차 심리적 장애에 노출될 위험을 증가시킨다. 그러므로 이렇게 내부 구조의 결함이 발생할 경우에는 잘 짜인 외부의 구조적 환경이 개인의 적응력을 지지하는 데 필수적이다.

삶의 여러 단계를 탐험하는 연극치료 집단에서라면 유아기로의 허구적 회귀가 가능하다. 그런 경우, 치료사는 일단 참여자들이 초기의 상처를 드러내 접촉할 수 있을 만큼 충분히 안전한 환경을 제공할 필요가 있다. 이는 치료사가 집단에서 과정을 안내하고 도울 행동 규약을 협상하고 수립하는 데 일차적인 책임이 있다는 뜻이기도 하다. 치료사는 집단 운영과 관련된 기본적이고 실질적인 문제를 반드시 다루어야 한다. 참여자의 선택이나 제반 환경이 그러한 문제에 포함되며, 그 밖에 수용 가능한 행동을 명확한 한계와 경계로써 규정하는 기본 규칙이 있어야 한다. 드라마의 재료를 선택할 때는 집단에 초점을 부여하는 데 도움이 되도록 하며, 개별 회기의 구조가 반드시 연속성을 갖도록 디자인한다.

또한 집단의 발달 단계를 반영하여 개별 활동과 짝을 지어 하는 활동과 전체 집단이 함께 하는 활동을 적절히 안배할 필요가 있다. 자폐 청소년 집단들과 작업한 적이 있었는데, 그중 한 집단은 참여자들이 하나같이 개인적 공간에서만 움직이는 바람에 나와 공동 진행자가 회기 내내 집단 전체와 작업을 해야 했다. 전체가 함께 작업을 하긴 했지만 일체의 사회적 상호 작용 없이 개별적으로 움직였고, 어린아이들처럼 많은 사람들 속에 있는 것을 즐기면서도 서로 접촉을 하지는 못했다.

또 한 집단은 사회적 상호 작용이 발달된 편이어서 주로 짝을 지어 작업을 했다. 하지만 사회적 상호 작용이 이행 단계에 있고 갈등이 상당해서, 전체로 작업을 하기는 어려웠다. 집단 전체가 함께 할 때는 다른 사람들과 전혀 상호 작용하지 않고, 그저 집단 속에서 개별적으로 움직이는 단계로 퇴행했다.

회기의 진행 과정

연극치료 회기는 웜업, 본 활동, 마무리의 세 단계로 구성된다. 이 구조는 극적 행동의 언어라는 측면에서 집단의 기능을 돕고, 집단을 하나로 묶어 내며, 창조적 작업을 자극할 수 있는 환경과 분위기를 창조하는 데 도움을 준다.

웜업

웜업은 이후 작업을 위해 분위기와 주제와 초점을 정하는 준비 시간이다. 마리나 젠킨스(Jenkyns 1992)는 웜업이 서로 소개하거나 작업을 위해 집단을 준비시키는 것뿐 아니라 해당 회기나 장차 작업 과정에서 필요한 드라마 도구를 소개하는 데 쓰인다고 말한다. 웜업은 또한 치료사가 집단 역동을 관찰하고 드라마의 초점이 되어 줄 주제와 감정을 살필 수 있는 시간이기도 하다. 이 단계에서 치료사는 집단의 안전을 강화한다. 기본적인 규칙을 제시하고, 활동을 함에 있어 약속된 한계와 경계와 허용 사항을 알려 준다.

이 웜업으로부터 집단은 극적 행동의 중심이 되는 다음 단계로 나아간다. 그 과정은 이음새 없이 매끄럽게 넘어가야 하며, 치료사는 참여자 모두가 초점을 명확하게 유지하도록 도움으로써 이를 촉진할 수 있다.

본 활동

이는 창조적 탐험과 극화의 단계로서 적절한 드라마 형식을 빌려 주제를 탐험한다. 웜업이 집단의 안전을 강화하여 참여자들을 극적 행동으로 이끌었다면, 여기서는 몰입을 하게 된다. 이때 치료사는 집단을 위해 자극을 유지할 수 있는 드라마 형식을 찾아내는 것이 중요하다. 형식이 내용을 담아 내지 못할 경우에 몰입은 사라지게 되며, 따라서 치료사의 예술적 기술이 결정적일 수 있다. 치료사가 집단이 창조한 허구의 진정성을 표현하는 적절한 극적 매체를 제공한다면, 그 내용은 모두가 만족할 수 있게 변형된다.

마무리

이 단계는 집단이 표현하기로 선택한 드라마의 최종 결말이다. 나는 다른 곳에서(Cattanach 1992) 구조와 자극 사이에 균형이 성취되었다면, 그래서 자극이 극적 행동의 중심에 자리 잡았다면, 집단은 드라마를 사용하여 감정을 표현하는 과정을 체험하게 될 것이라고 말한 바 있다. 집단은 전체 경험을 성찰하고 그들만의 마무리 형식으로 작업을 마친다.

연극치료 집단의 초기에는 이들 단계가 완벽하게 구조화될 수 있다. 시작과 끝에는 만날 때마다 반복하는 의식儀式 또는 놀이와 게임을 설정할 수 있다. 이러한 의식은 대부분 신성불가침의 것으로 절대 바꿀 수 없지만, 어떤 집단은 과정이 진행됨에 따라 형식을 그대로 유지하면서 내용에 변화를 주기도 한다.

나는 정신병원 낮 병동에서 외래 집단과 작업을 한 적이 있는데, 그들은 언제나 똑같은 시작과 마무리로 불안을 피하기를 원했다. 그리고 그렇게 예견할 수 있는 동일성이 주는 안전함에 힘입어 발전 단계에서 대담하게 모험을 감행할 수 있었다. 그 집단의 마무리는 아이들을 안심시키는 잠자리 의식과도 비슷했다. "밤새, 밤새 코코 자요, 벌레들아 물지 마라. 내일 아침에 만나요." 다시 체현 놀이로 돌아가는 것이다.

이행

발달적 관점에서 볼 때 삶의 단계에서 문제는 한 단계에서 다른 단계로 옮겨 가야 한다는 것이다. 아마도 치료사의 주된 과제는 개인과 집단에게 무슨 일이 일어나는지를 관찰하고 발달적 흐름을 촉진함으로써 이러한 이행을 돕는 데 있을 것이다. 집단이 매 회기와 과정 전체에서 발달적 연속체를 따라 움직여 갈 때, 그 흐름은 이음새 없이 연결되어야 한다.

반 게넵(Gennep 1960)은 어떤 사회를 막론하고 개인의 삶은 한 연령대에서 다른 연령대로, 그리고 한 직업에서 다른 직업으로의 일련의 이동이라고 말했다. 한 집단에서 그 다음 집단으로의 진행은 특별한 행동을 수반한다. 집단에서 집단으로 그리고 한 사회적 상황에서 다음 상황으로의 이행은 생존을 위한 행위로서 절대적이며, 그럼으로써 개인의 삶은 비슷한 끝과 시작으로 이어진 일련의 연속적 단계가 된다. 그는 이러한 이행을 동반하는 의식을 통과 의례라는 개념으로 표현했으며, 그것은 때로 혼란스런 감정으로 가득한 격변의 시기일 수도 있다.

수 제닝스(1986, 이 책 6장 참고)는 치료사를 이행의 컨설턴트, 바꿔 말해 이러한 변화가 일어나는 동안 참여자가 의지할 수 있는 경계역 전문가로 간주할 수 있다고 말한다.

여정

치료사는 삶의 단계와 변화를 지나는 과정에서 참여자와 함께하며, 희망컨대 그 여정을 충분히 안전하게 만든다. 필리다 새먼은 믿을 수 있고, 연속성을 가지고 발전하는, 말할 만한 가치가 있는 삶의 이야기를 창조하는 것이야말로 인간으로서 우리가 반드시 이루어야 할 일이라고 말한다. 그것은 본질적으로 상상을 요하는 작업이다. 우리가 시간 안에 살면서 획득한 모든 경험의 유산을 소유하는 것은 상상적 구축을 통해서만 가능하다.

치료사는 이야기를 탐험하기 위한 안전한 공간을 제공할 수 있다. 현재는 완역되어 "이집트 사자의 서"라고 불리는 고대 이집트인의 "그날 이후의 책" 중 『깨어나는 오시리스』(Ellis 1988)에서 장인을 찬양하는 대목은 치료사와 참여자가 함께 하는 여정의 그 창조적 과정을 묘사하는 듯하다.

> 이름 붙일 수 있는 것은 알 수 있고, 이름 붙일 수 없는 것은 믿음으로써 살아내야 한다. 나는 조물주와 피조물, 비범하게 산 평범한 삶에 대해 이야기한다. 나는 일하기 위해 일한다. 창조의 기쁨은 다른 모든 것을 잊는 기쁨이다. 나는 생명을 찬양한다. 나의 혀는 불이다. 나의 호흡은 바람이다. 영혼은 나의 입에서 뱉어진다. 나는 창조가 창조를 낳고 행동이 행동을 부르고 사랑이 사랑을 가져오는, 언제나 우리가 그 한가운데 있는 자신을 발견하기 오래 전에 이미 그 시작이 시작된, 사건의 고리를 이야기한다.

참고 문헌

Bettelheim, B. (1978) *The Uses of Enchantment*, Harmondsworth, Penguin.

Cattanach, A. (1992a) *Play Therapy with Abused Children*, London, Jessica Kingsley.

Cattanach, A. (1992b) *Drama for People with Special Needs*, London, A. & C. Black.

Courtney, R. (1985) "The dramatic metaphor and learning," in J. Kase-Polisini (ed.) *Creative Drama in a Developmental Context*, Lanham, University Press of America.

Ellis, N. (trans.) (1988) *Awakening Osiris*, Grand Rapids, Phanes Press.

Erikson, E. (1965) *Childhood and Society*, Harmondsworth, Penguin.

Huizinga, J. (1955) *Homo Ludens*, Boston, Beacon Press.

Jenkyns, M. (1992) "The warm up," Teaching notes, Dramatherapy Course, St Albans.

Jennings, S. (1986) "The loneliness of the long distance therapist," Paper from *The Annual Forum*, Axbridge, The Champernowne Trust.

Jennings, S. (1990) *Dramatherapy with Families, Groups and Individuals*, London and New York, Jessica Kingsley.

Jennings, S. (1992) "The nature and scope of dramatherapy: theatre of healing," in M. Cox (ed.) *Shakespeare Comes to Broadmoor*, London, Jessica Kingsley.

Landy, R. (1986) *Drama Therapy: Concepts and Practices*, Springfield, IL, Charles C. Thomas.

Langer, S. (1953) *Feeling and Form*, London, Routledge & Kegan Paul.

Piaget, J. (1962) *Play, Dreams and Imitation in Childhood*, New York, Norton.

Read Johnson, D. (1982) "Developmental approaches in drama," *The Arts in Psychotherapy*, 9, 183-90.

Salmon, P. (1985) *Living in Time*, London, Dent.

Van Gennep, A. (1960) *The Rites of Passage*, London, Routledge & Kegan Paul.

Winnicott, D. W. (1974) *Playing and Reality*, London, Pelican.

3. 자기표현의 연극
"치료적 공연" 모델

스티브 미첼

이 여정 내내 그러했듯이 길을 따라 한 가닥의 실이 있었다. 개인적 성장과 예술적 성장을 한데 묶는 과정, 그중 하나가 다른 하나를 부양하고 그렇게 끊임없이 새로운 방식으로 함께 하기를 찾고자 하는 시도.

(Halprin 1973)

삶은 신성하다. 삶은 예술이다. 삶은 신성한 예술이다. 신성한 삶의 예술은 자아가 아니라 영혼으로부터 연기하는 성스러운 배우가 됨을 의미한다. 영혼은 공간과 시간에 속하지 않으며, 그러므로 언제나 유효한, 우리 존재의 항구적인 가능성이다. 우리의 존재를 기념하고 실현하는 것은 우리 각자에게 달려 있다… 영혼은 우리의 예술적 자아, 우리 삶의 모든 차원을 예술과 연극으로 변형시킬 수 있는 우리의 능력이다.

(Roth 1989: 147)

프롤로그

이 장은 공연 과정을 따르는 연극치료 방식을 다루며, 3막으로 구성된 "요리책"의 형식을 취한다. 각각의 막은 특정한 입원 환자나 외래 환자를 대상으로 한 실제 작업에 초점을 맞춘 장면으로 나뉘며, 그 내용은 패스파인더 스튜디오에서의 연극 작업과 랭카스터 무어 병원에서 전일제 연극치료사로 일한 경험을 바탕으로 한다. 이 연구의 결과인 치료적 공연 형식을 나는 자기표현의 연극이라 부른다. 1970년대 말부터 1980년대 초반까지 패스파인더 스튜디오에서 작업하면서 나는 연극 예술을 이용해 개인적 발전을 기할 수 있는 연극 형식을 창조하고자 했고, 피터 브룩(Mitchell 1990 참고), 그로토프스키의 연극 실험실(Mitchell 1991 참고), 애너 핼프린의 댄서즈 워크숍(Roose-Evans 1989 참고),[1] 가브리엘 로스(Roth 1989 참고), 폴 르빌로(Rebillot 1993)와의 접촉에서 영향을 받았다.

치료적 공연 모델의 철학적 지향은 두 가지 개념으로 압축된다. 첫째는 우리의 "내면의 삶"을 창조적인 방식으로 표현해야 할 필요성이다. 둘째는 과거의 인식이나 미래의 기대라는 스크린을 통해 세계를 경험하기보다 "현재"를 살면서 얻게 되는 치유적 특성이다. 이에 대해 이론적으로 좀 더 깊이 알기 원하는 독자들에게는 에이브러험 매슬로우, 어빙 얄롬, 실바노 아리어티, 조지 켈리 등의 심리학자와 구르지에프, 알란 와츠와 같은 동구의 철학자를 추천한다.

이 모델은 또한 나의 연극 경력과 연극치료 훈련을 비롯해 실존 치료의 경험과 슈퍼비전 그리고 개인과 집단을 대상으로 작업하면서 다양한 수준의 내적 혼돈과 함께 머물렀던 경험을 반영한다.[2]

---

1. The Drama Review 1960-79에서 개별적인 언급을 찾을 수는 있지만, 애너 핼프린의 작업을 다룬 단행본으로는 루스 에반스(1989)가 유일하다.

제1막

1장: 성인 낮 병동 환자와의 작업

나는 랭카스터 병원과 모어캠브 병원의 성인 낮 병동 환자로 이루어진 두 집단과 일주일에 두 번씩 작업을 하고 있다. 두 집단 모두 스태프와 참여자들에게 "지지적인" 연극치료 과정을 제공하는 것이 계약 사항이고, 8명에서 10명 사이의 참여자와 함께 한 번에 한 시간씩 10개월 동안 작업할 예정이다. 이 맥락에서 "치료적 공연" 모델은 크리에이티브 드라마[크리에이티브 드라마creative drama는 미국의 위니프레드 워드가 명명한 접근법이다. 전인 교육의 개념을 바탕으로 무대 상연보다는 참여자가 연극하는 과정 자체에 초점을 맞춘다. 혹자는 이를 창의적 연극 놀이나 창의적 드라마 또는 연극 놀이 등으로 표기하는데, 여기서는 교육 위주의 갈래를 정확히 명명하는 것이 주안점이 아니므로 그냥 크리에이티브 드라마로 적는다: 옮긴이]와 겹치는 부분이 많다. 그러나 나는 연극 교사들에 비해 감정 표현에 좀 더 주력한다. 물론 집단이 공연을 목표로 할 경우에는 그것이 연극치료 과정에 분명히 도움이 된다는 것을 체험으로 알지만, 그럼에도 불구하고 극적 과정의 경험은 집단이 만들어 내는 어떤 결과물(공연)보다 훨씬 중요하다. 공연의 형태는 라디오 드라마나 극장 밖에서도 볼 수 있

---

2. 그러므로 나는 선생님과 슈퍼바이저, 특히 앤 킬코인, 마르시아 카프, 수 제닝스, 돈 피제이에게 빚지고 있다. 그리고 패스파인더 프로젝트에 참여했거나 런던과 해외의 연극치료 학회에서 함께 작업한 학생들에게도 역시 도움을 받았다. 그들은 예리하고도 학문적인 참여로써 내가 아는 것뿐 아니라 모르는 것으로 나를 이끌어 주었다. 또한 랭카스터의 동료들도 큰 힘이 되어 주었다. 그들은 연극치료사로서 내가 기여한 바를 인정해 주었고 각자의 배경에서 가르침을 주었다. 특히 마리아 코넬, 엘리자베스 테일러 박사, 에일린 힐리 박사, 피트 케니, 주디 멜러, 세러 블래크너, 펜 허친슨, 그리고 장기 입원 환자를 이해할 수 있게 도와준 작업 치료 부서의 동료들을 빼놓을 수 없다. 끝으로 — 그렇다고 맨 나중이라는 의미는 결코 아니다 — 내가 현재 "예술적인 치유 방식"이라고 생각하는 데 이르기까지 부지중에 영향을 준 모든 참여자들에게 감사의 마음을 전한다.

도록 비디오로 촬영한 테이프나 몇몇 장면의 스틸 사진 혹은 참여자들이 집에 가져갈 수 있는 대본일 수도 있다. 참여자들에게 이것은 방향감을 제공할 뿐 아니라 극적 과정의 "지지적인" 치료적 요인을 맛볼 수 있게 해준다.

창조 과정은 이야기로 시작한다. 이야기는 집단이 탐험할 주제와 함께 특정한 구조를 제공한다. 때로는 미리 골라둔 이야기를 가져가 참여자들이 그들만의 이야기를 만들어 내는 밑그림으로 사용하기도 한다. 모어캠브 집단은 〈로미오와 줄리엣〉을 나름의 버전으로 각색하고 있고, 랭카스터 집단은 "결혼식 소동"을 그린 희곡을 쓰고 있다.

과정의 첫 번째 단계는 스토리텔링과 관련 있다. 일 년 전 랭카스터 집단과 "착한 사마리아 사람" 이야기를 가지고 작업했을 때는 처음 몇 회기 동안 탁자에 둘러앉아 다양한 "투사" 기법과 "스토리텔링" 기법으로 이야기를 파악한 다음, 다트무어에서 강도당한 남자에 관한 새로운 이야기를 만들었다. 본래 이야기에서 가장 종교적인 부분을 들어내고 유곽을 겸한 여관을 만들기로 했다. (이것이 연극치료적으로 가장 중요했다. 가상의 인물이 주는 거리를 통해 참여자들은 성적 행동에 대한 견해를 나눌 수 있었다.) 집단 초기에 나는 기록자이자 촉매로서 움직였다. 언제, 어디서, 누가, 무엇을, 어떻게에 주의를 집중하면서 동시에 참여자들의 일상과 관련된 주제인 섹스, 분노, 죄의식, 사랑, 질투, 폭력 등의 감정적 주제를 둘러싼 토론을 촉발하고 자극하였다.

일단 이야기를 만든 후에는 — 그러기까지 12주가 걸렸다 — 인물들이 나누는 대화를 쓰기 시작했다. 역할을 정하고 즉흥극을 주된 도구로 삼아 장면을 만들어 갔다. 각 장면이 말하는 바가 무엇인지, 어떤 서브 텍스트가 있는지, 실제로 무엇이 일어났는지, 나의 천재적인 극작 스승인 다팅튼 예술 대학의 피터 헐튼이 「공연을 위한 글쓰기」에서 강조한 "행동은 어디에 있는가?," 그러니까 단순히 물리적인 행동이 아니라 인물의 사고 과정의 추이를 의미하는 그 질문을 즉흥극 속에서 찾아내면서 천천히 작업을 진행하였고, 그런 방식으로 희곡을 완성했다. 그 프로젝트는 본래 라디오 드라마를 목표로 했기 때문에 다음에는 각 장면을 녹음하는 단계로 넘어갔다.

나는 녹음하다가 종종 쉬면서 대본을 바탕으로 즉흥극을 하기로 사전에 약속을 해두었다. 그것은 딱딱한 희곡 읽기를 피하기 위해서이기도 하지만, 치료적으로 중요한 과제이기도 했다. 즉흥극을 통해 참여자들이 역할을 살면서 인물이 될 수 있기 때문이다. 물론 그 과정은 각 참여자에게 다른 방식으로 도전하게 하며, 그를 자극하기 위해 대사를 뺀 채 장면을 연기하기도 했고, 영화에서처럼 몇 번씩 녹음을 반복하기도 했다. 일단 희곡 전체를 녹음한 뒤에는 집단이 최종적으로 녹음한 내용을 편집하여 좋은 "테이크"만 연결한 마스터 테이프를 만들었다. 그렇게 하는데 또 10주가 걸렸다. 프로젝트는 스태프와 참여자들의 친구가 합류한 쫑파티로 마무리되었다. 거기서 집단이 함께 한 작업 과정을 공유했고, 사람들에게 공연 테이프를 나누어 주었다.

2장: 성인 입원 환자들과의 작업

내가 랭카스터로 돌아왔을 때는 지역 사회에서 살 수 있는 많은 환자들이 이미 퇴원하여 재활 프로그램이 진행 중이었고, 리틀데일 센터에 다니는 환자는 병세가 심각하거나 시설병이 심해 병원에서 거절당한 사람들이었다. 한 주에 한 번씩 그 센터에서 작업을 하기로 계약했는데, 첫 일 년 동안은 정말이지 어디서부터 어떻게 시작을 해야 좋을지 알 수가 없었다. 어쨌든 기본으로 돌아가 첫 걸음을 뗐다. 연극 게임과 집중 훈련과 도로시 랭글리의 책 『연극치료와 정신 의학』(Langley and Langley 1983)에 나와 있는 다양한 활동을 했다. 하지만 만족스럽지는 않았다. 그래서 이듬해부터는 작업 방식을 바꿔 장기 입원 환자들과 **스토리텔링** 집단을 운영하고 있다.

그 집단에서는 내가 이야기를 해주거나 회기 도입부에 소개하는 극적 단서를 가지고 새로운 이야기를 만들기도 한다. 전자의 방식을 따를 경우에는 주로 동화나 전설 혹은 신화나 희곡을 선택한다. (그리스 신화, 셰익스피어의 작품, 디킨슨의 작품과 알리다 거시의 선집(Gersie and King 1991; Gersie 1991, 1992) 등이 주된 재료이다.) 내가 이야기를 할 때는 참여자들을 등장인물로 설정하여 연기를 함으로써 참여자들이 긴장감을 느끼지 않고 앉아서 드라마를 할 수 있게 만든다. 어떤 대목을 특히 어떤 사람에게 건넬 것인지도 선택할 수 있다. 그래서 집중하지 못하는 참여자가 있다면 이야기 속에서 그에게 직접 뭔가를 할 수 있다. 일단 이야기를 한 다음에는 차-의식으로 집단을 끝맺곤 했다. 이는 매우 중요한 과정으로, 집단은 차를 마시면서 이야기에서 특히 다가왔던 부분을 되돌아보고 의견을 나누면서 의미 있는 회상을 하기도 한다.

이야기를 새로 만들 경우에는 한 가지 물건을 살펴보는 것으로 작업을 시작할 수 있다. 치료사는 집단이 이야기를 엮어 가는 데 일종의 초점이나 촉매로 기능하게 될 물건을 준비한다. 참여자들이 물건을 살펴본 다음에는 그에 관한 이야기를 만들어 보자고 제안한다. 그리고 질문과 대답의 과정을 통해 모두의 동의를 얻어 가며 이야기를 전개하는 것이다. 예를 들어 설명하면 이렇다. 한 번은 수 제닝스의 『크리에이티브 드라마』(1986)에 나오는 시놉시스를 쓴 적이 있었다. 그것은 늦은 밤 차를 마시려고 하던 참에 기대치 않은 노크소리가 들린다는 내용이었다. 그래서 나는 극적으로 노크를 하면서 회기를 시작했다. 그런 다음 방 안에 있던 피아노 의자를 세워 마치 현관에서 하듯이 한 사람씩 노크를 해보도록 했다. 모두가 노크를 한 다음에는 그중에서 우리가 만들 이야기에 쓸 만한 소리를 한 가지 선택하였고, 그렇게 해서 이야기가 시작되었다. 집단과 함께 이야기를 구성할 때, 나는 극작가와 배우로서 질문을 던진다. 즉, 장면은 어디서 일어나는가, 시간은 언제인가, 배경은 어떤 특성을 가진 장소인가, 그 다음에는 그 장소에 누가 있는지, 인물이 앉아 있는지 혹은 서 있는지,

서로 가까이 있는지 혹은 멀리 떨어져 있는지, 분위기와 서로에 대한 태도는 어떤지, 그들 사이에 어떤 일이 벌어지는지, 그 다음에 또 어떤 행동이 일어나는지, 그것이 왜 일어나는지, 그 결과로 인물들에게 어떤 영향이 미치는지를 묻는다. 이들 질문은 집단이 내부로부터 이야기를 구축할 수 있게 해준다. 이야기의 얼개가 세워지면, 두 방식 중 한 가지를 사용하여 결말을 맺는다. 집단이 관객으로 지켜보면서 일러주는 대사에 따라 나와 보조 진행자가 장면을 연기하거나, 참여자들이 직접 마지막 장면을 극화하도록 내가 연출을 하는 것이다. 그런 뒤에는 늘 하던 대로 차를 마시면서 작업을 마무리한다.

3장: 재활 집단과의 작업

재활 집단은 몇 년 동안 입원 생활을 한 끝에 지역 사회로 통합된 낮 병동 환자가 대부분이다. 그들은 주사와 여타 약물 처방을 받으며 병원 밖에서 살아가는 "정신 분열적 인구"라 불리며, 처치의 일부로 매일 작업치료를 받는다. 이 집단은 병의 원인을 "다루지"는 않지만, "역할에 묶여 있는" 경우가 많고 만성적인 시설병으로 고통 받는다는 점에서 입원 집단과 마찬가지로 "지지적인 치료"가 필요하다. 참여자 가운데 일부는 이삼십 년 동안 입원한 경우도 있다.

나는 간접적인 방식으로 역할을 확장하고, 소통의 주제를 탐험하며, 인물 속에서 새로운 감정을 실험할 수 있도록 "치료적 공연" 모델을 사용한다. 스태프에게는 이 집단을 하나의 "경험," 곧 드라마를 하면서 경직된 가치를 부드럽게 변화시키는 과정이라고 설명해 왔다. 특정한 이야기를 가지고 구체적인 인물을 발전시켜 함께 연기하고 리허설 하는 과정에서 역할 연습이 일어나는 것이다. 작업 과정은 성인 입원 환자 집단에서 사용한 형식을 극적으로 심화시키되 비슷한 방식으로 시작한다. 가령 셰익스피어의 〈베니스의 상인〉을 선택한다면, 첫 회기에는 참여자들에게 이야기를 극화하여 보여 준다. 그 다음 회기에는 투사적 방식을 사용하여 이야기 전체나 특히 기억나는 대목을 다시 말해 보게 하고, 세 번째 회기에서는 이야기에서 특히 인상적인 순간을 그림으로 그린 다음 각 참여자가 "연출자"가 되어 그 대목을 조각상으로 만든다. 그 뒤에는 "다양한 사진"을 구성하거나 조각상을 만들어 원하는 방식으로 움직여 볼 수 있다. 여기서 참여자들은 극작가이자 연출자로 움직인다. 장면이 구성된 다음에는 참여자들이 장면에서 중요한 핵심 인물의 역할을 맡고 내가 대신 "연출자" 역할을 하면서 해당 인물이 장면에서 겪는 감정을 표현할 수 있게 돕는다. 이 과정은 무엇보다 사람들에게 다양한 역할을 맡겨 한 장면을 투사적으로 구성할 수 있는 기회를 부여할 뿐 아니라, 장면으로 들어가 인물들 사이의 역동을 탐험할 수 있게 해준다. 장면에 들어가면서는 참여자들이 직접 만들거나 모은 의상과 소도구를 사용한다. 이 집단은 주 1회 90분씩 석 달 동안 진행된다.

제2막

1장: 단기 입원 환자 집단과의 작업

나는 2년 동안 리지 레아 병원 단기 병동에서 집단을 운영해 왔다. "다음 단계"라 불린 그 집단의 목표는 입원 환자들에게 주간 외출이나 종일 외출 혹은 퇴원을 준비시키는 것과 함께 퇴원과 관련된 전반적 주제를 돌아보는 데 있었다. 환자들은 일반적으로 3회에 걸쳐 참석하였다. 일단 의료적 처치를 통해 "증상"이 안정된 뒤에 작업을 시작하였고, 그러고 나서는 퇴원할 때까지 지속적인 참여가 가능했다. 집단은 공식적인 위탁 체계 없이 전적으로 환자의 자발적인 의사에 따랐다. 이는 집단에 누가 오게 될지, 얼마나 많은 인원이 있을지, 그날 환자의 상태가 어떤지를 전혀 알 수 없었다는 뜻이기도 하다. 그래서 집단은 자연스럽게 당일에 근무하는 스태프에 의존하게 되었고, 그와의 친분 정도에 따라 어떤 때는 참여자가 10명이었다가 어떤 날은 1명뿐이기도 했다!

집단의 체제를 간단히 소개하면 이렇다. 매번 회기를 시작할 때마다 작업에 대해 짧은 안내를 했다. 그런 다음 환자들에게 계속해서 있고 싶은지를 물었다. 그때 "예"라고 하면, 그 자리에서 90분 동안 함께 하겠다고 동의한 것이다. 그렇게 자발적으로 선택하지 않고 스태프의 결정에 따라 참석할 경우에는 쉽게 자리를 뜰 수 있는 빌미를 주게 되며, 그 점을 감안하여 나와 병동 스태프가 고안한 방법이었다.

처음에는 동그랗게 둘러앉아 돌아가며 자신을 소개하거나 모르는 사람과 짝이 되어 통성명을 하고, 어디에 사는지 그리고 주말에 외출을 나간다면 어디에 가고 싶은지를 묻고 답하는 간단한 도입으로 시작했다. 그런 다음에는 또 다른 짝을 만나 이름을 말한 뒤에 집에 돌아갔을 때 병원을 그리워하게 될 뭔가가 있다면 어떤 것(음식과 같은!)인지 이야기한다. 마지막으로 집에서 아주 소중한 것, 긍정적인 의미를 주는 것을 생각해 본다. (보통 환자들은 애완동물이나 안락의자나 그림 따위를 선택하는데, 어떤 참여자는 오토바이를 선택했다.) 웜업은 이렇게 두 가지의 짝짓기 활동으로 진행했다. 그렇게 하고 나면 나중에 집단 전체의 소통이 훨씬 원활해진다. 둘씩 짝을 짓는 활동 다음에는 다시 큰 집단으로 모여 짝과 나눈 이야기를 전체와 공유한다.

그런 다음에는 간단한 이완 활동을 하면서 유도된 환상으로 이끈다. 참여자들에게 병원에서부터 집 문 앞에 도착하는 여정을 상상해 보라고 한다. 그리고는 문 뒤에 뭐가 있을지, 문을 열고 안으로 들어가 가장 먼저 무엇을 할지, 몇 시인지 혹은 외출한 뒤 얼마쯤 시간이 지났는지 또는 퇴원한 지 며칠이 지났는지 등을 떠올려본다. 그리고 외출한 동안 하고 싶은 게 있는지, 스스로 정한 목표나 지금 당장 하고 싶은 것을 생각해 본다. 그런 다음 다시 이완하여 호흡의 리듬과 주변의 소리를 들으면서 유도된 환상을 끝맺는다.

집단의 주된 과제는 유도된 환상에서 경험한 다양한 요소를 말로 나누는 것이었고, 그래서 어쩔 수 없이 돌아가며 이야기를 했다. “일회성” 집단의 경우에는 몸을 사용하여 극적 행동을 준비시키는 웜업을 할 만큼 시간이 충분하지 않으므로, 토론과 은유를 사용해서 드라마를 탐험하곤 했다. 은유라 함은 예를 들어 내가 텔레비전에서 인생이라는 드라마를 보고 있고, 그 드라마의 “작가”가 나라고 상상하는 것이다. 그렇다면 나는 어떤 장면을 쓸 것인가? 그런 식으로 거리를 확보한 다음에는 다시 일상의 현실로 돌아가 그 “허구적인 TV 드라마”가 일상생활에 어떤 변화를 일러 주는지 살펴보곤 했다. 나는 급성 질환의 특성상 환자들이 그 의미를 모른 채 그냥 지나칠 수 있는 자기 삶의 직접적인 조건을 은유를 빌어 다시 읽고 싶어 한다는 사실을 알게 되었다.

집단은 이완과 호흡 연습으로 마무리했다. 그 활동은 환자들이 외출 시나 스트레스를 받을 때도 활용할 수 있도록 고안되었다.

2장: 단기 입원 환자들과의 집중 작업

“집중” 작업은 적어도 매일 한 시간 이상, 때로는 두 시간에 걸쳐 진행되는 작업을 의미한다. 이는 위기관리이자 집중적인 개인 치료 형식이다. 그렇게 매일 작업을 하는 이유는 환자들이 매우 빠르게 바뀌는 단기 입원 병동의 특성 때문이다. 심각한 심리적 장애 — 정신증, 우울증, 신경증, 자살 시도 — 로 병원을 찾은 경우에 입원의 첫 단계는 진단과 의료적 처치로 이루어지며, 일단 환자가 의료적으로 안정되고 난 후에야 적합한 치료적 개입을 시작할 수 있다. 환자가 지역 사회에 빨리 재적응할 수 있게 돕는 것을 목표로 하는 이 단계는 고작해야 3주에서 한 달 가량 지속되며, 그 기간은 실질적이거나 지지적인 형식의 상담에 적합하다. 치료를 위해서 때로는 좀 더 "집중적인" 작업 과정이 요구되는데, 이 "집중적인" 형태는 매우 신중하게 선택된 환자들에게만 제공한다. 이와 관련해서는 이 장에서 다루기에는 너무나 많은 주제가 포함되어 있으므로, 다른 기회를 기대하기로 하자. 다음은 집중 작업이 어떻게 전개되었는지에 대한 시놉시스이다.

컨설턴트가 사전평가를 위해 참여자를 위탁하면, 나는 병동에 있는 환자를 닷새 동안 방문한다. 매번 한 시간씩 접촉하면서 관계를 형성하기 시작한다. 이때는 치료사가 할 일은 단순히 "현재"에 존재하는 것이라는 가브리엘 로스의 제안(Roth 1989: 24)에 따르며, 그렇게 하면 참여자 또한 그의 "존재"에 적합한 방식으로 반응할 것이다. 그래서 사전평가 기간 동안에는 환자가 그 "순간"에 활동을 원하지 않는 이상 연극치료적인 활동을 구조화하지 않는다. 내가 만난 한 환자는 나중에 컨설턴트에게 사전평가를 할 때만큼 온전히 주목받고 있다고 느낀 적은 없었으며, 6개월 뒤에 자리를 털고 일어나 치료를 받겠다고 마음먹을 수 있었던 것도 모두 그 덕분이라고 말했다고 한다. 사전평가를 한 뒤에는 병동 스태프에게 보고서를 쓰고, 스태프 모두 — 컨설턴트, 사회복지사, 간호 스태프 — 가 동의하는 경우에만 집중적인 치료를 시작한다.

회기는 내 사무실이나 병동 외부에 있는 스튜디오에서 진행된다. 작업 지속 시간은 내 스케줄에 따라 달라지겠지만, 가능한 한 일정한 시간을 유지하도록 노력한다. 외출은 주말이나 환자에 대한 책임 치료사로서 내가 허가하는 경우에만 가능하다. 작업은 3주 동안 15회에 걸쳐 진행되고, 그 기간이 끝난 뒤에 평가를 실시하며, 이례적인 경우를 제외하고는 그로써 과정을 종결한다. 작업 내용은 사전평가에서 제기된 주제를 중심으로 하며, 참여자의 환경을 극적 차원으로 바꾸는 간단한 투사 활동으로 연극치료 구조를 도입한다. 드라마의 은유는 극적 거리와 함께 일종의 그릇을 창조한다. 참여자는 그에 힘입어 "우뇌"의 내용을 다룰 수 있으며, 그리하여 머레이 콕스가 "포이에시스"라 부른 것(Cox and Theilgaard 1987)

을 통해 새로운 아이디어를 의식意識으로 가져올 수 있다. 그러나 나는 "은유"에만 머물지 않으며, 극적 현실과 참여자의 일상 현실을 교차시킨다. 이는 그것을 자발적으로 수행하는 환자들에게서 배운 원리이다. 급성 질환의 고통은 드라마를 그들 삶의 드라마와 직접 연관 짓고자 하는 갈급함을 창조한다.

우울증으로 약 1년 동안 입원해 있으면서 대부분의 시간을 침대에 누운 채 보낸 환자가 있었는데, 많은 스태프가 연극치료를 추천하여 내가 사전평가를 맡게 되었다. 나는 찾아가는 대신 그녀가 침대에서 일어나 병동의 인터뷰실로 오게 했다. 처음 세 회기 동안 환자는 자기 이야기를 털어놓았고, 나는 그녀에게 연극치료가 가능할지 심각하게 고민했다. 세 번째 만남에서 그녀는 독백을 하다가 우연히 사춘기 시절에 있었던 일, 그러니까 『폭풍의 언덕 *Wuthering Height*』을 보다가 부모님에게 들켜 빼앗기고 대신 종교 서적을 읽어야 했던 경험을 말하였다. (이 환자는 교회와 매우 밀접한 관련을 맺어 왔다.) 나는 그녀가 그 사건을 언급하는 방식에 충격을 받았다. 그리고 다음 회기 전에 그 책의 자세한 시놉시스를 읽었는데, 거기서 그 환자의 삶과 이야기 사이의 놀라운 유사성을 발견하게 되었다. 그 사실을 환자에게 말했을 때 그녀 역시 매우 공감했고, 그래서 그 이야기를 이후 작업의 초점으로 잡았다.

먼저 캐시, 히스클리프, 린튼, 캐서린이 말을 할 수 있도록 "인물 의자"와 투사 기법을 써서 극중 인물을 탐험한 뒤에 성적 학대, 자기의 성과 신앙, 교회와의 관계라는 핵심 주제를 탐험하기 시작했다. 그리고 얼마 지나지 않아 퇴원하여 외래 환자로서 일주일에 한 번씩 작업을 지속할 수 있었다. 집중적인 연극치료 작업은 그녀에게 지나온 삶을 돌아보고 정리할 수 있는 계기를 제공했다. 사전평가에서 "주목" 받았다고 느낀 경험이 그 첫 번째 동기가 되었고, 사춘기 시절의 소설/허구를 다시 접한다는 매력이 억압해 왔던 부분을 의식으로 안전하게 끌어올릴 수 있게 도와주었던 것이다. 그녀는 그렇게 하면서 부정적인 삶의 패턴을 변형하는 과정을 시작할 수 있었다.

제3막

1장: 외래 환자 집단과의 작업

폐쇄 집단을 대상으로 전통적인 심리 치료에서 "탐험적"이라 부르는 차원에서 작업할 때, 나는 치료적 공연의 형식을 사용한다. 그것은 초연극적 모델이나 의식 연극에 뿌리를 둔 연극치료 모델과 관련되며(Mitchell 1992a), 여기서는 이 의식 연극의 원리에 초점을 맞춘다. 그것은 집단이 그들만의 개인적 공연(개인적 치유 의식)을 창조하는 것과 그 개인적 드라마를 집단 단위의 의식 연극으로 확장하는 것과 관련된다. 회기의 형식은 서로 연결된 네 가지 요소를 교직한다. 1) 앙상블 만들기(연극 기술을 가르침으로써), 2) 개인적 "공연" 대본 만들기, 3) 변형의 의식, 4) 의식 연극이라는 공동 작품 구성하기.

1) 앙상블 만들기

나는 매 회기를 전통적인 "들어가기" 의식으로 시작하여 웜업 단계로 넘어간다. 여기서는 연극 기술, 신체와 발성, 감각 훈련, 인물 작업, 즉흥극, 대본 작업을 가르치되, 본격적인 연기보다는 공통의 표현 기술을 익힘으로써 개인적 공연을 만들 때 일종의 원천으로 쓸 수 있게 하려는 데 목적을 둔다.

연극 기술이 점차 향상되어감에 따라 참여자들은 연극이라는 은유의 틀거리 내에서 기본적인 대인 관계 기술을 발전시킨다. 샌프란시스코 댄서즈 워크숍의 애너 핼프린은 "우리가 삶에서 부딪히는 정서적이거나 신체적이거나 정신적인 한계는 창조적인 표현을 온전히 이끌어내는 데 있어서도 똑같은 장벽이 될 것이다"(Jean and Deak 1976에서 인용)라고 말했다. 그러므로 드라마 기술을 가지고 작업함으로써 참여자는 거꾸로 삶에서 자기표현을 제한하는 것을 극복할 수 있는 기회를 얻는다.

이 작업의 더 심층적인 목적은 "앙상블," 혹은 좀 더 치료적인 언어로 표현하여 집단 응집력을 구축하는 데 있다. 연극치료에서 나의 묵주는 "안전"이다. 나는 참여자들이 안전하다고 느끼지 않는 한 장기적인 관점에서 아무리 생산적이라 해도 일체의 치료적 모험을 감행해서는 안 된다고 믿는다. 그러므로 이 단계에서 나는 연극 기술의 개발을 집단이 서로 친해지면서 자기와 집단 사이에 치료적 가치의 연합을 구축하는 통로로 사용하고자 한다. 조지 켈리는 "집단에서 치료사 외에 최소한 다른 한 사람의 지지도" 느끼지 못한다면 집단에서 자기를 열어 보이라고 청해서는 안 된다(Kelly 1955: 1160)라고 말한다. 또한 연극치료사는 이 단계에서 "집단 역동"을 관찰하여 참여자들이 전통적인 집단생활의 흐름에 따라 움직여 가면서 서로 긴장을 해소할 수 있도록 극적 활동을 구성할 필요가 있다.

2) 개인적 공연 "대본" 만들기

이 작업을 촉진하는 데는 여러 가지 경로가 있으며, 치료사가 가진 재능에 따라 좀 더 편안하게 느끼는 방식을 사용할 수 있다. 나는 "꿈의 연극"이라 불리는 유도된 환상을 자주 사용한다. 참여자들은 극장을 상상한 다음, 그 극장에서 자기 삶의 어떤 주제를 표현하는 공연의 한 장면을 본다. 그 "꿈"은 다시 배우들이 연출자의 도움을 받아 연기 연습을 하는 연습실로 장면 전환된다. "꿈"의 마지막 장면에서 참여자는 인물 중 한 사람을 체현하여 음악에 맞춰 그 인물이 어떻게 움직이는지를 즉흥적으로 탐험한다. "꿈"의 연극은 참여자들이 각자의 꿈을 공유하면서 끝맺는다.

내가 즐겨 쓰는 또 다른 접근법은 한 사람에게 초점을 맞추고, 나머지 참여자들은 그가 공연을 만들 수 있게 돕는 것이다. "초점이 된" 참여자는 마치 극작가처럼 "작품"의 이야기를 만든다. 드라마나 텔레비전 연속극 혹은 영화나 무용극을 제작하고 있다고 상상하면서 허구적인 인물을 등장시켜 탐험하고자 하는 극적 갈등을 표현하는 것이다.

그 다음에는 연출자 역할을 맡아 다른 사람들을 "배우"로 세우고 "작품"을 상연하도록 이끌며, 그러는 가운데 주인공은 투사적인 견지에서 그 과정을 지켜보게 된다. 이때 연극치료사는 초점이 된 참여자가 배우들을 이용해 좀 더 적극적으로 실험을 하도록 독려한다. 다시 말해 배우들이 보여 준 첫 번째 연기를 그냥 받아들이지 말고, 탐험하고자 하는 극적 갈등이 명료하게 드러나고 "작품"을 통해 내적 비전이 조명되도록 다양한 실험을 자극한다. 다음 단계에는 참여자가 "작품" 안으로 들어가 자기 안에서 새로운 가능성을 발견하게 해줄 수 있는 인물이 되어 본다. 연극치료사는 이때 연출자를 대신하여 "참여자/인물"이 그 역할을 "배우"에게 어떻게 지시했었는지를 반영한다. 개인적 공연을 창조하는 동안, 참여자는 "인물 안에서" 작업하면서 새로운 가능성을 실험한다.

이런 방식으로 모두에게 자기 작품을 만들 수 있는 기회를 준다. 처음에는 방법론을 익히기에 급급해서 작품의 완성도는 대개 머레이 콕스가 "표출의 첫 번째 수준"이라 언급(Cox 1978: 59)한 정도에 머물기 쉽다. 하지만 일단 그 구조에 익숙해지기만 하면, 하나의 의식으로서 과정을 사용하는 데 안전함을 느끼면서 점차 심층적이고 위험한 개인적 주제를 탐험할 수 있게 된다.

3) 변형의 의식

치료사의 과제 중 하나는 참여자들이 연극치료 집단에서 부정적인 것이나 긍정적인 것을 막론하고 원하는 바를 안전하게 표현할 수 있는 구조를 제공하고, 모든 감정의 표현을 격려하며, 필요하다면 참여자를 위해 강렬한 감정을 수용하는 것이다. 이때 연극치료사가 제공하는 구조를 나는, 의식意識을 어떤 상태에서 다른 상태로 전환하도록 고안된 것이라는 점에서, "변형의 의식儀式"이라 부른다.

변형의 의식은 두 가지 대조적인 방식으로 접근할 수 있다. 첫 번째는 극적 은유의 맥락에서 연극치료사가 인물 속에 있는 참여자에게 연출가 역할을 하면서 드라마 활동이나 연극 기법을 사용하여 인물을 가지고 실험할 수 있게 하는 방식이다. 두 번째는 참여자가 정서적 장벽의 원인이면서 직접적으로 표현할 필요가 있는 케케묵은 감정을 외화하는 의식적 구조를 고안하는 방식이다. 참여자가 진정한 변화를 이루고자 하는 경우에 이는 절대적으로 필요하다. "작품"에 등장하는 인물의 욕구라는 허구로부터 현실의 "삶"에서의 개인적 욕구로 반드시 옮겨가야 한다.

"의식"의 핵심은 "입회자"로 하여금 리미널한*liminal* 공간, 즉 일상의 삶의 조건이 해체되고 새로운 가능성이 표면화되는 공간으로 들어가게 하는 데 있다. 치료 과정에서 참여자는 억압되어 온 과거의 감정이 다시 한 번 의식意識으로 떠오를 수 있는 구조를 필요로 한다. 연극치료사는 참여자들이 자기 내면의 심리적 현실을 환기하고 탐험할 수 있도록 안전한 의식적 과정을 이끌어 낼 수 있는 구조의 목록을 갖고 있을 필요가 있다.

4) 의식 연극의 공동 작품 만들기

"의식 연극"의 목적은 집단의 삶을 극적인 어휘로 집약하는 데 있다. 그것은 개인적인 공연 중에 선택된 이미지, 곧 극적 갈등과 그 해결 및 "변화"를 이뤄내기까지 삶에서 취해야 할 실제 단계를 표현하는 이미지로 이뤄진 개별적인 여정이면서 또한 집단이 과정을 마감하면서 공유하고자 하는 집단의 이미지나 "경험들"이기도 하다. 마지막 회기에 집단을 종결하고 기념하는 방식으로서 집단원들이 함께 보는 가운데 "의식 연극"을 상연한다.

집단에게는 어떤 방식으로 "의식 연극"을 구조화할 것인가가 중요한 문제이다. 그 아이디어를 내는 데 힌트를 줄 수 있는 구조가 있을 경우 매우 도움이 된다. 그래서 나는 폴 르빌로가 개발하여 "바보의 춤"이라 이름 붙인 구조(이 과정의 세부를 보려면 그의 책『모험에의 부름』을 보라)로 시작하곤 한다. "바보의 춤"은 간단하게 말해 참여자 모두가 개별적인 조각상 시리즈를 만드는 것이다. 각 조각상은 특정한 감정이나 집단에서의 단계를 표현한다. 예를 들어, 초기 단계에 있는 집단이라면 "목표"나 "부정적인 인물"을 만들 수 있으며, 의식 과정에서는 "대단원"이나 "지금 여기"에서의 감정이라는 주제를 표현할 수도 있다. 각 조각상은 타이치Tai Chi 자세처럼 하나의 그림이면서 몸 안에 이야기의 정수를 담고 있는 시적 이미지이기도 하다. "바보의 춤"은 타이치와 같은 일종의 춤으로써 일련의 조각상을 만들고, 이 조각상에서 다른 조각상으로 움직여 간다. 각 조각상은 집단이 거쳐 온 치료적 여정의 한 순간을 묘사한다.

집단이 "의식 연극"을 위한 이미지를 고안하는 시점에 "바보의 춤"을 소개하면, 참여자들은 그를 출발점으로 다른 이미지를 엮어 넣어 "북치는 원"이나 자발적인 춤 또는 접촉 즉흥이나 낭송과 같이 원하는 형식으로 집단 경험을 창조할 수 있다. 그리고 거기서 집단의 치료적 여정을 묘사하는 "의식 연극"을 구성하게 될 것이다.

2장: 외래 환자와의 치료적 공연

최근에 나는 외래 환자를 대상으로 한 새로운 형식의 "지지적인" 연극치료 작업을 시작했다. 그것은 지역 사회에 막 재통합되거나 지속적으로 치료적인 도움을 받아야 하는 사람들을 위한 것이다. 이들은 앞서 "탐험적인" 의식 연극 형식에서 말했던 바와 같이 개인적 주제를 다룸에 있어 문제 중심적이지 않은 치료적 개입, 바꿔 말해 참여자를 의학적 모델의 환자-역할에 머물게 하지 않으면서도 그 장애에 민감하게 대처하는 작업과정을 필요로 한다. 내가 사용하는 접근법은 해석이나 변화를 향한 치료적 과제보다는 극적 과정을 강조하는 수 제닝스의 "창조적/표현적" 모델이며(Jennings 1986, 1987, 1990), 그 드라마 관점에서 참여자들이 하나의 연극 공연을 창조하고 연기하는 연극적 형태로 진화해 가고 있다.

이 치료적 공연 모델은 연극 워크숍으로 시작하여 제작 과정에 들어가고 다시 공연으로 이어진다. 이 과정의 최종 단계는 집단이 연극 제작과 공연 과정을 평가하고 또 그 경험을 일상생활에 어떻게 가지고 들어갈 것인가를 함께 나누는 것이다. 치료적 공연은 정신 건강에 문제가 있는 사람들을 병리학적이지 않은 방식으로 치료하는 것 그리고 연극 공연을 창조하는 과정과 그 모든 세부를 치료 과정으로 사용하는 데 목표를 둔다. 여기서 "집단"은 정신 장애가 있어 그 질환을 탐험하고 공유하도록 안내되어야만 하는 연극치료 집단이 아니라 배우와 작가와 기술 스태프로 이루어진 "극단"이 된다.

연극 워크숍

이 단계의 목적은 연극 기술을 개발하고 연습을 통해 최종적으로 관객에게 작품을 상연할 "극단"을 구축하는 것이다. 그러므로 기본적인 연기 기술, 감각 작업, 즉흥극, 인물 구축법, 이미지 작업을 하게 되며, 또한 신체와 발성, 극작, 대본 작업이 관련된다.

"극단"은 그들의 질병이나 사회적 혹은 정치적 관심사와 관련된 주제를 가지고 직접 작품을 쓸 것인지를 결정한다. 최근 몇 년 동안 에든버러의 그래스마켓 시어터 프로젝트는 〈나쁜, 기쁜, 그리고 미친〉이라는 "홈메이드" 공연을 통해 공연이 어떻게 연극적이고도 치료적일 수 있는지를 성공적으로 보여 주었다. 또 다른 식으로 셰익스피어나 그 밖의 기존 작품을 새로운 버전으로 콜라주 할 수도 있다. 어떤 선택을 하든 연극치료사는 집단의 연극적 기술이 연극 과정을 촉진하도록 하고, 연극을 제작하면서 치유가 일어날 수 있게 돕는 역할을 한다. "극단"이 작품을 선택하거나 분해하거나 새로 쓰는 과정을 안내하고 독려하되, 결코 지시적인 연극 연출자가 되어서는 안 된다. 피터 브룩은 『빈 공간』(1968)에서 그러한 연출가를 가리켜 "치명적"이라고 표현한다. 연극치료사는 "극단"을 자신의 예술적 포부를 위해 이용하거나 자신의 비전을 연극적으로 실현하기 위해서가 아니라, 최선의 연극치료 작업을 촉진하는 안내자이자 원천이 되는 사람으로서 거기 있는 것이다.

리허설

작품을 선택하거나 쓴 다음에는 역할을 나누어 맡고 리허설을 한다. 연극치료사는 이때 연출가의 역할을 할 수도 있고 혹은 연출가가 되고 싶어 하는 참여자의 조수가 될 수도 있다. 치료사의 역할과 마찬가지로, 연출가 역시 지배적이고 폭력적으로 되기가 쉽다. 중요한 것은 연극치료사가 자기의 미학적 야심을 실현하는 게 아니라 치료사로 거기 있음을 자각해야 한다는 사실이다. 모든 훌륭한 연극 연출가와 마찬가지로, 연극치료사 역시 연극 기법의 전문가로서 어떻게 하라고 지시하기보다 배우가 그 역할에 따르는 목표를 성취할 수 있도록 개인적 자원을 사용해야 할 것이다. (연극치료사와 연출가의 역할에 대한 보다 충분한 논의를 위해서는 Mitchell 1990을 보시오. 그리고 연극치료사가 리허설 과정을 좀 더 풍성하게 만들 수 있는 방법이 궁금하다면 Mitchell 1992a를 보시오.)

공연

여느 연극 프로젝트와 마찬가지로 리허설은 종국에는 공연의 순간으로 이어진다. 연극치료사는 참여자들을 공연에 따르는 혹독한 압력으로부터 보호해야 한다. 이는 리허설 작업을 일반 관객에게 점차적으로 공개해 나감으로써 최소화될 수 있다. 기존 연극에서 하듯이, "극단"은 시연회를 하기 전에 친구와 동료 앞에서 공개 리허설을 할 수 있다. 그리고 실패나 혹독한 비판의 위협 때문에 치료적으로 중요한 경험이 손상되지 않도록 예방하는 차원에서 노인이나 환자들을 관객으로 초대하여 공연할 수도 있다. 연극치료사는 "극단"의 예술적 능력뿐 아니라 그 다양한 성원들이 어느 만큼의 "자아 강도," 곧 공연이 주는 불안감을 다룰 수 있는 능력을 가졌는지를 고려하여 극단이 소화 가능한 노출 수위를 결정해야 한다.

나는 허더즈필드에서 자기만의 "치료적 연극"을 시작한 매들린 앤더슨-워렌의 소개로 이 접근법을 접하게 되었다. 그녀는 내게 참여자들이 공연 경험을 통해 굉장한 자존감을 얻었노라고 말했다. 참여자들은 그녀에게 "공연을 통해 뭔가를 되돌려줄" 수 있다는 경험이 재활에 얼마나 중요했는지를 말해 주었다(Andersen-Warren 1992). 나는 그녀로 인해 "연극치료란 결과가 아니라 과정에 대한 것이다"라는 말을, 특히 앞서 언급한 입원 환자와 낮 병동 환자를 대상으로 한 "지지적인" 작업의 측면에서 되새겨볼 수 있었다. 그 작업에서는 분명히 대본이나 라디오 드라마를 만드는 과정이 연극치료 집단에게 목적과 기쁨을 가져다주었다. 이제 나는 "지지적인" 연극치료에서 과정과 결과가 공존해서는 안 되는 이유를 찾을 수 없다. 치료사가 결과를 지나치게 강조하지만 않는다면 말이다. 집단이 공연 만들기를 과제로 할 때, 결과는 과정만큼 중요하며, 치료적으로도 역시 그러하다.

공연 후 만남

"극단"은 마지막 단계로 공연을 마친 후에 만나 프로젝트를 돌아본다. 이때 치료적 주제에 대한 평가에 얼마만큼 비중을 둘 것인가는 최초의 계약에 달려 있다. 계약 사항에 "극단"에게 매 회기마다 삶의 주제를 환기하는 공간을 제공하는 것과 관련된 내용이 있다면, 최종 모임에서는 일상 현실에서 그 과제들이 얼마나 안착되었는가를 돌아보아야 할 것이다. 한편, 애초의 계약이 연극 제작에 한정되었다면, 최종 모임은 마무리의 형식이 되어야 할 테고, "극단" 역시 마무리에 적합한 형식을 찾을 것이다. 이는 함께 이뤄낸 성과물을 기념하고 앞으로의 계획을 세워 보며 지금까지의 작업을 평가하고 상찬하는 작업이 될 수 있다.

치료적 목표

이 모델에서 치료 과정은 과연 어디에 있는가? 개인은 집단의 일부로서 자기의 가치를 인정받을 때 정신적 증후로부터 의미 있는 호전을 보일 수 있다고 나는 믿는다. 얄롬(Yalom 1985, 1989, 1990)은 수용, 희망의 고취, 집단 응집력, 보편성, 동일시, 자기이해, 이타성을 치유에서 중요한 요소로 꼽는다. 블로흐가 말한 바와 같이 "지지적인 치료"에서 가장 중요한 욕구 중 한 가지는 "개인적 자원을 강화하고 회복함으로써 참여자에게 잠재된 정서적이고 사회적인 최선의 기능을 촉진하는 것: 곧 그들의 자존감을 북돋우는 것"이다(Bloch 1982: 19). 나는 공연을 제작하는 과정에서 얄롬과 블로흐가 지적한 지지적 요인이 발현된다고 믿는다. 여러 가지 측면에서 "극단"은 공통의 과제를 위해 한데 모인 공동체가 가지는 많은 가능성을 취할 수 있다. 그 과제는 하나의 도전일 수 있지만 참여한 사람들의 능력 범위를 벗어나지는 않는다. 나는 안전과 수용에 대한 욕구가 어떤 치료에서든 가장 상위의 것이라고 믿는다. 그리고 함께 하면서 공연을 만들어 내고자 하는 집단은 적절한 연극치료적 촉진 작용과 함께 그러한 욕구를 경험하게 될 것이며, 그리하여 치료적 경험에 도달할 거라는 것이 나의 생각이다.

3장: 외래 환자와의 개인 작업

나는 매주 개인 치료를 위해 여러 명의 외래 환자를 만나며, 그들은 모두 장기 계약을 맺고 있다. 컨설턴트가 사전평가를 의뢰하면, 나는 그 사람을 다섯 번에 걸쳐 만나면서 천천히 연극치료 구조를 소개하고, 개인적 역사를 파악하며, 치료를 원하는 이유와 치료에 들어갔을 때 어떤 저항을 보일 수 있는지 그리고 나와 건설적인 "치료적 협력 관계"를 맺을 수 있는지 여부를 가늠한다. 그 결과 연극치료가 적절한 선택이라고 판단될 경우에는 먼저 컨설턴트를 만나 상의하고, 그와 합의가 되면 다섯 번째 사전평가 회기에서 앞으로 제공될 치료에 대한 계약이 이루어진다. 치료 과정은 대개 6개월에서 1년가량 지속되며, 마지막에 평가를 하는데, 과제 중심의 작업의 경우는 예외이다. 최종적으로 참여자가 제안을 수용하면 곧바로 한 주에 한 번씩 작업을 시작하고, 각 회기는 1시간 동안 진행된다.

개인 치료에서 "자기표현의 연극"은 처방적인 구조보다는 이론적인 틀거리를 더 많이 제공한다. 나는 그 과정이 배우가 역할을 잘 살 수 있도록 도와주는 연극 연출가와 매우 유사한 창조적 협력의 형식임을 발견했다. "연극 연출가"의 작업은 연극치료사의 역할을 은유한다고 할 수 있다. 둘은 같은 목적을 갖는다. 연출가는 배우가 그 역할을 무대에서 잘 연기하도록 도우며, 연극치료사는 참여자가 일상 현실에서 자기 역할을 잘 수행할 수 있도록 돕는다. 하지만 연출가와 연극치료사 모두 이렇게 저렇게 해야 한다고 지시해서는 결국 어디에도 이를 수 없음을 알고 있다. 해서 그들은 자기를 가지고 실험할 수 있으며, 기술을 익히고 또 버릴 수 있는 안전한 환경을 창조하려고 노력한다. 그들은 또한 이제 출항한 자기 발견의 항해에 관해 피터 브룩(Brook 1968)이 "무정형의 직감"이라 부른 것을 갖게 될 것이다. 그리하여 앞으로 나아가는 유일한 길이 그저 혼돈과 함께 머무는 것뿐일 때에도 창조적 과정의 그 암흑 같은 순간을 헤쳐 나와야 한다.

나는 개인 치료를 하면서 참여자들이 고유한 리듬과 진행 속도를 갖고 있으며, 과정을 잘 이끌어 나가기 위해서는 그에 맞춰 작업할 수 있도록 반드시 "시간"을 충분히 제공해야 함을 알게 되었다. 또한 참여자가 원하는 길을 잘 따라갈 수 있도록 연극의 모든 무기와 경험적 훈련을 사용한다. 개인 치료를 위한 내적 지도는 집단 작업에서 설명한 바와 동일한 과정을 따른다. 즉, 일상 현실에서 극적 장면으로의 전환 혹은 참여자가 실내나 야외의 특별히 선택된 장소에서 연행하게 될 "통과 의례"를 구성할 수 있게 돕는 과정이다. 또 다른 경우에는 몸과 목소리 그리고 소리 내기와 투사적 미술 작업을 조합함으로써 참여자가 특정한 감정이나 관계를 환기하거나 탐험할 수 있게 하는 "초연극적" 활동을 하기도 한다. 어떤 활동을 하고, 회기를 어떻게 시작하고 끝맺을지는 참여자가 치료 과정의 어느 단계에 있는가 뿐만 아니라 치료사와 참여자 사이에 형성된 지금-여기에서의 관계 역동에 따라 달라진다. 그러나 참여자가 어느 정도 적응한 이후에는 대개 몸 안에서 "현재"의 느낌과 감각에 초점을 맞추는 "자각의 연속"이라는 활동으로 시작하곤 한다. 그런 다음 호흡과 소리를 사용하여 그날 드라마의 중심이 될 주제로 넘어간다.

에필로그

나의 임상 경험에서 나온 자기표현의 연극: 치료적 공연 모델은 치료적 노력과 예술적 필요의 양면에서 요구되는 정직함을 통합한다. 거기서는 미학이 아니라 참여자가 제시하는 문제의 해결을 위해 "예술적 질문"을 던진다. 나는 참여자가 자기 발견의 여정을 떠날 수 있도록 자원과 극적 도구를 제공하는 사람이 연극치료사라고 믿는다. 그들은 무엇을 추구하는가? 물론 그 답은 사람마다 다를 것이다. 그리고 나의 경우에는 조셉 캠벨의 말에서 거의 근접한 답을 얻는다.

> 사람들은 우리 모두가 삶에서 어떤 의미를 구한다고 말한다. 하지만 나는 우리가 정말로 그걸 추구한다고 생각하지 않는다. 오히려 우리는 살아 있는 경험을 추구한다. 그 살아 있는 경험을 통해 우리의 삶이 순전히 물리적인 차원에서 우리 안의 가장 내밀한 존재와 현실과 공명을 이루고 또 그리하여 실제로 살아 있음의 황홀경을 느낄 수 있게 되기를 원하는 것이다.
>
> (Campbell 1990: 5)

미국 이살렌에서 게슈탈트 치료와 경험 치료를 가르치는 교사이자 치료사인 폴 르빌로는 그것을 다른 방식으로 말한다.

> 나는 내가 하는 작업이 사람들을 교정하여 좀 더 잘 기능할 수 있게 하는 치료 양식과 다르다고 본다. 내 작업 역시 사람들이 집단으로 함께 하는 과정의 결과이지만… 그를 통해 사람들이 자기 존재에 대한 전망을 열어냄으로써 삶을 보다 살 만한 것으로 — 해결해야 할 문제이기보다 경험할 만한 무언가로 — 받아들일 수 있도록 돕고자 한다. 그 비전과 깨달음으로부터 좀 더 만족스럽게 기능하고 대처할 수 있는 능력이 뒤따를 것이며, 사람들은 자기만의 창조적 근원으로 통하는 길을 내게 될 것이다.
>
> (Rebillot and Kay 1979)

이것이 연극치료사로서 **자기표현의 연극: 치료적 공연 모델**을 성인 정신 질환자에게 적용하는 목적이다. 나는 여러 가지 형식의 "연극 구조"(Halprin 1986)에 참여하는 것이 참여자들에게 기회를 제공한다고 믿는다. 그것은 단순히 즉자적인 문제를 해결하는 차원이 아니라, 그로토프스키가 1982년 카디프에서 말한 바와 같이, "에너지를 해방시키는 것"이다. 극적 표현의 과정을 통해 참여자들은 자신의 창조적 영감과 접촉할 수 있다. 그리고 그를 토대로 자기와 대면하여 삶에서 필요한 변화를 만들어 낼 수 있게 된다. "치료사"로서 나는 내가 가진 자원과 나의 인간성과 존재와 내가 제공하는 연극과 치료의 구조로써 참여자들의 길동무이자 목격자이자 안내자가 되어, 그들이 이 치료적 여정에서 보다 건강한 삶으로 이끌어 줄 자신만의 자원을 찾는 과정을 돕는 것이 나의 과제라고 느낀다.

참고 문헌

Andersen-Warren, M. (1992) "Therapeutic Theatre Project," private correspondence.

Arieti, S. (1976) *Creativity: the Magic Synthesis*, New York, Basic Books.

Bloch, S. (1982) *What is Psychotherapy?*, Oxford, Oxford University Press.

Brook, P. (1968) *The Empty Space*, London, Penguin.

Brook, P. (1988) *The Shifting Point*, London, Methuen.

Campbell, J. (1973) *Myths to Live By*, New York, Bantam.

Campbell, J. (1990) *The Power of Myth*, New York, Doubleday.

Cox, M. (1978) *Structuring the Therapeutic Process*, Oxford, Pergamon Press.

Cox, M. (ed.) (1992) *Shakespeare Comes to Broadmoor*, London, Jessica Kingsley.

Cox, M. and Theilgaard, A. (1987) *Mutative Metaphors in Psychotherapy*, London, Tavistock.

Fransella, F. and Dalton, P. (1990) *Personal Construct Counselling in Action*, London, Sage.

Gersie, A. (1991) *Storymaking in Bereavement: Drangons Fight in the Meadow*, London, Jessica Kingsley.

Gersie, A. (1992) *Earthtales: Storytelling in Times of Change*, London, Green Print.

Gersie, A. and King, N. (1990) *Storymaking in Education and Therapy*, London, Jessica Kingsley.

Halprin, A. (1973) in *The Drama Review* (September).

Halprin, A. (1976) "Theatre and therapy workshop," in *The Drama Review* (March).

Jean, N. and Deak, F. (1976) "Anna Halprin's theatre and therapy workshop," in *The Drama Review* (March).

Jennings, S. (1986) *Creative Drama in Groupwork*, Winslow Press.

Jennings, S. (ed.) (1987) *Dramatherapy Theory and Practice 1*, London, Routledge.

Jennings, S. (1990) *Dramatherapy with Families, Groups and Individuals*, London and New York, Jessica Kingsley.

Kelly, G. (1955) *The Psychology of Personal Constructs*, New York, Norton.

Langley, D. and Langley, G. (1983) *Dramatherapy and Psychiatry*, London, Croom Helm.

Maslow, A. (1970) *Motivation and Personality*, New York, Harper & Row.

Maslow, A. (1971) *The Farther Reaches of Human Nature*, London, Pelican.

Mitchell, S. (1990) "The theatre of Peter Brook as a model for dramatherapy," *Dramatherapy*, 13(1).

Mitchell, S. (1992a) "Therapeutic theatre: a para-theatrical model of dramatherapy," in S.

Jennings (ed.) *Dramatherapy Theory and Practice 2*, London, Routledge.
Mitchell, S. (1992b) "The similarities and differences between the theatre director and the dramatherapist," Keynote speech at the Shakespeare symposium.
Ouspensky, P. D. (1977) *In Search of the Miraculous*, London, Routledge & Kegan Paul.
Rebillot, P. (1993) *The Call to Adventure: Bringing the Hero's Journey to Daily Life*, New York, HarperCollins.
Rebillot, P. and Kay, M. (1979) "A trilogy of transformation," *Pilgrimage*, 7(1).
Roose-Evans, J. (1989) *Experimental Theatre from Stanislavski to Peter Brook*, London, Routledge.
Roth, G. (1989) *Maps to Ecstasy*, San Rafael, CA, New World Publishing.
Watts, A. (1976a) *Nature, Man and Woman*, London, Abacus.
Watts, A. (1976b) *The Wisdom of Insecurity*, London, Rider.
Wilson, C. (1986) *G.I. Gurdjieff: the War Against Sleep*, Wellingborough, Aquarian Press.
Yalom, I. (1985) *The Theory and Practice of Group Psychotherapy* (3rd edn), New York, Basic Books.
Yalom, I. (1989) *Love's Executioner*, London, Bloomsbury.
Yalom, I. (1990) *Existential Psychotherapy*, New York, Basic Books.

4. 통합 모델과 학습 장애 성인을 대상으로 한 활용

애너 체스너

개관

영국의 연극치료는 일찍이 학습 장애 성인 집단과의 작업에서 비롯되었고, 그 사실은 분명하게 기록되어 왔다(Jennings 1973; Brudenell 1987; 이 책의 1장과 10장). 이 장에서는 역사적인 연구보다 이 분야에서의 경험을 바탕으로 광범위한 작업 방법론을 개괄하려 하며, 그 전개 과정을 설명하기 위한 일종의 지도로서 비행의 비유를 사용할 것이다. 이들 단계는 한 회기 안에서도 일어날 수 있으며, 한 단계에서 다른 단계로 넘어가는데 여러 회기가 소요될 수도 있다. 또 집단의 특성에 따라 모든 단계를 거치는 것이 불가능하거나 부적절할 수도 있다. 각 단계는 특정한 수준의 창조성과 자발성과 상상적 몰입을 특징적으로 드러낸다. 집단을 이 지도의 어딘가에 위치시킴으로써 연극치료사는 참여자들이 얼마나 멀리 함께 갈 수 있을지 그리고 다음에 어떤 종류의 도전이 적절할 지를 파악할 수 있다.[1]

1. 공연으로의 발전 과정과 언어 치료 및 음악 치료와의 공동 작업과 관련하여 이 모델을 좀 더 자세히 알고 싶다면 Chesner(근간)를 참고할 것.

장면 세팅하기

지역 사회로서의 기관

이 장은 학습 장애 성인을 대상으로 한 대규모 기숙 시설 내에 연극치료 과정을 개설한 경험에 기반을 둔 것이다. 나와 작업하는 참여자들 상당수는 거기에 살고 있거나 그와 비슷한 기관에서 수년에서 수십 년씩 지내왔다. 많은 참여자들이 지난 몇 년 동안 "그룹 홈"에서 살기 위해 "지역 사회"로 옮겨갔는데, 이러한 추세는 시설이 점차 줄어들어 현재의 형태가 사라질 때까지 앞으로도 몇 년 동안 지속될 것이다.

이 점을 서두에 밝히는 데는 두 가지 이유가 있다. 첫째는 스태프와 거주자 모두에게 영향을 미치는 환경의 급진적 변화가 작업의 맥락에서 매우 중요하기 때문이다. 두 번째는 생활환경이 바뀜에 따라 이 참여자 집단을 대상으로 한 연극치료 공간 또한 변화할 것임을 인식케 하고자 함이다. 앞으로 제시될 관찰과 제안들이 "지역 사회"에서 작업하는 사람들에게도 역시 가치 있게 쓰이기를 바란다.

"지역 사회"라는 말에 큰따옴표를 붙인 것은 기관 밖으로 나와 본 적 없는 사람들 역시 지역 사회 안에서 살고 있기 때문이다. 고대 이후로 연극은 그것이 속한 곳의 갈등과 꿈을 반영하는 지역 사회의 산물이었다. 그와 비슷하게 연극치료 역시 그것이 형성된 그리고 그것이 반영하는 지역 사회의 광범하고 구체적인 맥락에서 조명되어야 한다. 그동안 내가 작업해 온 "병원" 역시 나름의 역사와 다양한 전통과 규준과 태도를 갖고 있으며, 그것이 연극치료 스튜디오라는 특정한 배경과 거기서 일어나는 작업에 광범한 맥락적 환경을 형성한다.

연극치료 스튜디오와 전반적인 기관 환경과의 관계

연극치료 스튜디오는 기관 전체의 일부이면서 동시에 독자성을 확보할 필요가 있다. 시간표와 같이 전체 기관의 조직적인 측면에서는 반드시 연계를 가져야 하고, 작업 내용의 측면에서도 어느 정도 그럴 필요가 있다. 가령 참여자가 언어치료사와 마카톤 수화[마카톤 수화는 (청각 장애인과 지적 장애인과의 소통을 위해) 1970년대에 영국에서 개발된 것으로, 마카톤이라는 명칭은 그것을 만든 세 사람의 이름을 섞은 것이다. 핵심 단어를 나타내는 수화와 몸짓, 그림 상징 등을 이용하는 마카톤 수화는 소통과 언어 및 학습에 어려움이 있는 사람들뿐 아니라 일반 아동의 언어 발달을 돕는 데 쓰이기도 한다: 옮긴이]를 배운다면, 그 기술을 연극치료의 맥락에서도 활용할 수 있는 것이다. 한편, 서로 다른 전통과 태도와 규준을 확립할 수 있는 충분한 독자성이 있어야 하며, 이는 치료 과정에서 핵심적이다. 연극치료적 경험은 위험을 기꺼이 감수하게 하며, 참여자를 미지의 세계로의 여정에 초대한다. 따라서 치료 공간에 경계를 부여하고 그것을 존중해야 한다는 사실은 이 과정과 관련된 위험 요소에 대한 배려라고 할 수 있다.

실제적인 관점에서, 이는 스튜디오가 호젓한 장소에 있어서 치료 작업이 외부의 소음이나 사람들로 인해 방해받지 않아야 한다는 것을 의미한다. 시간의 경계 역시 중요하다. 회기는 언제나 약속된 시각에 정해진 시간 동안 정확하고도 안정적으로 진행되어야 한다. 이 공간과 시간의 경계는 매우 단순하지만 치료 과정을 위해 심리적으로 안전한 공간을 창조하는 데 도움을 준다. 대규모 기관에서는 그러한 기본을 지키는 데도 상당한 노력과 시간이 든다. 그 어려움은 대규모 기관 내에서의 연계와 경계 유지의 전반적인 문제를 반영할 것이다. 이러한 측면은 작업 자체에서 일어나는 일보다 치료사에게 더 짐이 될 수도 있다. 그러나 그 중요성은 정원사가 씨를 뿌리고 풀을 심기 전에 흙을 일구는 준비에 비유할 수 있다.

스튜디오를 연극치료 작업만을 목적으로 사용하면 스태프와 참여자 모두가 일종의 전통의 느낌을 갖게 되고, 그러면서 참여자들은 자연스럽게 그 안에서 가능한 활동이 어떤 것인지를 알게 된다. 이는 참여자의 자발성과 창조성과 실험을 독려하는 데 아주 중요한 요인이다. 다시 말해 연극치료 스튜디오에는 집이나 주거 공간과 다른, 그리고 "훈련"이나 "교육"을 위한 공간과도 구별되는 규칙이 존재함을 참여자들이 이해할 필요가 있다는 것이다. 말로는 그 차이를 설명할 수 없을 수도 있지만, 참여자들은 분위기의 미묘한 차이에 매우 민감하다. 이런 의미에서 학습 장애 성인을 대상으로 할 때는 물리적 공간과 그 분위기가 가장 중요하다고 할 수 있다. 이것은 심한 중복 장애 참여자들이 다른 공간에서 진행된 일련의 "계약" 회기를 경험한 다음 처음으로 스튜디오에 왔을 때 확연히 드러난다. 그들은 어느 때보다 눈에 띄게 표현적이고, 에너지가 넘치며, 예민해진다. 그러한 변화에는 여러 가지 요인이 작용한다. 무엇보다 그들은 스튜디오에 오도록 "선택"되었고, 그것은 또 그들이 집단의 일원이 아닌 한 사람의 개인으로 보였다는 의미이다. 또 한 가지는 텔레비전이나 라디오 그리고 스태프나 식구들의 소리처럼 주거 공간/집의 익숙한 배경음과 무관한 공간에 오게 되었다는 점이다. 그래서 참여자들은 방해받지 않고 마음껏 탐험할 수 있는 환경에 있음을 온몸으로 실감한다.

연극치료 스튜디오 꾸미기

연극치료 스튜디오에 구현된 작업 정신과 분위기의 중요성을 보았으므로, 이제는 공간을 그 용도에 맞게 어떻게 준비할 것인지를 살펴보자. 여기서 요점은 그 목적을 지지하는 공간의 내용과 배치이다. 때로는 최대한 빈 공간이 요구되고, 또 때로는 드라마를 표현하거나 이끌어내기 위해 공간을 다양한 사물로 가득 채워야 하기도 한다. 공간은 이러한 변형을 모두 포괄할 수 있을 만큼 충분히 융통성이 있어야 한다.

필요할 때 쉽게 꺼내 쓸 수 있도록 재료가 가까이 있는 게 물론 유용하다. 그러나 그것이 참여자의 주의를 쉽게 흩트릴 수도 있다. 공간 내에 지나치게 자극적인 가능성이 많으면, 집단은 분열되고 치료사는 절망하게 된다! 그러므로 행동 중에 재료를 어렵지 않게 꺼내 쓸 수 있도록 균형을 잡을 필요가 있고, 적절한 집중력을 유지할 수 있도록 공간을 깔끔하게 정리해 놓는다.

치료적 환경은 채워진 만큼 비어 있는 데서 창조된다. 스튜디오를 꾸밀 때 주의해야 할 한 가지는 의자와 탁자의 사용을 최소화해야 한다는 점이다. 물론 의자와 탁자가 유용할 때가 있지만, 우리는 대신 콩 자루를 사용한다. 이러한 결정은 기관 내 대부분의 작업 공간과 주거 공간이 일상적 용도의 의자와 탁자로 가득 차 있다는 관찰에서 비롯되었다. "저건 의자, 저건 책상, 내가 매일 쓰는 거야"라는 느낌이 일부 스태프의 기대에 부응하여 참여자의 습관적인 수동성을 부추길 수 있기 때문이다.

콩 자루는 관습에서 벗어나 꽤 다양한 방식으로 사용할 수 있다. 앉았을 때의 느낌도 보통 의자보다 편안하고, 어떻게 앉는가에 따라 다양한 자기표현이 가능하다. 의자는 앉는 방식을 제한하여 다소 딱딱한 자세가 되는 경향이 있을 뿐 아니라 의자에 앉은 상태로 원을 만들면 지나치게 부담스럽거나 불안감을 주는 반면에 콩 자루는 훨씬 개방적이고 이완된 분위기를 만든다. 여러 가지 놀이 모형[부드러운 재질로 만들어진 여러 가지 크기의 간단한 도형을 말한다. 이것을 가지고 고양이나 집 등 다양한 모양과 형태를 만들면서 놀 수 있다: 옮긴이]과 더불어 콩 자루는 장면 세팅의 측면에서도 매우 가치 있다.

연극치료 스튜디오의 스타일과 내용은 자원, 공간의 맥락, 치료사의 스타일에 따라 다양할 것이다. 공간은 치료의 핵심적인 자원이라는 점에서, 연극치료사는 그 안에서 진행될 작업의 견지에서 공간의 쓰임새를 질문할 필요가 있다.

통합 모델

나는 학습 장애 성인과 함께한 연극치료의 모델을 "통합" 모델이라 부른다. 그 배후의 철학은 "행해진 것"으로서의 "드라마" 개념에 바탕을 둔다. 요컨대 "행동이라면 무엇이든 연극치료에서 사용될 수 있다"는 논지이다.

실제 작업에서 이는 연극치료 작업 안에 시각 예술, 음악, 춤과 움직임 작업, 접촉 활동, 게임, 이야기, 역할 연기, 공연까지 모든 것이 포함될 수 있다는 의미이며, 그중에서 어떤 활동을 할 것인가는 치료사가 미리 준비하거나 집단이나 치료사의 자발적인 선택에 따른다.

연극치료의 맥락에서 활동의 강조점은 행동과 반응을 통한 탐험과 의사소통에 주어진다. 치료사는 다양한 차원의 상호 작용에 주의를 집중한다.

공간과 그 안의 사물을 이용한 상호 작용
치료사 혹은 치료 집단과의 상호 작용
동료 집단과의 상호 작용

참여자의 내면세계는 각 상호 작용의 차원에서 함축적으로 또는 표면적으로 표현된다.

그리고 회기를 거듭할수록 자발성과 상상력과 창조성이 고양되고, 그것이 다시 참여자의 내면세계를 충분히 표현하는 원동력이 된다. 연극치료 작업이 상상적인 탐험을 통해 어떤 것도 가능해지는 공간으로 변모하는 것이다. 비행의 비유를 사용할 때, 이는 고공을 비행하는 기분 좋은 경험에 해당한다. 그러나 그러기 위해서는 치밀한 준비가 요구되며, 위험을 감수하지 않고서는 불가능하다.

제닝스가 개발한(1990; 또 이 책 6장 참고) 의식과 위험의 패러다임은 이 참여자 집단에게 특별한 의미를 갖는다. 그녀는 회기 내에서 수용의 필요성을 강조하기 위해 통과 의례의 전통을 끌어온다. 내 경험에 의하면 매 회기를 익숙한 활동과 의식의 느낌으로 열고 닫는 것이 매우 중요하다. 집단이 회기의 익숙한 구조를 인식하게 됨에 따라 신뢰가 깊어지며, 회기의 중간 단계에서는 참여자들에게 요구되는 위험 감수의 정도가 훨씬 커진다. 그러므로 회기가 포괄하는 활동의 범주가 커지면 커질수록, 미지로의 탐험이 익숙한 웜업과 마무리 안에 담겨질 거라는 사실을 확실히 아는 것이 더욱 중요해진다. 비행기로 여행을 할 때, 우리는 어디에서 이륙해서 어디에서 안전하게 착륙할 거라는 걸 알고 탄다. 같은 이치로 연극치료 회기는 상당 부분 예측 가능한 요소로써 문을 열고 닫는다. 그것은 여행자들이 공항에서 겪는 과정에 비유할 수 있다. 회기의 중간 단계에서 참여자는, 승객이 다른 승객들과 비행사에게 그러하듯, 치료사와 집단을 충분히 신뢰할 필요가 있다.

통합 모델과 개인 작업

일대일 연극치료에서는 동료 집단과의 상호 작용이 없다. 따라서 강조점은 치료사와의 관계 그리고 치료사의 존재 가운데 이루어지는 공간과 그 내용물의 탐험에 있다. 나는 참여자의 발달적이고 정서적인 특성상 집단 작업이 부적절한 경우를 제외하고는(Brudenell 1987) 가급적 집단 작업을 한다.[2]

이 작업에서 참여자는 미리 준비된 다양한 사물을 조작하면서 환경과 관련하여 자기를 탐험할 수 있는 안전한 공간을 제공받는다. 그러한 물건에는 다양한 색깔과 질감과 크기의 공, 여러 가지 색깔의 놀이 모형, 탬버

2. Sinason(1992)을 보면 이 집단을 대상으로 한 정신분석적 작업을 알 수 있다.

린이나 종과 같은 악기, 손 인형과 인형 등이 있을 수 있다. 참여자는 어떤 물건을 탐험할지 선택한다. 처음에는 어떤 공 하나에 관심을 보일 수 있다. 그러다가 다양한 공으로 옮겨가 거기서 다시 여러 가지 크기와 형태를 가진 다른 물건을 가지고 놀면서 탬버린에서 둥글고 돌릴 수도 있고, 소리가 나는 특성을 찾을 수도 있다. 참여자는 사물을 가지고 감각적인 놀이에 빠져들 수도 있으며, 사물이나 접촉을 통해 치료사와 자극을 주고받는 간단한 게임을 할 수도 있다. 참여자가 인형이나 손 인형을 특정한 색과 모양과 질감을 가진 물건으로 대하기보다 인물과 관련지을 때는 투사 놀이로 진행할 수 있다. 그 시점에서 상상력과 창조성이 발달되며, 치료사는 탐험의 각 단계를 촉진하는 역할을 한다. 즉, 공간의 안전성을 유지하고 참여자의 발달 정도와 새로운 것에 대한 욕구와 저항의 정도를 고려하여 섬세하게 공간을 준비한다.

참여자가 세 명에서 여덟 명이고 치료 팀이 두 명에서 세 명 사이라면 집단 작업이 가능하다. 이 정도 크기의 집단이라면 참여자 개개인을 관찰할 수 있고, 그러면서도 집단 규모의 작업 기회를 제공할 수 있다. 집단 치료는 특히 대규모 기관의 맥락에서 유용하다. 참여자들 모두가 집단 안에서 생활하지만 그에 적응하는 정도와 양상은 각각 다르다.

공통된 반응 한 가지는 동료 집단 내에 의사소통이 거의 없다는 점이다. 대신 소통과 우정에 대한 욕구는 동료가 아닌 스태프를 향한다. 이러한 소통 패턴은 보호자-환자 혹은 부모-자녀 유형의 상호 작용을 통해 수년에 걸쳐 강화된다. 그것은 참여자의 역할 레퍼토리와 개인적 발달을 저해하고 참여자를 무력하게 하여 급기야 동료 집단마저 평가절하하게 만든다. 많은 결정이 스태프에 의해 내려지는 기관에서 "환자"의 역할로 경험하는 삶은 낮은 자존감으로 귀결될 수밖에 없다. 그리고 그 상황에서는 동료 집단 역시 "나"와 똑같이 제한적이고 무가치하며, 따라서 관계를 맺을 이유도 없어지게 된다.

집단 작업은 이 악순환을 깨뜨릴 수 있게 도와준다. 집단 자체가 각 참여자가 기여하는 가치 있는 치료자로 간주되며, 거기서 자기와 동료 집단은 인식과 지지와 이해와 의미 있는 상호 작용의 원천으로 부상하기 시작한다. 이것은 세계관의 급진적 전환과 관련되며, 참여자가 좀 더 소규모의 그룹 홈으로 이주를 준비할 때 특히 의미가 있다. 대규모 기관의 포괄적이고 통제적인 "부모 같은" 인물에게서 떠날 때는 "형제" 혹은 동료 집단의 지지가 그 경험에 근본적인 차이를 만들어 줄 수 있다.

행동으로 들어가기: 탑승 수속 밟기

참여자들이 도착하는 순간부터 인사하는 행동은 치료에서 매우 중요하다. 인사는 집단 성원들에게 공간 자체와 작업을 함께할 사람들에게 관심을 옮길 수 있는 기회를 만든다. 일상생활에서는 많은 과정을 당연하게 여기는 경향이 있다. 그러나 연극치료 회기에서는 단순한 구조일지라도 참여자들이 그 과정에 참여할 수 있게 할 필요가 있다(Cattanach 1992 참고).

참여자들이 모두 도착하면 언제나 동그랗게 둘러서서 회기를 시작한다. 이때 서로 손을 맞잡게 되면 집단을 일종의 그릇으로 신체화함으로써 주의를 집중시킬 수 있다. 치료사는 원 안에 누가 있는지를 잠시 동안 공들여 쳐다보기를 제안한다. 그렇게 함으로써 시선 접촉과 자발적인 상호 작용을 이끌어낼 수 있다. 아주 단순하게 "안녕하세요"라고 말하는 과정도 다양한 방식으로 구조화할 수 있다. 우리는 원 모양으로 서서 차례로 옆 사람과 악수를 나누면서 가락에 맞춰 이름을 말하는 인사 노래를 몇 가지 만들기도 했다. 노래를 시작 의식의 일부로 매번 반복하다 보면 점차 익숙해지고, 익숙해짐에 따라 자신감이 붙으면서 참여 정도도 높아진다. "대본"을 숙지하면서 형식은 열어지고, 노래는 집단의 웜업과 자발적인 표현을 위한 도구가 된다.

공/이름 게임은 매우 인기 있는 "시작 활동"이다. 다른 사람의 이름을 부르면서 그 사람에게 공을 던지게 해서 시선 접촉을 유도한다. 몇 달에 걸쳐 이 게임을 하다 보면 집단 내 관계의 변화 양상이 더할 수 없이 명백하게 반영된다. 처음에는 공이 앞서 언급한 소통 패턴을 반영하면서 치료 팀 사이를 왔다 갔다 하는 경향이 있다. 경우에 따라서는 공이 누군가의 무릎에서 멈춰 있을 수도 있다. 혹은 가만히 공을 갖고 있다가 눈을 맞추면서 이름을 부르기가 싫어서 아무 데로나 던져 버릴지도 모른다. 처음 사람이 눈을 맞추면서 다른 사람에게 공을 던진다면 그야말로 만족스러운 상황일 것이다. 나중에 게임에 익숙해지면 공이 참여자들 사이에 다양한 길을 내면서 오가는 자발적인 상호 작용의 도구로 변한다. 집단은 공을 주고받으면서 표현적이고 재미있는 여러 가지 방식을 개발할 수 있으며, 그와 더불어 언어적인 상호 작용에서도 훨씬 자신감이 높아진다. 연극치료에서 사용되는 다른 많은 구조와 마찬가지로, 형식 자체의 목적이 뒤로 물러나면서 삶에서의 의미가 두드러지게 되는 것이다. 연극치료사의 기술은 이러한 목적을 성취하기에 적절한 구조를 찾아내는 데 있다.

구체화

감각에 접근할 수 있는 구체적인 요소를 사용하면 작업 과정을 촉진할 수 있다. 추상적인 아이디어보다는 사물을 가지고 작업하는 편이 더 낫고, 개념은 사물이나 소도구를 이용해 "구체화"함으로써 좀 더 쉽게 접근할 수 있다.

앞서 언급한 활동에서 공은 단순한 소도구이지만 치료적이고 극적이며, 참여자들 사이의 소통과 관심의 흐름을 구체화하여 집단의식의 발달을 지지한다.

가급적 만질 수 있고 볼 수 있는 요소를 사용하는 것은 이 참여자 집단과의 작업에서 열쇠가 되는 원칙이다. 우리는 소통 과정의 상당 부분을 추상에 의존하는 사회에서 살고 있다. 말과 글은 개념적이고 상상적인 세계, 곧 과거의 경험과 가능한 미래의 세계로 통하는 문을 열어준다. 친구와 대화를 할 때 말은 두 사람의 마음을 잇는 보이지 않는 다리가 되어준다. 굳이 자리를 옮기지 않고서도 서로 진정으로 접촉하는 느낌을 가질 수 있으며, 전화 통화나 편지를 주고받는 경우에는 상대를 보지 않고서도 그것이 가능하다.

그러나 학습 장애 성인 집단에서는 말만으로는 충분치 않음을 나는 작업 경험을 통해 일찍이 깨달았다. 뭔가에 대해 길게 말하거나 머릿속에 품고 있는 구조를 설명하려 애쓸수록 집단은 오히려 집중하지 못하곤 했다. 지금 생각하면 그건 마치 사람들이 얼른 배우기를 기대하면서 다른 나라 말로 지껄인 셈이다. 그런데 그와는 반대로 감각과 연결시킬 수 있는 사물을 가지고 몸을 사용하도록 이끌었을 경우에는 훨씬 쉽게 흥미와 집중력을 보였다. 그들의 언어로 말을 함으로써 비로소 탐험과 즉흥극을 위한 첫 발을 뗄 수 있었던 것이다. 그래서 이제 나는 구조를 소개하거나 설명하는 단계에서도 몸과 감각을 끌어들이려 노력한다. 그리고 말은 행동을 보완하는 차원에서만 사용한다.

말과 구체적인 요소의 적절한 균형은 집단에 따라 다르므로, 치료사는 그것을 예민하게 감지하여 작업 내용을 계획하도록 한다. 하지만 그렇게 해도 작업이 지나치게 추상적으로 진행되어 참여자와 치료 팀이 자발적으로 변화를 끌어내는 경우가 흔히 있다. 소통에 대한 욕구가 자발성과 창조를 이끌어내는 것이다.

소도구의 사용

처음에는 소도구 탐험을 사물 자체에 대한 감각적 탐험으로 진행한다. 다양한 색깔의 커다랗고 둥근 낙하산은 다목적의 인기 있는 소도구이다. 무엇보다 낙하산은 참여자들이 그 둘레를 따라 커다란 원으로 연결될 수 있는 기회를 제공한다. 집단에 따라서는 둥글게 서기가 힘들 수도 있다. 그런 경우에 낙하산 가장자리를 붙잡고 서면 다채로운 색상의, 만질 수 있는 원이 만들어진다. 그리고 팔을 들었다 내리면서 낙하산을 움직일 수도 있다. 이 동작은 몇 가지 새로운 감각을 창조한다. 팔을 위로 쭉 펴는 운동 감각을 느낄 수 있고, 또 커다란 천이 오르락내리락 하면 공기가 따라 이동하면서 얼굴을 기분 좋게 어루만진다. 낙하산의 움직임은 시각적으로도 매우 흥미로우며, 낙하산 밑으로 사람들이 통과할 수도 있다. 그 점에 착안하여 눈이 마주친 사람에게 "안녕"이라고 말한 다음 낙하산이 높이 올라갔을 때 그 밑을 지나 서로 자리를 바꾸는 게임을 할 수도 있다. 이 놀이는 함께하는 협동의 긍정적인 경험을 주는가 하면, 낙하산 밑을 지나 재빨리 자리를 바꾸어야 하는 위험 요소도 존재한다. 그러한 위험을 딛고 살아남는 것은 유쾌한 경험이며, 그로써 자신감을 북돋울 수 있다.

소도구는 또한 상상력의 발달을 자극할 수 있다. 낙하산의 움직임에 속도를 붙임으로써 참여자들은 "폭풍"을 만들어 미친 듯 거세게 일렁이다가 잠잠해지는 과정을 재현해 볼 수 있다. 참여자들이 "만약"이라는 아이디어를 받아들이기만 한다면, 그것은 극적 상상의 무한한 가능성을 향해 첫 걸음을 떼는 것이다. 궁극적으로 드라마 안에서 불가능은 없다. 필요한 것은 오로지 불신을 중지하고서 "만약"의 세계 속에서 놀겠다는 가장假裝에 대한 동의뿐이다.

구체적 현실의 지금 여기에서 일어나는 감각적 탐험 작업에서 상상에 바탕을 둔 활동으로의 이행은 주목할 만한 가치가 있다. 공이나 그 밖의 소도구를 사용하는 다양한 구조를 통해 이러한 이행을 촉진할 수 있다. 고무공을 예로 들어 설명하면, 처음에는 그냥 공으로 이름 게임을 하면서 던진다. 그런 다음에는 동그랗게 서서 여전히 공으로서 옆 사람에게 전달한다. 그 활동에 익숙해지면, 공이 "뜨거운 감자"가 된다고 말한 다음 뜨거움을 동작과 소리로 표현하면서 옆 사람에게 재빨리 넘겨주도록 변형한다. 이때 치료사가 먼저 시범을 보이면 참여자들은 그 동작과 소리를 보고 들으면서 말의 의미를 쉽게 이해할 수 있다. 또 다른 변형으로 공이 "끈적끈적한 떡"이 될 수도 있다. 이 경우에는 손이 떡에 붙은 양 힘들게 양 손에서 떼어 옆 사람에게 넘겨주는 것이 중요하다.

두 보기에서 모두 공은 더 이상 공이 아니다. 거기에 새로운 현실이 입혀지면서 참여자들 또한 그와 관련된 새로운 역할을 입도록 초대된다. 그리고 그 역할은 공을 공이 아닌 다른 것으로 "가정"하는 데 따라 달라진다. 일단 그 가능성을 경험한 뒤에는 참여자들에게 한 사람씩 공을 새로운 대상으로 사용해 볼 수 있는 기회를 주고, 나머지 사람들은 그게 뭔지를 맞춘다. 이는 좀 더 흥미로운 단계로, 치료사가 뒤로 물러나는 대신 집단 자체가 전면에 나서면서 참여자들끼리 직접 독창적인 아이디어를 소통하게 된다.

이륙하기

"탑승 수속 밟기"가 참여자들이 서로에게 웜업이 되는 기회를 주고 인사를 나누거나 단순한 활동과 게임으로써 작업에 들어가는 과정이라면, "이륙하기"는 집단이 상상의 세계를 탐험하기 시작하는 과정을 이른다. 이는 집단의 지금 여기가 다른 장소와 다른 시간의 틀로 확장되면서 새로운 종류의 위험을 감수하는 것과 관련된다. 이 단계에서 치료사는 참여자들이 동의하기에 따라 드라마에서는 어떤 것도 가능함을 이해하도록 돕는다.

자료

시간이 지날수록 참여자들에게서 나오는 자료가 점점 많아지지만, 처음에는 치료사가 집단에서 나타나는 주제를 감지하여 제시하고 또 그것을 탐험하기에 적합한 구조를 제안하는 게 보통이다.

상상적인 역할 연기의 가능성을 탐험하기 시작하는 집단에게 특히 적합한 주제 한 가지는 위험한 여행이다. 거기에는 다양한 형태가 있는데, 그중 두 가지를 소개하면 이렇다.

첫 번째는 신뢰의 상징이자 위험의 근원으로서 물과 관련된 연상에서 영감을 얻었다. 무대 전체가 강이 되고, 스튜디오 바닥에 분필로 강둑을 표시한 다음, 훌라후프 몇 개를 강을 가로지르도록 배치하여 징검다리를 만든다. 앞 사람이 가져다놓은 징검돌에 올라서서 좀 더 깊은 지점에 훌라후프를 놓고는 안전한 강둑으로 돌아가면 된다. 그런 방식으로 마지막 돌을 놓아 징검다리가 완성되면 한 사람씩 발이 젖지 않게 강을 건너고, 반대편 강둑에서는 과제를 완수한 참여자들을 열렬한 환호로 맞이한다. 이 구조를 반복하여 집단이 좀 더 자신감을 느끼게 되면 물총으로 징검다리 건너기의 위험을 높일 수도 있다. 하지만 물총은 조심스럽게 사용해야 하며, 치료 팀이 다른 참여자들처럼 총에 잘 "맞는" 것이 중요하다.

위험한 여행의 또 다른 즉흥극은 산에 올랐다 내려오기다. 스튜디오 한쪽에 콩 주머니나 놀이 모형 등 동원할 수 있는 재료들을 이용해 산을 만든다. "숙련된 등반가" 한 사람이 산에 올라 밧줄 한쪽을 고정시킨 다음 스튜디오로 내려 보낸다. 참여자들은 한 사람씩 산 능선이 된 스튜디오 바닥을 따라 밧줄을 잡고서 "등반"을 한다. 등반의 도전을 받아들이면서 모두가 집단의 초점이 되는 순간을 경험한다. 산에 오르는 연기는 "숙련된 등반가"가 이미 보여 주었기 때문에 맨 처음 아이디어를 내놓아야 한다는 부담을 갖지 않아도 된다. 정상에 서면 산 아래를 향해 아주 먼 거리를 여행한 듯한 목소리로 야호를 외칠 수 있다. 모두가 정상에 도달한 뒤에는 휴식을 하거나 성공적인 등반을 성찰할 수 있으며, 함께 요들송을 부르거나 소리치고 메아리를 만들면서 축하할 수도 있다. 다시 산을 내려오는 방식은 매우 다양하다. 밧줄을 다시 사용할 수도 있고, 떨어지듯이 내리막을 내달릴 수도 있다. 진정한 모험을 원한다면 "썰매"로 내려가는 방법도 있다. 자동차 타이어를 옆으로 뉘어서 밑에는 바퀴를 달고 가운데 구멍에 깔개를 깔면 훌륭한 썰매가 된다. 참여자들이 그 위에 앉아 밧줄의 한 끝을 잡으면 스튜디오 반대편에서 밧줄을 잡아당겨 끌어내린다. 신나는 탄성이 절로 나올 것이다.

이상 두 가지 위험한 여행의 즉흥극에서 회기의 구조는 미리 계획되며, 구조가 전개됨에 따라 활동 자체와 참여자들 사이에 자발적이고 개인적인 반응들이 생겨난다. 위험의 요소는 격려와 지지와 성취를 위한 기회와 균형을 이룬다. 한 가지 원칙은 원하지 않는다면 아무도 강요할 수 없다는 점이다. 산에 오르기는 새로운 것이 주는 도전과의 만남에 대한 훌륭한 비유이다. 그것은 집단으로서 좀 더 상상적인 작업을 진행하는 데 대한 도전을 반영하기도 한다. 한 번은 등반 즉흥극을 하는데, 어떤 참여자가 산 아래에 서서 "난 못해요"라고 했다. 다른 참여자들이 정상에서 그를 격려하며 부르는 동안, 치료 팀 중 한 사람이 그와 함께 산에 올랐다. 그는 정상에 도착하고 나더니 "쉽네"라고 말했다. 그리고 회기가 끝날 때는 전 과정을 돌아보면서 "생전 처음 해본 거예요"라고 자긍심 가득한 목소리로 말했다. 실제로 산에 오른 경험이 없기도 했지만, 그에게는 상상적인 역할 연기의 경험 역시 처음이었을 것이며, 뭔가 새로운 것을 시도해 보도록 고무된 것도 실로 오랫만이었을 것이다. 기관 내에서는 참여자들이 뭔가 할 수 있을 거라고 긍정적으로 기대하기보다는 못할 거라고 단정해 버리기가 아주 쉽다. 그런 사정을 감안하면 그의 첫 마디가 "난 못해요"였던 것도 무리가 아니다. 그만이 아니라 학습 장애를 가진 많은 성인들이 수년에 걸쳐 그 말을 내면화해 왔다. 따라서 연극치료는 어디가 한계인지를 스스로 밝혀내도록 모험을 독려할 필요가 있다.

고공비행

집단은 그 지점에서 "높이 날기" 시작하여 지속적인 발전과 함께 최대치의 창조성과 자발성과 위험에 대한 도전을 향해 움직여 간다. 이는 집단이 스스로 만들어 낸 상상의 세계로, 참여자들의 환상과 관심사를 반영하는 세계로 함께 들어가 탐험할 수 있는 능력과 상응한다.

"환상의 비행"은 웜업과 마무리를 일종의 그릇으로 삼아 그 중간 단계에서 일어난다. 치료 팀은 다양한 장치를 사용하여 즉흥극과 스토리 메이킹 과정에 방식을 제공한다.

소도구

탁자 위에 여러 가지 물건을 놓아두거나 차례로 돌려보면서 탐험을 한다. 소품은 예를 들어 뚜껑 달린 대바구니, 망원경, 시폰 스카프, 빈 병, 지도, 파이프, 막대기, 목걸이처럼 시간을 두고 모은 일상적인 물건과 그렇지 않은 물건을 섞는 것이 좋다. 참여자들은 각 사물을 다루면서 가능한 용도를 최대한 많이 찾아낸다. 그런 다음 각자 이야기에서 사용할 소품을 선택한다. 먼저 한 사람이 자발적으로 시작한다. 무대로 쓸 스튜디오 공간으로 이동하여 말이나 행동으로 장소와 상황을 지정하면, 나머지 참여자들은 그에 따른다. 이야기는 각 참여자가 덧붙이는 바에 따라 발전되어 해당 집단의 고유한 표현이 된다. 이때 치료사는 보통 해설자의 역할을 맡아 행동에 주석을 제공한다. 그럼으로써 상상의 세계 안에 한 발을 들여놓으면서 동시에 집단의 안전 대책으로서 상상의 세계 밖으로 한 발을 뺄 수 있다. 치료 팀의 나머지 성원은 대개 역할 안에서 이야기에 참여하여 집단 내의 반응과 상호 작용을 자극한다.

그림

잡지에서 여러 가지 그림을 모아 카드를 만든다. 그 카드를 돌려보면서 감상하고는 각자 흥미 있는 한 가지 그림을 골라 장면의 배경과 상황으로 선택한다. 다수결로 집단의 그림을 정하되 소수의 의견을 통합하도록 한다. 결정이 되면 놀이 모형과 그밖에 스튜디오에 있는 물건을 가지고 배경을 만든다. 참여자들은 그림에 나온 아이디어를 사용해서 인물을 선택하고, 의상과 소품도 즉흥적으로 사용할 수 있으며, 상황에 적절하기만 하다면 분위기에 맞게 음악과 조명을 쓸 수도 있다. 그렇게 즉흥극을 시작한다.

토론

주제는 집단을 시작할 때 토론을 하면서 나올 수 있으며, 참여자가 스튜디오로 들어오자마자 마음에 담아둔 주제를 꺼낼 수도 있다. 예를 들어, 어떤 스태프가 떠났다거나 친구가 아프다거나 식구들이 찾아왔다거나 휴일의 계획에 대해서 말이다. 그중 하나를 장면을 위한 중심으로 제안할 수 있으며, 혹은 어떤 이야기를 만들고 싶은지 물어 참여자들이 내놓은 아이디어 모두를 한마디도 빠뜨리지 않고 통합할 수도 있다.

즉흥극의 가치

즉흥극은 거친 틀거리나 행동의 출발점 그리고 자발적 행동을 위한 공간을 제공한다. 무의식과 드러나지 않은 감정이나 주제가 표현된다는 점에서 즉흥극의 치료적 가치를 찾을 수 있다. 학습 장애를 가진 사람들은 그 장애의 측면에서만 고려되는 경향이 있다. 그들이 처한 삶의 조건은 쉽게 강렬한 감정을 유발하지만, 그것이 미숙하거나 부적절한 방식으로 표현될 경우에는 "도전적인 행동"을 한다는 또 다른 꼬리표를 단 채 사회적으로 수용 가능한 행동을 학습시키는 행동 수정 프로그램을 받게 될 수도 있다. 하지만 연극치료적 접근법은 행동주의적 접근 못지않은 사회 기술 훈련의 기능을 갖추고 있을 뿐 아니라 한 발 더 나아가 행동 저변에 깔린 문제를 표현할 수 있는 공간과 형식을 제공한다.

대규모 기관에서 생활하는 학습 장애 성인의 정서와 관심사를 형성할 만한 삶의 경험과 조건을 생각해 보자. 거기에는 물리적 현실과 과거의 경험 그리고 현재의 생활양식이 포함된다.

물리적 현실

이동에 장애가 있거나 불편한 경우가 많으며, 집단에는 대부분 보행이 가능한 참여자와 그렇지 않은 참여자가 섞여 있다. 감각적 손상은 일부 참여자의 경우에 문제를 더욱 가중시킬 수 있다. 그러한 어려움에 아무리 잘 대처한다 해도 장애 자체나 장애의 결과로서 발생하는 관계상의 이차적인 — 다른 사람에게 식사나 개인위생을 의존해야 하는 — 문제에 대해 강한 감정을 가질 수밖에 없다.

과거의 경험

초기의 경험은 매우 영향력이 크다. 많은 참여자들이 아주 어린 나이 때부터 자기가 가족의 근심이나 절망의 근원이며, 남들과 뭔가 다르다고 느꼈을 수 있다. 가족은 어느 시점에선가 그들과 하루 종일 함께 할 수 없다고 결정했고, 이러한 경험은 참여자의 자존감을 손상시키고 상실감과 죄책감과 분노를 안겨준다.

현재의 생활양식

일상에서는 사생활 보호와 선택상의 제한이 기관에서의 생활을 특징짓는다. 참여자들은 대부분 다른 사람들과 방을 함께 쓴다. 자기가 선택하지 않은 사람과 집을 나누어 쓰기 때문에 당연히 사생활이 침해될 수밖에 없고, 성적 표현의 측면에서 특히 그렇다. 대다수가 당연하게 여기는 자유가 이들에게는 당연하지 않은 것이 현실이다. 또한 읽기 기술의 부족과 혼자 여행할 수 없다는 점이 문화적 경험과 새로운 아이디어에 대한 접근을 차단하는 결과를 가져온다. 라디오와 텔레비전은 볼 수 있지만, 반드시 선택에 의한 것은 아니다. 말하는 능력 또한 제한된 경우가 많으며, 어휘를 알아도 발음하는 데 장애가 있을 수 있다. 더구나 대규모 기관을 폐쇄하려는 현행 정책은 집과 친숙한 것의 상실을 가져올 것이다. 이들 모두가 고통을 주는 요인이며, 절망, 분노, 공포감, 상실감, 혼란의 근원이다.

즉흥극이 이러한 경험을 다룸에 따라 직접적 또는 간접적 방식으로 이야기의 정서와 주제가 구체화될 것이다. 예를 들어, 통제와 권력의 주제는 빠지지 않고 등장하며, 여러 가지 모자 중에서도 경찰관의 헬멧과 곤봉이 가장 인기가 있다. 어떤 참여자들은 한 번쯤 강한 인물이 되어 동료 집단과 치료 팀에게 권력과 권위를 행사하고 싶어 하는 건강한 욕구를 지니고 있다. 반면에 어떤 사람들은 헬멧을 쓰면서도 그 역할을 표현하는 데 필요한 내적 권위를 끌어내지 못하고 친숙한 역할 안에서 수동적으로 남아 있기도 한다.

왕궁이나 귀족의 성에서 벌어지는 간단한 즉흥극은 상대적으로 덜 위협적인 구조라는 점에서 사회적 지위와 권위를 탐험하기 위한 출발점으로 적당하다. 참여자들은 왕관과 망토를 갖춰 입고 차례로 왕좌에 앉아본다. 왕이나 여왕의 역할을 하면서 조정 대신들에게 무엇이든 요구할 수 있다. 그렇게 하면 아주 소심한 사람도 말이 아닌 다른 방식을 통해서라도 뭔가 요구를 할 수 있으며, 잠시나마 우두머리가 되는 경험을 하게 된다. 그 역할은 잠시 주어진 것이고 이내 다른 사람에게 넘겨줄 거라는 즉흥극의 구조가 참여자들을 안심시키기 때문이다.

외부로부터 강요된 통제를 주제로 삼는 참여자들도 흔히 볼 수 있다. 예를 들어, 원숭이가 되거나 납치를 하거나 물건을 훔치거나 비행기를 탈취하거나 사람을 죽이는 등 반사회적인 역할이나 통제를 벗어난 인물을 연기하다가 결국 감옥에 갇히거나 재판을 받음으로써 외부로부터 강요된 통제 상황에 들어가는 것이다. 악당을 연기하는 데는 분명히 강한 에너지와 자극적인 측면이 있지만 동시에 두려움의 요소도 존재해서, 이 역할을 맡은 참여자는 대개 잡히리라는 걸 확신한다. 그것은 카오스적인 행동이나 부정성의 표현은 나쁜 것이고 벌 받아 마땅하다는 내면화된 메시지의 표현일까? 아니면 받아들여질 수 없는 것을 표현하고자 하는 욕구와 수용되고자 하는 욕구가 동시에 나타나는 걸까? 그도 아니면 사회라는 맥락 안에서 자기표현의 도덕적 딜레마를 탐험하려는 걸까? 해석의 여지는 다층적으로 열려 있으며, 행동의 의미를 어느 하나로 환원할 필요는 없다. 분명한 것은 이들 주제가 관련된 참여자들과 집단에 의미를 가지며, 아마도 다층적인 차원에서 그러할 거라는 사실이다. 이때 치료사에게는 표현되는 것에 열려 있을 것과 미지의 것을 용인하는 태도가 요구된다.

빈번하게 나타나는 또 다른 주제는 상실이다. 한 번은 병원을 개조하는 동안 친숙한 낮 병동 건물에서 다른 곳으로 옮겨야 했던 실제 경험을 탐험한 집단이 있었다. 그 일은 회기가 있던 바로 그 주에 있었고, 그래서 집단은 매우 예민하게 반응했다. 한 참여자가 단순한 한 문장을 되풀이해서 말했다. 반복할 때마다 소리가 점점 커지는 듯했고, 그 참여자는 언어적인 능력이 충분했기 때문에 단지 그 사건에 관한 사실뿐 아니라 어떤 감정을 전하려는 의도였을 거라 짐작되었다. 본 활동에서는 친숙한 낮 병동과 새로 옮겨간 다른 건물을 만들었다. 이때 건물 배치와 관련된 스태프 두 사람을 제외하고는 모두가 자기를 연기하면서 실제 있었던 일을 그대로 재연했다. 누군가 이사를 가라고 말하고, 그들은 짐을 싸서 낮 병동을 떠나 다른 곳으로 옮겨 간다. 이렇게 단순히 이야기를 하는 행위 자체만으로도 치료적으로 가치가 있다. 일어난 일의 의미를 집단에서 표현하고, 그것을 다른 사람들 — 이 경우에는 집단을 안내하는 연극치료사와 음악치료사 — 과 소통하는 방식이 되기 때문이다. 그런 다음 다양한 지점에서 행동을 멈추고 여러 참여자의 생각과 감정을 탐험하면서 치료적 가치는 한층 더 고양되었다. 참여자들은 그 과정에서 말로, 몸으로, 음악적 즉흥극으로 불만스런 감정과 분노와 궁극적으로는 슬픔을 표출할 수 있었다. 감정을 드러낼 계기가 주어짐에 따라 집단은 다른 상실의 경험들, 특히 부모와 친구의 죽음에 접근할 수 있다.

친숙한 공간의 일시적 상실은 죽음이라는 좀 더 고통스런 상실의 경험에 비해 다루기가 쉬웠다. 연극치료의 장점 가운데 한 가지는 주제의 정서적 내용을 간접적으로 다룰 수 있다는 점이며, 이는 내밀한 심리적 상처에 직접 초점을 맞추는 것보다 덜 위협적일 수 있다. 여기서 "이야기"는 집단의 실제 경험이었다. 하지만 가상의 이야기도 가능하며, 기존의 이야기를 다르게 해석할 수도 있다. 예를 들어, 엄마의 병과 죽음 그리고 딸의 슬픔으로 시작하는 신데렐라 이야기를 선택하여 명확하게 상실의 고통에 초점을 맞추는 식이다. 그런 경우에는 이야기가 허구이므로 개인적 경험을 날것 그대로 다루는 데서 한 걸음 물러난다는 측면에서 안전의 요소가 확보된다.

연극치료 작업에서 즉흥극은 집단 과정이며, 따라서 장면을 구성하고 인물을 정하고 줄거리를 세움으로써 이야기를 창조하는 뚜렷한 목표를 갖게 된다. 이러한 활동의 틀거리 내에서 일어나는 상호 작용은 집단의 역동과 그 안에 특정한 관계의 특성을 표현하게 해준다. 참여자들이 자기 자신과 서로를 어떻게 보는지가 확연히 드러난다. 거기에는 이끌림이나 갈등 그리고 경쟁과 협동과 지배와 상호 의존과 그 밖의 다른 양상에 기초한 관계가 있다. 한편, 누가 어떤 역할을 선택하여 연기하는가 또한 즉흥극의 내용만큼이나 중요하다. 집단 내에서 발생하는 지금 여기의 관계는 자발적인 상황에서 새로운 역할을 연습할 수 있는 기회와 동기를 제공한다. 자기를 별로 주장하지 않던 사람이 지배적인 인물에게 용감히 맞서기도 하며, 반대로 지배적인 사람이 다른 사람의 생각을 보이지 않게 지지할 수도 있다. 이러한 변화는 흔히 극적 활동에 초점이 맞추어질 때 일어난다. 변화를 향한 욕구에 정면으로 초점을 맞추기보다 함께 창조하면서 관심사를 공유하는 가운데 변화가 성취되는 것이다.

착륙하기

이는 "환상의 비행"을 뒤로 하고 땅으로 되돌아가는 중요한 단계를 지칭하며, "만약"의 세상으로부터 거리를 두는 과정과 관련된다. 스튜디오가 다시 스튜디오로 돌아오고, 참여자들도 역할을 벗고 자기로 돌아가며, 즉흥극의 인물과 사건은 공유된 기억이 된다.

다른 시간과 공간, 다른 정체성으로 여행을 떠나는 중간 단계를 마친 뒤에는 헤어지기에 앞서 집단에게 현재의 시간과 공간으로 초점을 수정할 수 있는 기회를 제공해야 한다.

이 과정은 몇 개의 작은 단계로 나눌 필요도 있다. 의상을 벗는 것은 자기와 상상의 역할 사이에 거리를 확보하는 구체적인 한 방법이다. 작업에 대해 함께 성찰하는 활동으로 넘어가려 할 때, 참여자들이 역할에서 분리되기를 거부하여 의상을 벗지 않으려 할 수도 있다.

짐 찾기

미지의 세계로의 여정이 끝난 뒤 참여자들은 긍정적인 경험은 챙겨가고, 일상으로 가져가고 싶지 않은 요소는 남겨두고 갈 수 있는 기회를 얻는다.

성찰과 토론이 이 과정의 일부이며, 그것은 극적 세계와 지금 여기 사이에 거리 확보를 돕는다. 참여자들은 과정 중에서 기억나거나 즐거웠던 한 순간을 표현할 수도 있다. 그럴 때는 집단 전체의 주목을 유지하는 방법으로 한 사람씩 돌아가며 마이크나 말하는 막대를 쥐고 할 수 있다. 나는 그때마다 참여자들이 현재로 불러내는 순간들에 놀라곤 한다. 어떤 회기나 순간은 몇 달이 지나도록 계속 생각나면서, 그 기억이 내면화되어 기쁨이나 힘의 원천으로 자리 잡기도 한다. 작업 중에 찍은 사진과 녹음 테이프는 그런 측면에서 참여자들에게 인기가 있다.

마지막으로 헤어지는 인사를 하는데, 흔히 노래를 부르거나 함성을 지르는 의식적 방식을 사용한다. 그렇게 익숙한 활동으로 전체 집단이 작업에 명확한 종결을 고하도록 한다. 미지의 세계로의 여정은 다시금 익히 아는 세계 속에서 뿔뿔이 흩어져 각자의 삶을 살아가게 될 참여자들 앞에서 끝을 맺는다.

이 시점에서 치료 팀은 비평적인 시각으로 짐을 분류하면서 작업의 내용과 과정을 성찰하는 시간을 갖는다. 매 회기는 무엇이 효과적이었고 또 무엇이 그렇지 못했는가를 충분한 시간을 들여 살피기만 한다면 배울 거리가 많은 경험이다. 연극치료는 그 본질상 작업이 진행될 당시에는 모든 것을 파악하기가 불가능하다. 집단 전체와 함께하면서 동시에 그 안에 있는 개인들에게 주의를 집중해야 하는 치료사는, 과정을 돌아봄으로써 시간의 경과에 따른 집단의 역동과 개인의 기여를 비교할 수 있다. 변화는 매우 점진적으로 일어나서 자칫 간과하기가 쉽다. 따라하는 쪽에 가까웠던 참여자가 어느 날 창의적인 아이디어를 내놓기도 하고 훨씬 많은 말로 소통을 시작하는가 하면, 밖에서 지켜보기만 하던 사람이 행동에 합류하기도 하고 스태프를 통하지 않고 직접 이야기하기 시작한다. 치료 팀에게 있어 이러한 변화를 인식하는 것은 매우 중요하다. 다음 작업을 위해 계획된 구조는 이러한 최근의 변화와 지금까지 집단의 치료적 여정을 함께 고려할 필요가 있다. 목표는 감내할 만한 정도의 도전을 지속적으로 제공하는 데 있다.

결론

학습 장애 성인과의 연극치료 작업은 참여자와 치료사 모두에게 특정한 도전을 부과한다. 참여자 대다수가 대규모 기관에서 생활하면서 내면화시킨 문화는 창조성과 자발성과 자기표현과 변화 — 연극치료의 내재적 목표들 — 에 걸림돌로 작용할 수 있다. 자기와 동료 집단에 대한 기대치가 낮으며, 그에 따라 참여자 집단과 작업 방식에 대한 연극치료사의 기대 또한 저하될 위험성이 존재한다.

한 문화 안에 또 다른 문화를 창출해 냄으로써 연극치료는 이러한 관습적인 정체성에 도전하여 변화의 씨를 뿌리기에 좋은 위치에 있다. 연극치료 회기 내에서 주목할 만한 돌파구가 열릴 수도 있지만, 변화의 과정은 대체로 점진적이다. 이 장에서 비행의 비유를 사용하여 그리고 있는 연극치료 과정의 지도地圖가 가치 있는 이유가 바로 거기에 있다.

대부분의 집단은 작업을 위해 지금 여기에서 시작한다. 이 단계는 몇 주나 몇 달 혹은 장기적인 집단 과정 내내 지속될 수도 있다. 그 작업은 참여자들이 함께 모여 하나가 되고 다시 각자의 길로 떠나는 데 초점을 맞춘다. 치료는 자기와 집단에 대하여 커져 가는 자각과 그것이 만들어 내는 신뢰에 의존한다. 이 과정은 비행보다는 착륙에서 더욱 중요하다.

집단은 상상에 바탕을 둔 작업으로 이륙하는 데 도움을 필요로 할지도 모른다. 그런 경우에는 완전히 입체적인 인물 구축과 즉흥극과 공연으로 비약하기보다 한 번에 한 단계씩 나아가는 편이 더 낫다. 참여자에 따라서는 연기하는 법을 배우거나 다시 익히는 데 시간이 좀 걸리기도 한다. 공유된 상상의 현실 속에서 함께 연기하는 것은 지금 여기의 작업에서 구축된 신뢰를 필수 조건으로 한다는 점에서 상당한 도전이다.

집단이 상상적인 연극치료 작업의 측면에서 함께 비행하는 데 숙달되면, 가능성의 세계는 무궁무진하다. 지금 여기의 한계와 관습적으로 가능한 것의 한계를 모두 초월할 수 있기 때문이다. 시간과 공간의 차원에서 연극치료적 여정은 참여자들의 내면세계로의 여정이기도 하다. 거기서는 은유와 이미지가 매우 중요하며, 개인과 집단의 관심사를 탐험할 수 있다. 현실에서의 여행과 마찬가지로, 연극치료의 환상 비행에 참여한 사람들은 지금 여기로 그 기억을 가져와 공유된 모험을 성찰하면서 가치를 찾는다.

참고 문헌

Barker, C. (1977) *Theatre Games*, London, Methuen.

Brudenell, P. (1987) "Dramatherapy with people with a mental handicap," in S. Jennings (ed.) *Dramatherapy Theory and Practice for Teachers and Clinicians*, London, Routledge.

Cattanach, A. (1992) *Drama for People with Special Needs*, London, A. & C. Black.

Chesner, A. (forthcoming) *Dramatherapy and Learning Disabilities*, London, Jessica Kingsley.

Jennings, S. (1973) *Remedial Drama*, London, Pitman.

Jennings, S. (1990) *Dramatherapy with Families, Groups and Individuals*, London and New York, Jessica Kingsley.

Sinason, V. (1992) *Mental Handicap and the Human Condition*, London, Free Association Press.

5. 역할 모델과 개인과 집단을 대상으로 한 활용

브렌더 멜드럼

역할 모델

역할 모델은 개인의 인성이 다양한 역할로 구성되며, 개인은 여러 맥락에서 서로 다른 집단을 대상으로 그 역할들을 연기한다고 가정한다. 역할은 생물학적이고 직업적이며 사회적이다. 하나의 역할을 입는다는 것은 다른 역할을 연기하는 것과 구별되는 일련의 다양한 행동과 태도를 유발한다.

역할 모델에 따르면, 연극치료사 역시 여러 가지 역할을 연기하는 사람이며, 치료사는 그 역할 가운데 하나일 뿐이다. 참여자는 제한된 몇 가지 혹은 한 가지 역할에 고착되어 있을 수 있으며, 연극치료사의 과제는 참여자가 자기 역할에 좀 더 적합한 행동을 찾아내고, 사용 가능한 역할의 범위를 확장할 수 있도록 돕는 데 있다.

회기는 역할 연기와 연극 게임과 스토리텔링과 그 밖에 드라마에 바탕을 둔 많은 기법으로써 참여자와 치료사의 활발한 신체적 참여를 이끌어 낼 것이다.

역할 모델은 어빙 고프먼의 사회학적이고 사회 심리학적인 모델에 영향을 받은 드라마 모델로서, 환경 속에 있는 다른 사람들과의 사회적 상호 작용과 거래를 통해 인간 발달이 이루어진다고 본다.

또한 조지 허버트 미드의 상징적 상호 작용론에 근거하여 자아의 발달 역시 사회적인 것으로 간주한다. 사람들은 일하고 노는 사회적 맥락 속에서 수행하는 다양한 역할을 통해 인성을 구축한다. 대부분의 연극치료사가 역할과 인물 구축을 사용하지만, 특히 어빙 고프먼의 연극적 모델을 비롯한 역할 이론에 근거하여 자기 이론을 전개한 것은 로버트 랜디가 주도하는 미국의 연극치료사들이다.

이 장에서는 먼저 역할 이론에서 사용하는 "역할"이 어떤 의미인지를 살필 것이다. 그런 다음 어빙 고프먼의 저작을 부분적으로 자세히 짚어가면서 브루스 윌셔(Wilshire 1982)의 견지에서 그의 이론적 입장을 비판적으로 검토하려고 한다.

그 다음에는 조지 허버트 미드의 상징적 상호 작용론과 자아의 발달에 대한 사회적 이론을 살펴보고, "사람들은 어떻게 다양한 역할을 획득하는가?" 라는 질문을 가지고 인성 이론가 세러 햄슨의 구성주의적 입장을 고찰할 것이다.

그리고 마지막에 역할 모델과 로버트 랜디의 작업을 집중적으로 검토하려 한다.

역할과 어빙 고프먼의 작업

역할은 무엇을 의미하는가?

사회학과 심리학 및 연극치료에서의 역할을 이해하는 데 핵심은 "내가 연기하는 역할이 '나 자신' 인가?" 와 "나의 행동이 곧 나의 존재인가?" 라는 질문이다. 먼저 역할이 무엇이고 또 무엇이 아닌가에 대한 몇 가지 정의를 살펴보자.

역할은 사회적 용어이다. 다른 사람들과의 관계를 떠나서 역할을 생각하기란 불가능하다. 그러므로 역할은 다른 사람들과 관련하여 어떤 입장에 처할 때 취하게 되는 행위라고 할 수 있다. 그때 다른 사람들은 역할을 입은 사람이 그 역할 속에서 어떻게 행동해야 한다는 기대를 가지고 있다. 치료사의 역할을 예로 들어 보자. 치료사의 교육 과정에도 직업의 바탕뿐 아니라 치료사라는 역할에 적합하다고 여겨지는 행동이 포함된다. 영국연극치료사협회의 실천 강령(1991: 3)은 접촉과 관련하여 이렇게 말한다.

> 참여자가 다른 참여자들과 치료사를 만질 수 있는 것 그리고 치료사가 참여자를 만질 수 있는 것은 연극치료적 개입의 본질에 속한다. 치료사는 이 사실을 작업이 시작되기 전에 참여자에게 분명히 알릴 필요가 있다.

참여자가 전문적 기술을 가지고 자기의 이야기에 귀 기울여 줄 사람을 기대한다면, 치료사는 참여자에게 시간을 정확히 지킬 것, 작업 시간과 장소, 적절한 보수와 같은 표준적인 행동을 알려 줄 것이다. 치료사는 참여자가 회기에서 감정을 표현하고 삶의 문제를 털어놓기를 기대하지만, 참여자는 치료사의 인생 경험과 감정적 카타르시스를 나누길 바라지 않는다. 요컨대 치료사와 참여자 사이에는 표준적 행동과 기대치에 바탕을 둔 역할 관계가 형성되며, 역할의 심리적인 기본 기능은 치료사와 참여자에게 상당히 구체적인 상호 작용 모델을 제공한다.

치료사라는 역할을 갖고 있는 사람들은 그 등록 절차와 역할이 부과하는 규준에 의거한 회원 자격을 갖고 있다. 여기서 "역할"과 "사회적 지위"를 혼동해서는 안 된다. 지위는 다른 사람들이 치료사 역할에 그것을 부여할 때에만 존재한다. 예를 들어, 영국에서 연극치료사는 직업 기구인 영국연극치료사협회가 인정하는 기관에서 소정의 대학원 과정을 성공적으로 마쳐야 하지만, 그 전문적 기량이 다른 직업에 견주어 별로 다르지 않게 취급되거나 그리 높게 평가받지 않는 국립보건원에서 일할 수도 있으며, 그 안에서는 연극치료사의 사회적 지위가 낮을 수도 있다. 다른 한편으로, 치료사와 참여자와의 관계는 각 역할 내에서 표준적인 기대를 반영한다.

역할은 또한 "전형"과도 다르다. 전형은 흔히 한 집단이 다른 집단 성원에게 갖는 문화적 이미지와 생각과 신념을 일컫는다. 전형은 같은 집단에 속한 사람들의 차이를 최소화하고, 그 집단과 우리가 속한 집단의 차이를 과장하게 만든다. 그런 의미에서 전형이 집단이나 계층의 표준과 관련되며 여러 집단의 차이를 구분한다면, 역할은 집단 내 개인들의 차이와 표준적 행동을 연결한다.

"생물학적 역할"의 본질적 특성은 어머니, 아버지, 딸, 아들 등 혈연 범주에 속하는 자격을 규정한다. 여자는 딸이고 어머니일 수 있으며, 따라서 부모일 수 있다. 그러나 그녀의 어머니는 죽었을 수도 있고, 그래서 그녀는 입양되었을지도 모르며, "어머니"라고 부르는 사람과 생물학적인 역할 관계에 있지 않을 수 있지만, 그런 경우에도 사회가 정한 바 부모의 역할은 여전히 유효하다.

반면에 "성별" 혹은 "성" 역할은 반드시 생물학적 역할이라 할 수는 없으며, 일종의 전형으로 볼 수도 있다. 성별 혹은 성 역할은 남자와 여자의 특징적인 행동을 일컫지만, 성 역할 전형은 남녀에게 적절한 활동에 대한 사회의 신념으로서 생물학적, 신체적, 심리적 차이에 대한 문화적 전제에 근거한다.

개인은 여러 가지 역할을 연기할 수 있다. 딸이고 여동생일 수 있으며, 엄마일 수도 있다. 이들은 생물학적 역할이다. 그녀는 아내일 수도 있다. 아내는 사회적 역할이다. 그녀가 병원에서 일하는 연극치료사라면, 그것은 직업적 역할이다. 또한 그녀는 친구, 애완견 주인, 정원사, 아마추어 배우 등의 다른 역할을 가지고 있을지도 모른다. 그 각각의 역할은 그녀에게 다양한 행동을 요구하고, 또 그녀와 상호 작용하는 사람들 역시 그녀에게 각기 다른 기대를 할 것이다. 그렇다면 여기서 우리의 질문은 "그녀의 '자아'는 어디에 있는가?"이다.

어빙 고프먼의 이론

저명한 사회학자인 고프먼은 인간의 행동을 연극적인 관점에서 조명했기 때문에 연극치료에서 자주 인용된다.

고프먼의 이론은 사람들이 다른 사람들을 위해 한 가지 역할로 행위하며, 그 역할 속에서 취하는 행동은 그들이 가진 사회적 행동의 레퍼토리 가운데 일부일 뿐일 수도 있다고 한다. 그러니까 자기 자신의 몇 조각만을 보여 주는 것이다. 예를 들어, 어떤 여자 의사가 있다고 하자. 아마도 그녀는 환자의 증상을 확인하면서 자신의 직업적 자아, 곧 불안해하는 환자 앞에서 의사로서 친절하고 참을성 있는 모습을 보여 줄 것이다. 그때 그녀는 자기 역할에 적절하다고 생각되는 방식으로 행동하는 것이다. 환자 또한 자신의 일부만을 드러낸다. 직업적 역할에서는 매우 유능한 사람일 수 있지만, 의사 앞에 있기 때문에 환자라는 역할에 어울리는 행동을 보인다는 말이다. 그렇게 두 사람은 상대에 대한 기대를 표현한다.

고프먼(Goffman 1972)은 역할 분석의 기본 전제는 개인이 여러 개의 자아를 가진다는 것이라고 말한다. 문제는, 만일 그렇다면 그것들이 어떻게 서로 연관되는가에 있다. 앞서 예로 든 의사는 자기가 만드는 인상이 역할에 적합한 행동, 곧 객관적인 태도와 과학적이고 정밀한 검진과 세세한 부분까지 친절하게 관심 갖는 자세와 어울리는지에 마음을 쓴다. 역할에는 이러한 개인적 특징들이 부여되지만, 거꾸로 그것이 개인의 자기-이미지에 영향을 미치기도 한다. 또한 그것은 환자가 그녀에게 갖게 될 이미지의 바탕이기도 하다. 의사라는 지위에 부과된 이 자기 이미지는 그녀를 만족시켜 자기 역할과 그 지위에 소속되게 할 것이다. 의사의 역할은 잘 규정된 사회적 역할이며, 의사가 채택하는 "태도" 역시 체계화되어 있다.

그러나 환자는 자신을 "환자" 역할로 보지 않으려 할 수도 있다. 그런 경우에, 고프먼은 그가 역할에 저항하는 행동을 함으로써 "역할 거리role distance"를 나타낼 거라고 예견한다. 가급적 뻣뻣하고 멍하게 보여 스스로 소외되거나 유치한 자아를 투사할 수도 있으며, 전문직 여성보다 낮은 지위에 처한 것을 어색하게 여겨 자기를 조롱함으로써 그 역할 속에 있는 불편함을 표현하면서 실제로는 환자 역할에 속하지 않음을 증명하려 들 수도 있다. 그러한 반응을 일러 고프먼은 "역할 거리"라 한다. 고프먼은 어느 쪽이 진정 그 사람인지는 알 수 없으며, 역할 거리를 나타내는 환자의 능력이 그 불확실성을 배가시킨다고 한다.

로봇처럼 부여된 과제를 향해 곧장 나아가는 사람은 거의 없다. 역할 거리를 통해 개인은 자기만의 스타일을 표현하고, 그것은 다시 그들이 괜찮고 균형 잡힌 사람이라는 인상을 주는 데 기여한다. 여기서 우리는 개인이 수행하는 역할의 배후에 뭔가 다른 것이 존재한다는 힌트를 얻을 수 있다. "뭔가가 반짝이면서 불타오른다, 혹은 그 공식적인 외피를 뚫고 전면에 나선다"(Goffman 1974: 73). 이것은 진정한 자아이자 모습을 드러내는 인성이라고 볼 수 있을 것이다. 그러나 고프먼은 그것이 밖에 드러난 역할보다 진실하지도 또 환영적이지도 않다고 한다. 그에 따르면, 역할의 배후에 개인이 어떤 사람인가를 알 수 있는 뭔가가 존재한다고 추정하는 것은 일종의 게임이며, 그런 의미에서 개인은 선명치 않은 모호한 존재가 된다.

역할 모델이 고프먼의 이론에 상당한 빚을 지고 있다는 점에서, 그의 역할 분석을 자세히 살펴볼 필요가 있다. 나는 『역할 연기와 정체성: 은유로서 연극의 한계』(1982)에 실린 브루스 윌셔의 분석을 참고하려 한다.

앞서 말했듯이, 고프먼의 이론은 연극적 모델이다. "행동이 곧 존재인가?"라는 물음에 그는 이와 같은 논지를 전개한다. 만일 행동이 존재로 직결된다면 개인은 자기 역할에 합치되는 행동을 하고자 노력할 것이며, "표현이 일어날 때마다 감시"해야 한다고 느낄 것이다. "그러므로 정체성의 표현은 곧 공연이라 할 수 있을 것이다"(1972: 88). 그러나 고프먼은 또 다음과 같이 지적한다.

> 아이들과 무대 배우 그리고 그 밖의 다른 종류의 젠체하는 사람들이 '가장' 이라는 공언된 목적을 위해 흉내를 낼 때, 역할은 연기될 뿐 아니라 놀이되기도 한다. … 직업 배우는 맡은 역할을 완벽하고도 확실하게 표현해야 하는 전문인이라는 점에서 아이들과 다르다.
>
> (1972: 88 원문 강조)

이에 따르면, 어린아이들과 직업 배우에게 "행동"은 존재가 아니다. 또한 "실제 생활"의 장면에서 "역할 거리"를 나타내면서 역할을 "가지고 놀고" 그리고 역할이라는 가면의 배후를 관객에게 얼핏 드러내 보여 주는 개인에게도 역시 행동은 존재로 곧장 연결되지 않는다. 그러나 앞에서 보았듯이, 고프먼에게 얼핏 드러나는 이 섬광은 "진정한 자아"가 아니라 단지 엿보는 또 하나의 역할에 다름 아니다.

브루스 윌셔는 고프먼이 자아와 역할의 경계를 흐리며, "현실"을 사는 개인의 보기로서 배우를 지나치게 많이 사용한다고 비판한다. 그는 연극에 대한 고프먼의 분석이 연극을 왜곡할 뿐 아니라 연극적 비유를 적용하기 위해 실제 삶까지 왜곡한다는 논지를 편다.

윌셔는 배우의 연기는 단지 가장이나 뭔가를 흉내 내는 모방적 행동이 아니라고 주장한다. 그는 "구현이란 모방의 한 형식이며, 상연은 사랑의 한 형식이다"(Wilshire 1982: 7)라고 말한다. 상연은 다층적이다. 배우는 햄릿을 연기하는 데 자신을 쏟아 넣는다. 물론 배우의 자아는 역할에 대한 그의 해석에 포함되지만, 단순히 아는 사람 중에서 햄릿처럼 행동하는 누군가를 가장하는 것만으로는 연기를 할 수가 없다. 배우의 자아는 인물을 연기하면서 그 일부가 된다. 나는 관객으로서 햄릿을 연기하는 배우 앨런 릭맨[Alan Rickman은 영국 출신의 배우이자 감독이며, 가장 대중적인 출연작으로는 스네이프 교수 역으로 출연한 해리포터 시리즈를 들 수 있다: 옮긴이]을 좋아한다. 하지만 그가 햄릿이라고 믿지 않으며, 햄릿이 앨런 릭맨이라고도 생각하지 않는다. 앨런 릭맨 역시 햄릿이라는 인물과 자아를 의식할 뿐 아니라, 그가 햄릿을 연기하고 있다는 사실을 비롯해 수많은 정보를 의식하는 관객을 의식한다.

> 결국 배우는 그가 인물을 통해 인간이자 예술가로서 자신의 내밀한 감정과 통찰을 표현하는 순간과 더불어 침묵하는 관객 속에서 다른 사람들의 감정과 통찰을 표현하는 순간까지 자각한다.
>
> (Wilshire 1982: 275)

관객과 배우는 이것이 모종의 속임수나 단순한 가장에 불과하지 않음을 안다. 그런데 고프먼은 은유를 통해 무대 위와 무대 밖에서의 역할 활동을 일종의 속임수로 해석한다.

우리는 언제나 역할을 연기하고 있으며, 그러므로 한 가지 역할의 가면이 벗겨진다 해도 또 다른 가면이 드러날 뿐이라는 게 그의 추론이다. 그렇다면 윌셔가 말하듯이, 진정한 자아는 결코 알 수 없거나 우리가 보는 맨 얼굴은 비사회적인 가면이라는 말이 된다.

> 나는 이것이 자아의 개념을 소외시키고 혼란케 할 뿐 아니라 잘못된 것이라고 믿는다…. 만일 자아의 길에서 아무것도 발견되지 않는다면, 인간의 삶은 현실의 불충분한 모드로 간주될 수밖에 없으며, 개인은 **단순한** 외양의 조합에 지나지 않게 된다.
>
> (1982: 278 원문 강조)

다음에 보겠지만, 로버트 랜디(Landy 1990)는 자기가 "자아를 암살"했다고 강조하는데, 실은 고프먼이 그를 앞질렀다! 고프먼에게 삶은 다양한 역할의 다층적 공연이며, 그 다양한 사회적 가면 배후의 자아는 단지 또 다른 연기일 뿐이다. 그리고 랜디는 그것을 구현할 수 있는 능력(1992a)이라고 부른다.

월셔는 고프먼의 실수가 "진정한 자아는 그것이 다른 사람들에게 어떻게 통합적으로 비쳐지는가와 관련된다"라고 한 데 있다고 지적한다. 자아는 우리가 연기하는 역할을 초월하고, 현재의 맥락을 넘어서서 경험을 종합하는 요체이며, 따라서 그 작용이 명백히 드러날 수밖에 없다. 고프먼은 그의 역할 분석에서 여러 가지 역할을 연기하는 나 자신에 대한 관객으로서의 자기라는 부분을 빠뜨렸다.

> 그는 자아의 자의식적 구조, 아이-미I-me의 양극, 지나온 삶의 모든 경험에 대한 축적적이고 변화하는 감각, 전 생애에 걸쳐 자아를 통합하는 의식을 간과한다.
>
> (Wilshire 1982: 279)

모든 역할을 일정 정도 가짜로 간주하는 환원주의는 의식意識의 역할이 우리가 연기하는 다른 역할을 평가하는 메타 역할임에도 불구하고, 그것을 단순히 또 다른 역할로 치부한다. 일부 연극치료사들에게 이 관점은 허무주의로 간주된다.

자아와 상징적 상호 작용론

모호함 뒤편의 자아

지금까지 연극치료는 특정한 이론을 고수하는 대신 절충주의를 채택해 왔고, 아마도 그 때문에 치료 작업의 모델에 대한 정리가 처참할 만큼 부진한 지경에 놓여 있다. 게다가 그나마 있는 이론에서도 성인의 행동만을 고찰하고, 그러한 행동이 어떻게 발생하는지, 학습의 효과인지 아니면 유전의 결과로 자연스럽게 발생하는지를 묻지 않는 경향이 있다.

이 장은 연극치료의 역할 모델을 주제로 하기 때문에, 프로이트와 그 후학들의 심리 역동적 이론이나 멜라니 클라인의 대상관계 이론을 거론하지는 않을 것이다. 우리의 질문은 대신 이것이다. "자아와 사회적 역할의 관계는 무엇인가?"

그를 위해 미국의 철학자이자 사회학자인 조지 허버트 미드와 그의 이론과 쌍벽을 이루는 구조주의 인성 이론가인 세러 햄슨을 통해 자아와 인성에 대한 이론을 일별할 것이다. 그런 뒤에 역할과 역할에 적합한 행동이 아동기에 어떻게 발달되는가를 살펴보고, 또 발달에 관한 자료를 검토하면서 미드와 구성주의자들의 통찰을 발달상의 발견과 결합시키려 한다.

조지 허버트 미드의 상징적 상호 작용론

철학자이자 사회학자이며 사회 심리학자인 미드는 의식意識과 자아의 사회적 본질에 대해 많은 강연을 하였고, 그 기록을 모아 출간한 책(1934)이 자아 발달에 관한 논쟁에 지대한 영향을 미쳐 왔다. 미드의 철학의 핵심은 "상징적"이라는 용어를 이해하는 데 있다. 우리 주변에는 사회적으로 중요한 대상들이 있으며, 바로 그것들이 의미를 담고 있는 상징이다. 또 "상호 작용론"이라 함은 우리가 공유된 상징의 의미를 바탕으로 상징을 통해 서로 소통할 수 있음을 뜻한다. 타자와의 상호 작용을 통해 자아는 다른 사람들의 관점을 취할 수 있는 능력을 계발한다. 그리고 타자는 자아에게 자아에 관한 정보를 제공하며, 그 결과 자아는 다시 그 자신이 하나의 대상이 된다. 그러한 반영성이 바로 자아의 핵심되는 특성이다. 그러므로 우리가 우리 자신을 경험하는 방식은 다른 사람들과 대상을 경험하는 방식과 동일하다고 할 수 있다.

미드의 상징적 상호 작용론은 몸짓의 사회적 맥락을 강조한다. 바꿔 말해 몸짓을 진화론적 의미의 감정 표현으로서뿐만 아니라 다른 존재에 대한 유기체의 초기 반응 행동으로 간주한다. 또한 몸짓을 사회적 행동의 지표로 보고 거기서 진정한 언어적 소통의 발달의 흔적을 찾는다. 이 이론에서 의식과 자아는 사회적이다. 그리고 언어는 몸짓의 음성적인 형식으로서 의식과 자아의 출현을 위한 기제를 제공한다. 미드에게 있어 언어는 몸짓에서 발생하는 사회 집단 내에서의 상호 작용의 객관적 현상이다. 그리하여 미드의 관점에서 사회적 경험 혹은 공통된 경험의 세계는 상징적으로 정식화된다.

상징적 상호 작용론의 행동적 바탕은 몸짓이 다른 사람들이 완결하는 부분-행동이라는 개념에 있다. 그러므로 행동의 의미는 그것이 다른 사람들에게서 이끌어내는 반응에서 찾아야 한다. 미드는 생물 사회학적 측면에서 인간의 의식과 자아가 행동 과정에서 어떻게 발생하는가에 집중한다. 상호 작용이라는 진행형의 사회적 과정 내에서 몸짓의 대화가 내면화되면서 의식과 자아가 발생한다. 미드는 그 과정을 이런 방식으로 설명한다.

인간의 지능은 유아기의 긴 시간에 걸쳐 발달된다. 두려움을 나타내는 아이의 울음은 부모에게서 도피의 반응 — 도피할 때와 유사한 생리적 반응 — 을 이끌어내고, 그것은 다시 부모가 안심시키는 말투로 아이를 보호하는 움직임을 하게끔 만든다. 다시 말해, 두려움을 나타내는 아이의 울음은 그에 상응하는 어머니의 보호의 몸짓을 생산하는 음성적 몸짓이라 할 수 있다. 겁에 질린 울음소리는 엄마뿐 아니라 생리적으로 동일한 방식으로 아이 자신에게 들려지고, 아이는 울음과 그 울음의 결과(엄마의 반응)를 내면화한다. 그리하여 아이는 혼자서도 부모가 자기를 달랠 때 내는 소리를 냄으로써 부모의 역할을 취하게 된다. 아동기에 장기간의 의존은 유아에게 놀 수 있는 기회를 부여하며, 아이들은 놀이 안에서 가족과 그가 속한 사회 집단의 여러 인물의 역할을 취할 수 있다. 그리고 그 과정에서 부모에게 유도했던 소리를 내도록 자기 자신을 자극한다.

> 아이가 반응하는 사회적 상황이 그가 속한 사회적 환경에 의해 결정되는 한, 그 환경은 아이가 만들어 내는 소리와 함께 아이가 자기 자신과 다른 사람들을 자극할 반응을 결정할 것이다.
>
> (Mead 1934: 365)

그러므로 놀이로부터, 자기 자신을 표현하고 적절하게 반응하는 데서 아이들의 "자의식"이 발생한다.

> 유아기에 있는 아이들은 일종의 광장을 창조한다. 그리고 그 안에서 다양한 역할을 맡으면서 사회적으로 다양한 그 태도들로부터 점차 아동의 자아가 통합된다. 아이들은 언제나 사회적 태도를 표현하면서 동시에 다른 사람에게 특정한 의미를 지니는 반응으로써 그 표현에 반응할 수 있는 능력을 갖고 있다. 그렇게 해서 의식의 메커니즘을 가지고 성인기로 들어서게 된다.
>
> (Mead 1934: 366)

이렇게 볼 때 환경의 변수, 특히 어머니나 일차 양육자의 민감성 정도에 따라 매우 다른 "자아"가 나타날 수 있음을 누구나 쉽게 알 수 있다. 그에 대해 스턴(Stern 1985: 249)은 이렇게 말한다.

> 부모와 유아 사이에는 유아로 하여금 자기가 어떻게 지각되는지를 지각하게 하는 과정이 존재한다. 이 과정에서 부모는 자신의 경험을 비언어적으로 유아에게 "되비추게" 된다.

미드의 패러다임을 셰퍼(Shaffer 1989)의 모성적 감수성의 표현 이론과 바울비(Bowlby 1988)의 애착 이론에 연결할 수도 있다. 중요한 타인이 유아의 신체적이고 정서적이고 사회적인 욕구에 반응하는 방식이 유아의 발달에 지대한 영향을 끼칠 수 있다는 말이다. 실제로 바울비의 애착 이론을 따르는 마리오 마론 박사(Marrone 1991)는 성인의 정신 병리 현상의 배후에는 언제나 민감하게 대처하지 못한 아동기의 트라우마가 존재한다고 말한다.

미드는 그리하여 의식과 자아와 자의식의 발달을 유아가 성인의 반응을 내면화하고 놀이를 통해 외화한 성인의 역할을 취하는 역동적인 과정으로 바라본다.

언어의 상징적 소통을 통해 우리는 우리 자신을 "아이I"가 의식하는 "미me"로서 보게 된다. "미"는 미드가 "일반화된 타자"라고 부르는 것으로, 나에 대한 다른 사람들의 태도로 구성되며, 사회화를 통해 발달된다. 외딴 사막에서 혼자 자란 사람이 있다면, 미드의 이론에 근거할 때, 그에게서 자아의 개념을 기대하기는 어려울 것이다. 우리는 우리와 상호 작용하면서 우리의 행동의 결과를 우리에게 다시 반영해 주는 다른 사람들의 반응을 통해 우리가 누구인지를 안다.

그러므로 자아는 "미" 혹은 일반화된 타자와 "미"를 성찰하는 "아이"로 구성된다. "아이"는 "미"가 행동하도록 추동하지만, "미"에 대한 지속적인 반영적 관찰로 인해 명확하게 정의될 수가 없다.

자아의 성장은 사회적이고 문화적인 측면과 관련이 있다. 자기를 다른 사람의 관점에서 생각할 수 있어야 가능하다는 점에서 자아 개념의 형성은 사회화의 핵심이다. 그에 대해 주디 던은 이렇게 말한다(Dunn 1988: 79).

> 자아 개념의 발달 초기에는 특정한 타자가 자기를 어떻게 보는가에 대한 아동의 관점이 중요하다. 그러나 시간이 지나면서 좀 더 광범한 문화 집단인 "일반화된 타자"에 대한 아동의 관점이 중요해진다.

던이 보고하듯이, 두 돌과 세 돌을 넘기는 동안 아이들은 다른 사람들의 지지와 동의와 반대에 매우 민감해지고, 그러한 민감성은 자의식의 발달에 핵심적이다. 던은 자아가 문화의 산물이면서 동시에 개체 발생적이고 인지적인 변화의 산물이라고 말한다.

세러 햄슨(Hampson 1988)의 인성 발달에 대한 구조주의적 입장을 살피면서, 우리는 고프먼의 역할 분석을 선명하게 떠올리게 된다. 그녀는 이렇게 말한다.

> 인성은 사회적 산물이다. 우리는 행동을 통해 그 바탕에 있는 인성 특징을 추론함으로써 행동에 의미와 중요성을 부여한다…. 우리는 현실에 대한 간접적 지각으로부터 일부 유래하고… 또 일부는 사회적 지식에서 유래한 개념을 사용하고 있다.
>
> (Hampson 1988: 9)

인성에 대한 구조주의적 관점은 똑같이 중요한 세 요소인 배우, 관찰자, 자아-관찰자의 조합과 관련된다.

> 배우의 행동은 관찰자에 의해 특정한 방식으로 해석되며, 관찰자는 그 해석에 어울리는 방식으로 반응한다. 배우의 그 다음 행동은 관찰자의 반응에 영향을 받는다. 배우는 자아-관찰자로서 관찰자의 의식에 형성되는 인상에 대한 인상을 가질 수 있으며, 배우는 그 인상을 조작하기 위해 자신의 행동을 조정하기를 원할 수도 있다.
>
> (1988: 197)

요컨대 인성 구축의 과정은 상호 작용-소통의 과정이다. 배우는 핵심 자아와 자기에게 영향을 미칠 수 있는 모든 유전적 요소를 상호 작용으로 끌어낸다. 관찰자는 배우의 행동에 사회적 중요성과 추정된 의미를 부여한다. 그리고 그것은 다시 그의 행동에 영향을 미친다. 그리고 그것이 배우에게 전해져 배우는 자아-관찰자로서 관찰자와 상호 작용하는 자기를 볼 수 있다. 우리는 다른 사람들이 우리를 본다고 생각하는 것처럼 우리 자신을 바라본다.

우리는 자아-관찰자라는 햄슨의 개념을 "역할들 가운데서 나 자신에 대한 관객으로서의 자기"를 결정적으로 빠뜨린 고프먼에 대한 월셔의 비판과 연결할 수 있다. 그러나 "인성은 사회적 역할들의 정교한 상호 작용이다"(1986: 56)라는 햄슨의 말에서 고프먼과 랜디의 음성을 모두 들을 수 있다. 하지만 고프먼이나 랜디와 달리 햄슨은 자아-관찰자를 "핵심 자아"로 내세우는 삼위 이론을 펼친다. 햄슨의 배우는 "아이" — 햄슨의 자아-관찰자 — 에 의해 행동하도록 추동당하는 미드의 "미"에 해당한다. 그리고 관찰자는 미드의 "타자"에 겹쳐진다. 미드의 자아 이론과 햄슨의 구조주의적 인성 이론은 이렇게 하나로 합쳐진다.

우리는 한 문화권에 속한 사회의 특정 가정에 태어남으로써 여러 가지 역할을 연기할 수 있는 능력을 발달시킨다. 누군가의 딸이거나 아들이거나 하는 생물학적 역할은 학습되는 것이 아니지만, 특정 사회 속에서 그 역할에 적합하다고 여겨지는 행동은 학습된다. "여자애들은 그런 걸 하면 안 돼!"라는 말을 듣거나 오빠들만 축구장에 데리고 가는 아빠를 보면서 배울 수 있다. 여하튼 우리가 연기하는 역할의 양과 복합성이 유전되지 않고 사회적으로 구축된다는 사실에는 틀림이 없다.

다시 애초의 질문인 "자아와 사회적 역할의 관계는 무엇인가?"로 돌아가서, 우리는 미드와 세러 햄슨에게 있어 자아와 인성과 사회적 역할이 떼어낼 수 없도록 서로 뒤엉켜 있음을 보게 된다. 실제로 미드에게 자아와 의식은 사회적이며, 햄슨 역시 인성이 사회적으로 구축된다고 본다. 고프먼이나 랜디와는 달리, 미드와 햄슨과 월셔는 자아를 배우와 일반화된 타자와 자아-관찰자의 삼위로 구성된 개념으로 간주한다.

로버트 랜디의 역할 모델

역할 이론의 극적 바탕

로버트 랜디(1991)는 연극치료사들이 "건강한 절충주의"를 향해 나아가는 것이 중요하다고 생각하면서도, 한편으로는 "많은 심리 치료 분야들 가운데서 연극치료를 고유하게 만드는 한 가지 특성, 곧 그 뿌리를 두고 있는 드라마에 천착하는 것이 반드시 필요하다"(1991: 29)고도 말한다.

극적 경험의 심장부에는 역할을 취할 수 있는 능력, 곧 랜디가 말하는 "구현의 원리"가 있다. 극적 경험의 역설은 극적 역할 안에 있을 때 나는 "나"이면서 동시에 "내가 아닌 무엇"이기도 하다는 것이다. 극적 역설에 대한 이러한 설명은 배우의 본질적 매체인 역할의 개념과도 통한다. 그런 의미에서 랜디에게 역할 이론은 연극치료 모델의 근원에 자리하며, 연극치료를 여타의 심리 치료 형식과 구별하는 중요한 특징이 바로 역할이다.

앞서 보았듯이, "구현"(모방으로서)을 "상연"과 구분하는 윌셔(1982: 7)는 배우의 과제가 구현이라는 데 동의하지 않을 것이며, 단순히 역할을 취하여 연기하는 게 배우의 일은 아니라고 주장할 것이다. 윌셔의 비판을 좀 더 명확하게 이해하기 위해, 우리는 "오락"(웨스트엔드의 뮤지컬)과 "연극"(왕립 셰익스피어 극단에서 올리는 〈위대한 탬벌레인〉)의 차이에 주목할 수 있다. 물론 이런 식의 이분법은 엘리트주의의 혐의에서 벗어나기 어렵지만 일단 그렇게 가보자. 참고로 말하면, 나도 엔터테이너로서 소극을 연기한다. 셰익스피어의 〈윈저의 즐거운 아낙네들〉에 나오는 퀴클리 부인을 연기하는 것과 맥베스 부인을 연기하는 것을 비교해 보자. 퀴클리 부인은 1차원적 인물인데 비해, 맥베스 부인은 매우 복합적이다. 따라서 그 역할을 연기하는 배우는 반드시 인물 구축 — 상연 — 을 해야만 한다. 텍스트 자체에 제시된 것뿐 아니라 배우 자신의 지식과 경험에서 나온 모든 체험과 감정의 켜 속으로 파고들어야 한다. 랜디 식으로 말하면, 맥베스 부인의 역할은 많은 하위 역할을 통합하고 있으며, 배우/인물은 극이 전개됨에 따라 그에 맞는 여러 가지 하위 역할을 바꿔 입는다고 표현할 수 있다.

랜디의 모델은 어빙 고프먼의 역할 이론과 유사하다. 예를 들어, 랜디(1992: 104)는 역할 유혹을 이야기한다. 수세기에 걸쳐 배우들은 자연인으로서의 배우와 역할을 입은 배우를 하나로 겹쳐 놓는 관객들에게 "매혹의 대상"이었다는 것이다. 또한 그는 역할을 상연하면서 그 인물이 되어버리는 배우들도 있다고 말한다. 이는 고프먼이 말한(1972: 79) "역할 애착"을 연상시킨다.

> 특정한 입장에 들어가는 데 유용한 자아-이미지는 "미"가 정서적으로나 인지적으로 반할 수 있는 것 중 하나이다. 역할의 상연과 그 상연에서 발생하는 자아-동일시의 측면에서 자기를 볼 수 있기를 기대하고 욕망하는 것이다.

배우에 대한 랜디의 시각은 참으로 이상하다. 공연을 보면서 자연인으로서의 배우와 역할로서의 배우를 혼동하는 관객은 극소수에 불과하다. 그것은 무대 공연 자체가 미적 거리를 창출하기 때문이다. 랜디는 "행동이 곧 존재"인 배우도 일부 있다고 말한다. 물론 영국의 타블로이드 신문은 연속극 배우와 드라마상의 역할을 고의적으로 혼동하며, 그런 식으로 독자의 판타지를 자극하여 판매 부수를 늘린다. 그런 경우에는 흔히 배우가 실제 극중 인물이라도 되는 듯 그 사생활이 공공의 관심사로 떠오르지만, 랜디의 역할 이론이 기반하고 있는 연극에서는 그런 일이 드물다.

나는 랜디가 고프먼처럼 연극에서 역할 모델을 집어내어 "실제 현실"의 역할 연기에 적용한다고 본다. 고프먼은 자아의 표현과 배우에 의한 인물 혹은 역할의 재현을 비교한다. 극장에서 배우가 역할을 연기하듯이, 우리도 배우들처럼 삶 속에서 연기를 한다는 논리이다. 내가 보기에 이는 관객을 위해 극 중에서 인물이나 역할로 서 있는 배우와 배우 본연의 인성과 특징을 혼동하는 처사일 따름이다.

역할 이론과 자아

『연극치료』(1986)에서 랜디는 최근 저작에서와 다소 다른 자아 이론을 전개한다. 랜디의 모델을 형성하는 두 가지 기본 축은 자아와 역할이었다. 그러나 자아와 역할의 관계를 이해하기 위해서는 세 번째 축인 타자를 고려하지 않을 수 없다. 이들 세 개념은 상호 의존적이다. 자아 — 개인의 본질적 고유성 — 는 역할을 통해 타자(사회적 세계의 대표로서)와 관계를 맺는다. 그러므로 역할은 자아와 타자, 자아와 사회적 세계를 잇는 매개체가 된다. 랜디는 자아와 역할, 자아와 타자의 종합, 균형을 향한 인간 발달의 일반적 과정에서 나타나는 투사와 동일시에 대하여 복잡한 분석을 제시했다. 하지만 때로 그 균형이 깨질 수 있고, 그중에는 다소 심각한 상황이 있을 수 있으며, 그럴 때 개입이 필요해진다. 적절한 역할을 취하여 연기함으로써 자아와 세상을 매개하는 능력을 재구축해야 하는 시점에 한 가지 역할에만 매여 있는 사람이 있다면, 바로 그런 경우가 연극치료사가 거리 조절의 핵심 개념을 이해할 필요가 있는 시점이다.

"거리 조절"은 랜디의 연극치료 이론의 핵심 개념이다. 분리적인 사람은 자신의 감정과 생각을 다른 사람에게 투사하고, 그럼으로써 타인을 자신의 반영으로 간주하면서 자기와 타자 사이에 엄격한 경계를 유지한다. 밀착적인 사람은 다른 사람의 감정과 행동에 지나치게 쉽게 동일시하여 자기와 타자의 경계를 잃어버린다. 거리 조절 패러다임은 이 두 극단 사이의 균형을 지향한다. 그것은 자기 자신과 다른 사람, 퍼슨과 페르소나, 한 가지 역할과 다른 역할 사이에서 안정적인 균형, 곧 자기와 타자의 경계가 유연하고 자기 혹은 타자와의 상호 작용에서 발생하는 변화에 순응하는 상태라 부를 수 있다. 그리고 그 분리와 밀착의 두 극단 사이 어딘가를 미적 거리라 부른다.

연극치료사는 미적 거리, 균형을 성취하는 것 그리고 자기와 외부 세계의 매개체로서 역할을 사용하는 능력을 강화하는 것을 치료 목표로 한다.

연극치료의 모델을 구축하려는 랜디의 이러한 노력은 1990년 9월 영국 연극치료사협회에서 한 연설에서 더욱 확장되었다. 그는 치료의 초점을 역할에 둔다고 설명했다. 그리고 역할이 치료에서 어떻게 작용하는지, 역할이 어째서 외부와 내면을 잇는 가장 중요한 다리인지를 질문하면서, 역할을 통해 연극과 심리 치료를 연결하는 이론적 구조물을 찾을 수 있기를 바란다고 말했다. 그는 드라마에 적용할 수 있는 좀 더 과학적인 구조와 이론을 원했고 그래서 역할 이론을 선택하게 된 것이다.

랜디는 사회 심리학이 역할 개념의 극적인 뿌리를 외면해 왔다고 말한다. "역할"이라는 말은 분명히 연극에서 비롯되었다. 초기 연극에서는 공연 대본을 두루마리에 적은 다음 프롬프터가 '역할role'이라 불리는 그 두루마리를 풀어 가며 배우들에게 대사를 일러주곤 했다. 그러므로 "역할"은 본래 극적인 용어이다. 그런데 요즘에 와서는 역할을 연기한다고 하면 진실한 자아가 되기보다 뭔가 다른 걸 하는 것으로 여겨진다. 그리고 급기야 랜디는 "자아의 개념을 암살"하였다.

『연극치료』의 1986년판과 1990년판 사이에, 랜디는 인간에 대한 그의 모델을 구성하는 세 축 가운데 자아에 관한 입장을 바꾸어 자아와 역할을 하나로 합쳤다.

"자아"는 역할 이론에서 아무런 현실적 입지를 갖고 있지 않다고 랜디는 말한다. 그에게 "자아" 개념은 너무나 신비적일 뿐이다. 인성이란 마치 양파와 같아서 껍질을 벗겨내면 또 다른 역할이 나오고, 그렇게 해서 마지막 껍질까지 벗기고 나면 아무것도 남지 않는 것이다. 그럼에도 불구하고 인성의 핵심에 뭔가가 있다면 그건 역할을 생산하는 개인의 능력일 것이며, 그 중핵 역시 궁극적으로는 구현자라는 하나의 역할에 다름 아니다.

> 개인의 중심에는 다른 페르소나를 취할 수 있는 능력이 있다. 이 구현의 능력은 외적 행동과 관련된 모방과는 매우 다른 것으로, 그를 통해 새로운 역할과 가면을 만들어 내고, 새로운 페르소나가 퍼슨의 극적 레퍼토리로 등장하게 된다는 점에서 본질적으로 창조적인 행동이다.
>
> (Landy 1992a: 422)

우리는 윌셔가 구현을 "모방의 형식"이라 부르고, 상연을 "사랑의 형식"이라 부른 것을 기억한다. 이는 랜디의 이론에 대한 비판으로 해석될 수 있다. 그러나 나는 그와 윌셔가 "구현"이라는 말을 동일하게 정의하지 않았을 거라 짐작한다. 하지만 내가 보기에 윌셔의 철학은 자아를 없애는 것이 환원적이고 소외적이라는 측면에서 고프먼과 동일한 방식으로 랜디의 입장을 비판한다고 생각된다. 그렇다면 자아-관찰자는 어디에 있는가, 다른 "미"를 구현하고 또 다른 가면 혹은 역할을 만들어 내는 "미"를 지켜보는 "아이"는 어디에 있는가? 나는 랜디가 자아를 암살하고 또 그러는 가운데 미드와 햄슨을 모두 밀쳐낸 것을 염려한다.

다음에 더 자세히 이야기하겠지만, 랜디의 입장은 극적 역할 모델에서 오랫동안 "자아"가 점해 온 최고의 자리를 "역할"에 내준다. "핵심 객체로서 자아 제일 시대는 가고 이제 역할의 시대로 접어든 것이다"(1992a: 421). 그의 이론에 따르면, 역할은 우리를 인간으로 규정하는 신체적, 인지적, 정서적, 사회/문화적, 영적, 미적 특징을 모두 포괄한다.

극적 역할 모델 이론

랜디는 역할 유형, 역할 특징, 역할 기능, 역할 양식으로 체계화된 극적 역할 모델을 연극치료에 적용하기를 제안한다. 그는 연극적 원형의 체계를 만들기 위해 역할 분류 체계를 가지고 작업해 왔고, 그것이 "존재의 가능성을 위한 청사진"으로 사용될 수 있다고 주장한다(1991, 1992a). 그는 역할을 "우리가 사회적이고 상상적인 세상 속에서 우리 자신과 다른 사람들에게 품는 모든 생각과 감정을 담는 용기"라고 정의한다.

아리스토텔레스는 랜디보다 훨씬 앞서 역할의 분류 체계를 제시했다. 그리스 드라마와 인물의 해석자인 그는 드라마를 자연을 비추는 거울로 사용하여 무대에서 본 인물을 통해 주변 사람들이 연기하는 역할을 통찰하였다. 오늘날의 심리학자와 교육자들처럼 아리스토텔레스는 인간의 행동에서 동기의 우선성을 인식했다. 그는 드라마를 봄으로써 행동의 과정을 숙고하고 선택하는 것이 인물을 나타내는 데 필수 불가결함을 깨달았다(Castellani 1990). 그는 또한 드라마에 나오는 인물들이 특정한 유형, 즉 나이, 사회적 지위, 인성 특질로 인해 비슷한 감정과 행동을 나타내는 집단으로 묶인다는 사실을 인식했다. 아리스토텔레스의 윤리학은 드라마의 인간 유형, 곧 희극에 나오는 도덕적 유형과 비극에 나오는 인종 계층과 개인적 역할을 인식한다. "유형 계층"은 "청년," "노인," "노예"와 같은 범주이며, "유형 이름" 혹은 역할은 "포주," "고리 대금업자," "수치스러운 이윤 추구자"와 같은 꼬리표를 말한다. 로버트 랜디의 역할 분류 체계와 마찬가지로, 아리스토텔레스는 특정한 행동을 특정한 유형의 인물과 관련짓는다. 예를 들어, "수줍어하는 노인," "신경질적인 환자," "알랑거리는 아첨꾼" 등. 카스텔라니는 "드라마와 연극은 (아리스토텔레스에게) 인간 행동과 그 동기에 대한 데이터를 제공하고, 나아가 그 보기와 이름을 제공해 주었다"고 쓰고 있다(1990: 32). 후대에 나타날 로버트 랜디를 예고하듯이, 아리스토텔레스는 연극에서 유래된 역할과 유형을 인간의 행동과 관련짓는다.

랜디는 역할이 퍼슨의 일부일 뿐이라고 말한다. 역할은 오직 개인의 심리 내적이고 대인적인 측면에서만 의미를 갖는다. 아버지라는 역할은 나이로는 성인, 인지적으로는 지식인, 그리고 관계상으로는 자녀와 관련된다. "인간 행동의 거의 모든 형식을 위한 역할이 존재한다. 역할은 일종의 세포나 원자와 같다. 그것은 일차적인 구성 단위이다"(1992b: 422).

추측컨대 개인은 상호 작용과 사회화를 통해 역할을 발달시킨다. 역할이 몇 가지로 제한된 경우에 아이들은 자기 내부에서 역할을 생산할 수 없게 되고, 그 결과 소수의 정신 병리적 역할에 "고착"될 가능성이 크다. 임상 작업과 경험을 통해, 랜디는 정서 장애나 정신 장애로 매우 고통당하는 사람들을 만나 왔다. 그는 그들의 질병이 곧 역할 체계가 얼마나 넓게 혹은 좁게 기능하는가에 달려 있다고 가정하며, 그에 따라 참여자가 좀 더 많은 역할을 할 수 있게끔 연료를 제공해 주는 것을 치료사의 가장 주요한 역할로 간주한다. 그는 참여자가 역할을 생산할 수 있게 도울 뿐만 아니라, 참여자와의 관계를 더 많은 역할의 발달을 자극하는 방법으로 사용함으로써 그 목표에 접근한다.

역할 접근법은 치료사가 다음과 같은 질문에 답할 수 있게 도와준다.

1. 참여자는 회기에서 그리고 생활에서 어떤 역할들을 연기하는가?
2. 그러한 역할의 특성은 무엇인가?
3. 그 역할들은 참여자에게 어떤 기능을 하는가?
4. 참여자는 그 역할들을 어떻게, 어떤 스타일로 연기하는가?
5. 그 역할들은 심리 내적이고 대인관계적인 차원에서 다른 역할들과 어떻게 만나는가?

치료의 목적 혹은 목표는 참여자가 한 가지 역할에 압도되지 않고 다양한 역할을 취하며 서로 다른 역할의 병존을 수용할 수 있도록 돕는 데 있다. 그를 위해 치료사는 역할 분류 체계를 이용한다. 그 이유는, 앞서 말했듯이, 랜디는 이를 "존재의 가능성을 위한 청사진"으로 제시하고 있기 때문이다(1992b: 431).

역할 분류 체계: 연극적 원형의 체계

역할 체계를 만들 방법을 연구하던 중에 랜디는 역할을 이해하기 위해 과거의 연극으로 거슬러 올라가게 되었다. 연극적 형식에 대한 연구에서, 그는 일차적으로 중요한 역할 유형을 고른 다음, "연극적 역할 체계가 다른 체계들을 반영하는가?"를 자문했다. 그는 연극에 바탕을 둔 체계를 세우고자 노력했고, 그렇게 만들어진 역할 유형 분류 체계는 아홉 개의 범주로 구성된다.

1. **영역** 이것은 가장 큰 범주이자 신체적, 인지적, 정의적, 사회적, 영적, 미적인 인간성의 전 영역을 포함한다.
2. **영역 내 분류** 이것은 동일한 범주 안에서 역할이 몇 개의 하위 집단으로 나뉠 때를 말한다. 예를 들어, 신체적 영역은 연령, 외모, 성적 정향, 건강의 하위 범주로 나뉜다.
3. **역할 유형** 이것은 융이 말한 원형이나 보편적 형식에 가깝다. 랜디가 보편적이라고 표현한 이 역할 유형은 고대로부터 현재까지의 극문학에서 찾아낸 것이다. 신체적 영역에서 "연령" 항목에 속한 원형을 보면, 어린이, 사춘기 청소년, 어른, 노인이 있고, "성적 정향"의 항목에는 거세된 남자, 동성애자, 성도착자 등이 있다. "외모"와 "건강" 역시 유사한 역할 유형으로 분류된다.
4. **하위 유형** 이것은 역할 유형을 한 번 더 세분한 것으로, 각 하위 유형은 역할 유형의 서로 다른 측면을 함축한다. 예를 들어, 인지적 영역에서 "광대"라는 역할 유형 밑에는 "현학자," "지나치게 멋부리는 사람," "몽상가"의 하위 유형이 있다.
5. **특질** 이것은 역할 유형과 관련된 특징을 말한다. 가령 어린이의 특질에는 쾌활함, 자기중심성, 장난스러움 등이 포함된다.
6. **대안적 특질** 이것은 특질과 관련하여 반대되는 특성을 말한다. 그러니

까 "장난을 좋아하는" 어린아이는 "변덕이" 심할 수도 있고 불끈 성을 낼 수도 있다.

7. **보기** 이것은 역할 유형과 세계의 극문학에서 나타난 그 특질의 사례를 보여 준다. 그러므로 입센의 〈들오리〉에 나오는 헤드윅은 어린이의 원형적 재현 — 천진하고, 쾌활하며, 속임수를 쓰지 않는 — 이라 할 수 있다. 이러한 보기는 역할 이론 체계의 보편성을 증명해 준다.
8. **기능** 이것은 역할이 개인에게 작용하는 방식을 말해 준다. 예를 들어, 헤드윅은 순수함의 쾌활한 정신을 강조한다.
9. **스타일** 이것은 역할이 연행되는 형식이다. 연극적 스타일은 재현적이거나 현실적일 수 있지만 제시적 스타일, 곧 "맨 얼굴보다는 가면"이 좀 더 추상적이고 보편적이다. "각 스타일은 특정한 정도의 정서와 인식을 함축한다. 재현적 스타일은 보다 많은 정서를, 제시적 스타일은 보다 많은 인식을."

(Landy 1992b: 422)

랜디(1992c)는 개인 작업에서 이 분류 체계를 어떻게 사용했는지를 보여 주며, 그 뒤의 논문(1992d)에서는 집단을 대상으로 한 사례를 다루고 있다.

유형 분류 체계와 관련하여, 랜디의 역할 접근법은 다음의 여덟 단계로 이루어진다.

1. 역할 불러내기
2. 역할 이름 짓기
3. 역할을 통해 작업하기/연기하기
4. 대안적 특질과 하위 유형 탐험하기
5. 역할 연기 성찰하기: 역할의 고유한 역할 특질, 기능, 스타일을 찾아내기
6. 가상의 역할을 현실 생활과 관련짓기

7. 기능적인 역할 체계를 창조하는 데 역할을 통합하기
8. 사회적 모델링: 참여자의 역할 행동이 사회적 환경 속에서 다른 사람들에게 영향을 미치는 방식을 찾아내기

역할 불러내기는 전체 과정의 첫 단계일뿐 아니라 역할을 불러내는 것 자체가 참여자가 무의식적으로 인성의 한 측면에 초점을 맞출 수 있게 하는 투사 기법이라는 점에서 가장 중요한 부분이라 할 수 있다. 참여자는 신체 일부에 집중함으로써 치료적 공간으로 들어오고, 그것은 후에 역할을 신체화하는 바탕이 된다. 역할이 명명될 때(2단계) 참여자는 그 신체적 인물을 좀 더 구체화할 수 있다. 치료사는 참여자가 다양한 연행이나 즉흥극에서 역할을 연기하거나 작업할 수 있도록 돕는다(3단계). 그런 다음 참여자는 아마도 인형이나 가면을 만들면서 특정한 역할의 하위 유형이나 변형을 가지고 작업한다. "대안 탐험하기는 참여자가 다른 가능성을 인식하고 시험하기 시작한다는 측면에서 매우 중요하다. 이는 여러 가지 점에서 참여자가 역할 병존의 상태로 나아갈 수 있게 해준다"(1992d: 9).

랜디는 4단계가 모순과 병존을 체현한다는 점에서 중요함에도 불구하고, 실제 연극치료 작업에는 썩 잘 맞지 않음을 인정한다. 확실히 그 단계는 참여자의 입장에서 상당 정도 세련되게 다듬어질 필요가 있다.

연행과 역할 연기를 마친 후에는 이야기에 등장한 인물로부터 의미를 찾아내고 성찰하면서 회기를 마무리한다. 5단계를 통해 참여자는 인물의 감정과 생각을 연결할 수 있다. 그런 다음 참여자의 현실의 역할 혹은 역할들의 견지에서 가상의 역할을 검토한다(6단계). 치료사는 참여자가 일상으로 돌아갈 수 있게 돕는다. "가상의 역할들이 일상 현실에 얼마나 소용되는지 이해하기 위해서는, 허구의 역할과 현실에 바탕을 둔 그 짝패를 반드시 명확하게 파악할 수 있어야 한다"(1992d: 10).

역할 접근법의 목표는 참여자가 모순과 양면성을 허용하는 발전 가능한 역할 체계를 구축하도록 돕는 데 있다. 7단계에서 참여자는 다양한 역

할이 서로 어떻게 통합되는지를 인식한다. 그리고 8단계에 이르면 현실에서 역할과 관련한 행동을 변화시킬 수 있게 된다.

랜디는 참여자가 치료를 통해 성취한 새로운 역할 체계와 지식이 현실의 역할 체계로 통합되는 이 마지막 단계를 위해 앞의 일곱 단계를 사용한다. 이 접근법은 치료 모델이지 공연을 위한 모델이 아니다. 그것은 곧 참여자가 다른 단계로 넘어가기 전에 이전 단계를 반드시 완결하지 않을 수도 있다는 뜻이다. 다시 말해 역할 모델은 엄격하고 선형적인 체계라기보다는 일련의 지침으로서 제시된다.

랜디는 이 모델과 역할 유형 분류 체계가 실제 작업에, 사전평가에 치료 수단으로, 평가 방법으로, 연구 도구로 활용되기를 희망한다. 그는 연극치료사가 이 역할에서 다른 역할로 쉽게 전환할 수 있을 만큼 다재다능하기를 기대하며, 한편으로는 참여자에 대한 분리와 밀착 사이에서 배우다운 자제력과 균형을 유지하기를 바란다. (연극치료사는 요컨대 극단에서 "등장인물 전체를 연기" 하는 배우와 같다!) 나는 참여자와 함께하는 치료 작업과 일반 연극의 리허설 기법으로서 1, 2, 3, 5, 6단계의 가치를 충분히 검증한 바 있다. 신체화를 통해 인물 혹은 역할을 불러내고, 인물을 명명하며, 즉흥극을 통해 인물을 연기하고 그 작업을 성찰하는 과정은 텍스트의 인물을 통해 끌어낸 자기의 여러 측면과 접촉할 수 있는 매우 훌륭한 방식이다. 역할의 대안적 특질과 하위 역할을 탐험하는 4단계는 매우 어려웠지만, 그건 아마도 내가 잘 이해하지 못한 탓일 것이다. 나는 참여자와 배우들에게 처음에 연기한 역할과 반대되는 인물을 찾을 수 있겠느냐고 에둘러 물어보았다. 그리고 7단계와 8단계까지는 미처 작업을 진행시키지 못했다. 왜냐하면 작업이 끝난 뒤에 생각하고 토론해야 할 것들이 너무 많아서 시간을 낼 수 없었기 때문이다. 하지만 나는 그것이 매우 강력한 작업 방식이며, 신중한 역할 벗기가 꼭 필요함을 알고 있다.

랜디의 연극적 역할의 유형 분류 체계(1992b)는 엄청난 학술적 업적이다. 그러나 그가 그 체계 전체를 실제 작업에 어떻게 활용하는지는 쉽게 이해하기가 어렵다. 랜디는 그의 모델이 연극에 근거하고 있으며, 그것으로써 내면을 비추고 있다고 생각한다.

랜디의 이론은 마음과 몸의 종합에 기초한다고 볼 수 있다. 마음, 자아란 심리 내적 충동이나 본능이 아니라 어린 시절의 경험을 기반으로 하여 발달된 역할의 켜들로 구축된 구성체이다. 참여자와 치료사는 연극치료에서 다양한 역할을 몸으로 연행하면서 참여자의 역할 유형과 그 개수를 증가시키고 그렇게 다른 역할을 생산함으로써 병적인 역할의 폭정에서 자유로워질 수 있다.

결론

이 장에서는 역할의 개념을 살펴보았다. 역할은 표준과 가치, 지위와 전형을 함축하고, 개인의 자아상은 그가 취하는 역할에 영향을 받을 수 있다. 역할이 자아상을 고취시킨다면 그 역할은 기꺼이 수용될 것이며, 그 반대의 경우에는 역할 거리가 나타날 것이다.

그리고 랜디의 거대한 학술 작업인 역할 유형 분류를 살펴보면서, 그 체계가 실제 작업에서 어떻게 쓰일 수 있는지 그 방식을 좀 더 명확히 볼 수 있게 되기를 기다린다.

결론을 맺으면서 빠뜨리지 말아야 할 한 가지 경고는, 핵심 자아에 대한 부정이 랜디의 역할 모델에 결정적이며 반드시 전제되어야 하는 사실이라는 점이다. 역할 모델을 사용하는 연극치료사들이 어떻게 참여자들에게 핵심 자아의 부재를 설득할 수 있는지 상상하기 어렵다. 다른 모델을 사용하는 연극치료사 모두가, 참여자들이 황량한 사회적 환경을 사는 내면의 혼란 가운데서도 자아를 발견하도록 돕는 것을 주된 치료적 과제로 삼고 있다는 점에서 더욱 그러하다.

참고 문헌

Bowlby, J. (1988) *A Secure Base: Clinical Applications of Attachment Theory*, London, Routledge.

British Association for Dramatherapists (1991) Membership List and Code of Practice, London, BADth.

Castellani, V. (1990) "Drama and Aristotle," in J. Redmond (ed.) *Themes in Drama 12: Drama and Philosophy*, Cambridge, Cambridge University Press.

Dunn, J. (1988) *The Beginnings of Social Understanding*, Oxford, Basil Blackwell.

Goffman, E. (1972) *Encounters*, Harmondsworth, Penguin.

Goffman, E. (1974) *Frame Analysis*, Cambridge, MA, Harvard University Press.

Hampson, S. (1986) "Sex roles and personality," in D. Hargreaves and A. M. Colley (eds) *The Psychology of Sex Roles*, London, Harper & Row.

Hampson, S. (1988) *The Construction of Personality: an Introduction*, London, Routledge.

Landy, R. (1986) *Drama Therapy: Concepts and Practices*, Springfield, IL, Charles C. Thomas.

Landy, R. (1990) "A role model of dramatherapy," Keynote speech to the Conference of the British Association for Dramatherapists, Newcastle.

Landy, R. (1991) "The dramatic basis of role theory," *The Arts in Psychotherapy*, 19, 29-41.

Landy, R. (1992a) "One-on-one: the role of the dramatherapist working with individuals," in S. Jennings (ed.) *Dramatherapy Theory and Practice 2*, London, Routledge.

Landy, R. (1992b) "A taxonomy of roles: a blueprint for the possibilities of being," *The Arts in Psychotherapy*, 18(5), 419-31.

Landy. R. (1992c) "The case of Hansel and Gretel," *The Arts in Psychotherapy*, 19, 231-41.

Landy, R. (1992d) "The dramatherapy role method," *Dramatherapy*, 14(1), 7-15.

Marrone, M. (1991) Address to the Institute of Dramatherapy, London.

Mead, G. H. (1934) *Mind, Self and Society*, C. W. Morris (ed.), Chicago, IL, University of Chicago Press.

Shaffer, R. (1989) "Early social development," in A. Slater and G. Bremner (eds) *Infant Development*, London, Lawrence Erlbaum.

Stern, D. (1985) *The First Relationship: Infant and Mother*, London, Fontana.

Wilshire, B. (1982) *Role Playing and Identity: the Limits of Theater as Metaphor*, Bloomington, IN, Indiana University Press.

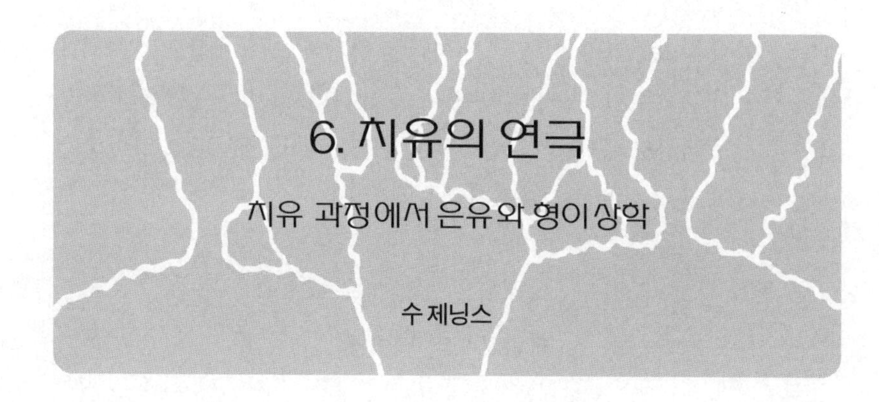

개관

테크놀로지를 강조하면서 제의로부터 멀어진 것은 20세기의 특기할 만한 점이다. 그것은 흔히 출생과 죽음과 삶의 여러 단계에서 혼란으로 나타나며, 결국 정체성과 역할의 혼돈에 기여한다고 말할 수 있다.

이 장은 의식 드라마의 중요성과 그것이 연극치료의 실제와 맺고 있는 관련성을 살필 것이다. 그를 위해 의식과 의례 구조가 인생 전반을 통해 우리의 삶을 어떻게 구조화하는지, 그리고 많은 참여자들이 통과 의례를 완수하는 데 필요한 제의적 형식으로부터 어떻게 차단당해 왔는지를 짚어 보려 한다.

샤머니즘은, 상징과 은유를 중시한다는 측면에서, 극적 형식에서 치유 의식의 발달과 관련이 있다고 여겨진다. 그러나 여기서는 그러한 가정과 함께 연극치료는 반드시 "좋은 것"이라는 태도의 위험성을 논할 것이다.

연극 예술가뿐 아니라 인류학자와 의사의 작업은 제의에 바탕을 둔 연극치료 모델을 이해하는 데 도움을 준다. "치유의 연극"이라는 의식적儀式的 모델은 궁극적으로 질병과 건강에 대한 신체적 진술뿐 아니라 형이상학적 언설을 요구한다. 이 모델은 의식을 인간과 그 육체성으로부터 격리된 심원한 존재로서 "저기 멀리에" 두지 않는다. 그보다는 인성의 여러 측면들, 그중에서도 특히 상상의 극적 행동을 통한 신체적이고 형이상학적인 측면의 상호 작용을 강조한다.

제의로부터 멀어짐

현대 사회에서는 삶의 주요 단계에 동반되는 전통적 제의를 쉽게 찾아보기가 힘들다. 탄생과 죽음의 의식, 명명 의식, 성인식, 결혼식 등이 예전보다 주목받지 못하고 있다. 반 게넵(Gennep 1960)이 말한 우리 삶의 여정을 구획하는 통과 의례는 실상 거의 관심 밖으로 밀려난 형편이다. 그리고 산파, 영매, 치유자 등 제의와 관련된 역할들 상당수가 전문적인 상담자와 최신 기술의 약물로 대체되어 왔다. 현대 의학에서 환자는 의사와 "상호 작용"하는 존재이기보다 의사의 "처치를 받는" 대상에 가깝다. 역사적으로 지역 사회는 정교한 의례 절차와 의상과 장식으로써 제의와의 관계를 분명히 밝히면서 죽음과 애도를 의식화하는 나름의 방식을 갖고 있었다. 그러나 요즘에 와서는 장례식이 대개 간소하고 형식적인 의례로 치러지는 경향이 있으며, 사람들은 슬픔을 잠재우기 위해 약물에 의존하거나 사별 전문 상담가를 찾곤 한다.

의식의 감소는 종교적 믿음과 행위의 쇠퇴 그리고 마음과 몸 혹은 생각과 감정이라는 이원론의 지속 현상과 궤를 같이 해왔다. 의식을 되살리거나 새로운 의식을 창조하려는 다양한 시도들이 있지만, 사회는 그것을 끊임없이 핵심 밖으로 밀어냄으로써 주변부화 한다. 비과학적이며, 그리하여 증명할 수 없는 것과 등치시키는 것이다. 예를 들어, 집이나 좀 더 "자연스러운" 장소에서 출산을 하려는 시도는 묻히고, 그러면 "뭔가 잘

못될 수도 있다"는 두려움을 주입하는 식이다. 그 결과 출산은 현재 최신 장비를 갖추고 새로운 정화 의식을 행하는 병원에서 이루어지는 것이 상례이다. 거기서 출산은 "자연적인" 삶의 사건이기보다 일종의 질병으로 간주된다. 그리고 새로운 의식은 집단의 가치보다는 개인적 결정에 바탕을 둔다고 할 수 있다. 다시 말해 치료는 개인에 의해 개인을 상대로 행해지며, 사회적 집단의 상징과 지지는 흔적을 찾기가 어렵게 되었다.

간혹 사랑하는 아내의 고통을 지켜보다가 분만실에서 기절하는 남편들이 있는데, 나는 그걸 보면서 남성 출산 의식의 중요성을 생각하게 되었다. 일부 사회에서는 남자들이 "쿠바드"에 참여하거나(출산을 위해 남자들이 갇혀 지내거나 음식을 조절하는 의식을 말하며, 대개 그런 의식은 여자의 특권으로 여겨진다. "알을 까다"라는 뜻의 프랑스어 couvade에서 왔다) 출산 전야에 아버지됨을 기념하는 의식이나 신생아의 "머리를 적시는" "세례식"을 즐기고, 그럼으로써 아버지로서의 주목과 확증을 모두 얻는다. 하지만 우리는 과연 그것만으로 충분한지, 새로운 세계의 용감한 표정의 뒷면을 확인할 필요가 있다. 우주와 그 속에서 우리의 자리를 이해하기 위해 제의와 상징의 중요성을 다시금 일깨워야 하지 않을까?

앞서 말했듯이, 종교뿐 아니라 예술 역시 급속한 하락세에 있으며, 그것은 경제적 궁핍과 정치적 책동에 의해 가속화되고 있다. 그럼에도 불구하고 드라마와 의식의 퇴조 현상은 비단 20세기만의 일은 아니다. 예를 들어, 연극사나 철학사만 보아도 플라톤이 배우를 비난하고 이데아를 찬양하면서 어떻게 이미지를 평가 절하했는지 알 수 있다. 모든 세기는 예술적인 것과 이성적인 것에 대한 호오의 측면에서 밀물과 썰물의 흐름을 탄다고 볼 수 있다.

제의와 드라마에 반하는 여러 영향 요인들 — 병리적 사회와 첨단 기술의 해결책 및 예술적 과잉에 대한 강조와 함께 — 이 존재하지만, 그 반면에 예술과 형이상학을 옹호하는 강력한 흐름도 있다. 공인된 자격을 부여하는 대학원 연극치료 교육 과정이 다섯 군데나 있다는 사실은 분명히 긍정적인 신호이다. 예술과 교육 연극 부문은 심각한 예산 삭감에 직면해 있지만, 연극치료 기관 설립과 치료적 연극 부문에서는 오히려 예산이 증가하는 듯 보이기도 한다. 그뿐 아니라 많은 배우들이 연기와 병행할 요량으로 연극치료 훈련을 받고 있으며, 병원과 교도소에서의 공연과 관련하여 그 작업 반경을 확장하고자 애쓰고 있다. 드라마가 정규 교과 과정에서 제외된 것은 분명 이상한 일이지만, 로비 활동에 주력하면 변화를 기대할 수 있다. 그러나 치유 예술이 현재의 퇴조에서 성장을 보고하기 위해서는 아무리 회의론이 지배적이라 할지라도 그러한 하강에서 오는 불안과 퇴보가 역설적이게도 치료에 대한 보다 많은 욕구를 불러올지도 모른다는 어느 정도의 낙관을 품고 있어야 한다!

현재 우리에게 가장 힘을 주는 신호는 대화를 위한 시도가 존재한다는 사실일 것이다. 첨단 병원에서 연극치료사와 미술치료사를 고용하고, 직관이 과학적 의식의 테두리 안에서 인식되며, 시학이 심리적 처방 내에서 입지를 굳히고 있음을 말한다.

> 우리는 임상 경험을 통해 이미지와 은유가 전통적이고 지지적인 심리 치료를 촉진할 수 있다는 결론을 얻는다. 환자의 내면 깊은 곳에 있는 정서적 내용은 "포이에시스"를 적절히 사용함으로써 표현과 변화를 통해 통합될 수 있으며, 거기서 새로운 자원이 나타날 수 있음을 알고 있다. 그러한 자원은 "포이에시스"의 준거를 충족시킨다. 적어도 환자에 관한 한, 이전에는 찾아볼 수 없었던 뭔가가 새로운 능력과 상처 회복력의 향상이라는 형태로 존재하게 되었기 때문이다.
>
> (Cox and Theilgaard 1987: 18)

개인이나 집단과 작업하거나, 어려운 상황에서 가르치거나, 예술적인 뮤즈를 기다리거나, 실패한 실험을 가지고 씨름하거나, 장면의 서브 텍스트를 찾거나, 무엇을 하든, 우리는 극적 상상과 연극 예술의 재생 효과를 꼭 기억할 필요가 있다.

> 역사적 삶 자체가 합당하게 여겨지던 기존의 관점에서 문화적으로 이해되지 않을 때, 서사와 문화적 드라마가 "포이에시스" 곧 문화적 의미를 재생해야 하는 과제를 떠안게 된다. 현대적인 "삶의 드라마"를 보상할 수 없는 낡은 의미 체계가 그로 인해 해체되는 듯 보일 수도 있음에도 불구하고….
>
> (Turner 1982: 97)

우리가 의식을 정의할 수 있을까?

드라마처럼 일목요연하게 정의하기에는 의식은 너무나 복합적이다. 그리고 인류학자들은 의식이 무엇인가보다는 그것이 무엇을 하는가에 더 많은 관심을 기울인다. 하지만 나는 의식을 습관이나 전형적 행동과 같은 활동 형식과 분리하여 적극적 상상과 예술적 표현의 영역에 확고하게 자리매김함으로써 간명하게 표현하고자 한다. 이 내용은 독창적이라기보다 지난 20여 년 동안 다양한 경험을 바탕으로 수집한 생각과 글들을 편집한 것이다.

극적 의식은 은유와 상징과 관련된 일련의 연행된 행동이다. 그것은 우리에게 변화와 사회적 지위와 가치를 전달할 뿐 아니라 영향을 미치기도 한다. 의식은 우리를 생각하게 만들며, 우리를 자극하거나 설득하거나 뭔가를 상기하게 하기도 한다. 의식에 대한 우리의 반응은 물리적이고 신체적인 차원에서 정서적인 차원, 인지적인 차원, 상상적이고 형이상학적인 차원까지 여러 가지 층위에 걸쳐 있다.

> 의식은 단지 해석되기 위해 행해지는 것이 아니다. 그것은 상황을 해결하

> 고 수정하고 혹은 설명하기 위해(그리고 행위자의 관점에서는 이것이 더 중요할 수도 있다) 행해진다.
>
> (Lewis 1980: 35)

이러한 다층적 차원의 반응 혹은 참여는 거꾸로 의식의 영향력이 지나치게 강력하지 않은가 — 종교적이거나 극적인 의식 또는 스포츠의 의식은 실제로 곧잘 기존 질서에 위협을 가해 왔다 — 하는 의구심을 품게 한다. 그리하여 의식의 힘을 두려워한 세력은 그 의식 내용의 분리, 곧 상징적인 것과 구체적인 것 또는 인지적인 것과 신체적인 것을 분리하는 이원성의 확립을 통해 극적 의식의 표현이 가지는 영향력을 효과적으로 통제하고 완화해 왔다.

드라마는 교회 밖으로 추방당했고, 가면도 종교에서 금지되었다. 그리하여 현대의 교회와 병원과 극장은 우리 존재의 여러 차원을 통합하는 데 실패하고 세 개의 분리된 기관으로 존재할 뿐이다. 프로이트와 마르크스는 독실한 신앙과 제의는 소망 충족의 환영과 아편이라고 주장했고, 무의식과 실험과 과학이 그보다 우위를 점해 왔다. 그러나 라이크로프트는 다음과 같이 말한다(Rycroft 1985: 288).

> 프로이트 자신은 비록 과학자라는 자긍심을 가졌을지라도, 오이디푸스적 죄책감의 의미에 대한 통찰은 그 스스로 "황당무계한" 이야기라고 표현한 원부原父 살해의 인류학적 이론을 정립하도록 이끌었을 뿐 아니라 아이들이 부모에게 갖는 느낌을 밝히기 위한 해설적 장치로서 그리스 신화를 끌어들이게 했다.

오이디푸스 콤플렉스의 극적 맥락에 대해서는 앞으로 쓸 책(Jennings, 근간 b)에서 본격적으로 탐험할 것이다. 여기서는 과학적 언어 또는 일상적 언어로 충분하지 않을 때 이야기나 신화를 어떻게 불러내는지에 주목하는 것이 중요하다. 나는 제임스 힐먼의 책(Hillman 1983)에서 프로이트와 인터뷰한 내용을 보면서 그러한 노력을 지속할 수 있는 영감을 얻는다.

> 사람들은 모두 내가 내 작업의 과학적 특성을 지지하고 일차적으로 정신질환 치료에 관심을 두고 있다고 생각한다. 이는 몇 년 동안 끈질기게 따라붙은 끔찍한 오해이지만, 내게 그걸 바로 잡을 능력은 없었다. 나는 천성적으로 타고난 과학자가 아니라 필요에 의한 과학자이다. 진정한 내 본질은 예술가이다.

힐먼은 이렇게 말한다.

> 정신분석은 "포이에시스"의 영역에 속하는 상상적인 말하기 작업이다. 포이에시스는 단순히 "만드는 것"을 뜻하는데, 나는 여기서 그 말을 상상을 말로 풀어낸다는 의미로 사용한다.
>
> (Hillman 1983: 4)

나는 힐먼의 이론에서 한 걸음 더 나아가 연극치료는 "미메시스"와 "포이에시스"의 영역에 있다고 주장한다. 상상력으로 행동과 말을 만든다는 뜻이다. 연극치료는 상상으로부터 극적 행동을 창조한다. 행동은 체현되고, 음성으로 표현되며, 이미지로 투사되고, 또 극화된다(곧 연극치료의 발달 단계: 체현-투사-역할. 그림 6.1과 6.2는 연극치료 발달 단계의 기본적이고 확장된 형태를 보여 준다. Jennings 1987, 1990a, 1992b 참고).

연극치료 발달 단계		일반 발달
체현-투사-역할(EPR)		
EPR	(기본 – 모든 연령대)	0-5세
체현	움직임 체계	신체 놀이
	몸짓	감각 놀이
투사	조각상 만들기	투사 놀이
	그림 그리기와 색칠하기	
역할	연극 게임	극적 놀이
	역할 연기	
	즉흥극	

그림 6.1 연극치료 발달 단계. EPR에 관한 좀 더 자세한 분석과 표를 원한다면 제닝스 1993a 참고.

샤머니즘과 의식 드라마

"샤먼"이라는 용어가 지금에 와서는 훨씬 대중적으로 사용되고 있지만, 그것을 "접신"이나 "영매"와 같은 의미로 사용하는 경향이 있는 영국 인류학자들 사이에서는 여전히 불편하게 여겨진다. 그러나 미국에서는 샤먼과 샤머니즘이 문화 인류학 연구에서 보다 광범위하게 다루어지고 있다(Lewis 1986). 많은 인류학자들이 하늘이나 지하 세계로 신비한 여행을

연극치료 발달 단계

EPR(축소된 형태와 확장된 형태)

	축소 규모	현실 규모
체현	손가락 놀이 신체 부위/노래 게임	신체화 춤
투사	작은 조각상 "작은 세상"	신체와 의자 조각상 그림 그리기
역할	인형 놀이 이야기	역할 연기 극화 즉흥극

* 축소된 형태와 확장된 형태의 특징은 상징적이고 의식적인 과정의 일부이다. 그것들은 또한 드라마와 연극치료 과정의 일부이기도 하다.

그림 6.2 연극치료 발달 단계, 축소되고 확장된 형태

떠나는 샤먼과 귀신 들린 상태에서 치유 과정을 안내하는 영계-안내자를 구별하려고 애써 왔다. 무아경의 특성과 샤머니즘 자체가 무아경 상태를 내포하는지에 관련된 자료는 매우 방대하다. 인류학자들은 다양한 샤머니즘적 "제식"을 관찰자의 인식에 따라 임의로 변형된 범주를 가지고 구분하는 데 힘을 쏟아왔다. 루이스(1986)는 샤머니즘과 접신 의식보다는 마술과 주술에 관한 역학적 연구가 훨씬 더 많다는 점을 들어 학자들의 관심이 사회학적 분석을 무시하면서까지 샤먼의 사회적 역할에 집중되고 있음을 지적한다.

> 분석적 강조점의 이러한 충격적인 차이는 부분적으로 접신의 극적 양상이 너무나 흥미로운 나머지 연구자의 관심을 단번에 사로잡아 귀신에 의해 매개자로 선택되기에 가장 쉬운 사람이나 그 유형에 대한 세밀한 검증에 흥미를 잃게 된 저간의 사정에 기인함이 틀림없다.
>
> (Lewis 1986: 25-6)

나는 다른 곳에서(Jennings 1992b) 일상 현실과 극적 현실을 강조하는 연극치료의 샤머니즘적 모델에 대한 생각을 펼쳐 놓았다. 거기서 연극치료사의 역할은 하나의 현실에서 다른 현실로, 그리고 다시 본래 현실로의 "이동" 혹은 통행을 돕는 데 있다. 나는 일정 정도의 무아경은 항상 존재한다고 생각한다. 그것은 경미한 몰입이나 참여 혹은 일상 현실과 극적 현실이라는 두 극단 사이 어딘가에서 경험되는 변화된 의식 상태일 수 있다.

그러나 연극에서 인물과 역할의 본질에 대한 논쟁이 있듯이, 인류학에도 "접신"과 "신비한 여행"과 관련한 논쟁이 있다는 사실은 매우 흥미롭다. 특정한 역할이 자기를 점령하도록 허락하는가, 아니면 개인이 역할로 들어가는가? 역할이 내게 들어오는가, 아니면 내가 역할로 들어가는가? 만일 "역할"이 내게 적합하지 않다면 어떤 일이 벌어지는가? 역할로 들어갔다가 다시 나오는 게 가능한가? 이는 물론 역사적으로 의사들이 정신질환이 있는 사람들이 드라마를 하는 것은 매우 위험하다고 비판하기 위해 사용한 질문들이다. 그레인저(Grainger 1990: 92)는 연극치료의 경험이 실제로 사고思考 장애 환자들에게 좀 더 체계적인 사고를 계발하는 기회를 제공하며, 환자들이 드라마를 하기 전보다 더 "미치지" 않음을 적절하게 증명하였다. 하지만 여전히 우리는 연극치료의 실제와 이론을 떠받쳐야 할 엄정함을 충분히 확보하지 못하고 있다.

> 그러므로 앞서 말했듯이 상당한 저작이 무아경 상태의 심리학적 위상과 샤머니즘적 치유 의식이 얼마만큼 진정한 치료적 가치를 지니는가에 대한

논의에 집중되어 있다.

(Lewis 1986: 26)

어떤 사람들은 연극치료와 인물 혹은 역할로 들어가는 것은 언제나 "좋은 것"이며, 그러한 경험은 틀림없이 치료적이라고 전제하는 경향이 있다. 연극치료와 샤머니즘은 완벽하게 검증되지 않은 그러한 선입견을 충족시킬 수 있다는 점에서 닮았다. 특정한 종류의 드라마가 어떻게 해서 치료적이며, 어떤 역할이 어떤 점에서 도움이 되는가를 대체 왜 물어야 하는지 회의하는 태도가 그러한 예이다.

로버트 랜디(1993)는 역할 분류 체계(이 책 5장 참고)를 만들기 위해 500편의 희곡과 거기 나오는 인물을 분석하여 역할의 특성에 대한 이해에 실질적으로 기여하였다. 그리고 거시(Gersie 1991)는 치료에 활용할 신화나 이야기를 선택할 때 자기가 주의 깊게 보는 사항들을 정리하였다.

그러나 이 이야기들 중 상당수가 불멸성보다는 위험을 말하며, 삶과 죽음이 화해할 수 없다는 불안감을 느끼게 하는 이야기도 있다. 생명은 우리 모두를 관통하는 단 하나의 원천이자 위대한 "있음(有)"이다. 그것은 우리의 세포를 바꾸고 심장을 뛰게 하며 호흡을 자극한다. 죽음은 매우 구체적이며 아주 대단한 "없음(無)"이다. 삶이 존재와 연결된다면, 죽음은 돌이킬 수 없는 부재와 등치된다. 그래서 우리는 삶 혹은 존재 그리고 죽음 혹은 부재가 서로 배제하며, 서로에게 속하지 않는 과정이라 결론짓고 싶은 유혹에 빠지기 쉽다. 이 명백한 대립이 삶과 죽음의 순차성과 조합될 때 우리는 삶과 죽음이 본디 서로 연결된 거라 말하고 싶은 소망을 느끼게 된다.

(Gersie 1991: 55)

라하드(Lahad 1992)는 동화 접근법Fairy Story Method(이 책 10장 참고)을 활용하여 참여자의 문제나 "약점"에 초점을 맞추기보다 그 강점을 찾아냄으로써 참여자의 자율성을 강화한다. 나는 작업을 하면서 일반적인 인간 발달 과정과 평행하게 일어나는 극적 발달 단계를 사용하게 되었다. EPR의 세 단계는 연극치료적 개입의 틀이자 바탕으로서 그 안전성과 유용함을 입증 받아 왔다. 참여자들은 그 틀에 힘입어 움직임과 목소리의 예술적 기량을 확장하고 상상력을 키우며 탐험하고 싶은 장면과 시나리오와 이야기를 선택할 수 있다. 그 과정에서 연극치료사는 사람들이 더 나아가길 원할 때까지 무대의 옆막[무대 좌우 측면에 설치되는 막으로 무대 공간의 조화를 도모하고 측면의 불필요한 부분 노출을 막는 데 쓰인다: 옮긴이] 뒤 혹은 극적 문지방에서 기다릴 수 있는 안내자/연출자이다.

사람들이 예술적 기술을 습득함으로써 자율성을 크게 발달시킨다는 점에서 안전장치가 존재한다. 연극치료를 경험한 참여자들은 한층 자신감이 느껴지고, 몸과 마음이 보다 통일성 있고 섬세하게 움직여지며, 자기를 좀 더 좋아하게 된다고 보고한다. 요컨대 예술적 기술은 사람들이 자기 세계를 확장하고 그 세계를 어떻게 탐험할 것인가를 선택할 수 있게 해준다.

연극치료사는 주어진 순간에 어떤 재료를 선택할 것인지 항상 질문해야 한다. 물론 직관적 결정이 적절할 수 있다. 그러나 그렇지 않을 수도 있다는 사실과 함께 그런 경우에는 집단의 욕구에 대한 반응을 재조정할 필요가 있음을 명심해야 한다.

이를 전제로 이제 체현-투사-역할의 패러다임은 내가 치유의 의식 연극이라 이름 붙인 "현실보다 큰 드라마"에서도 활용될 수 있음을 제안하려 한다(그림 6.3과 6.4 참고). 여기서는 치유의 연극의 바탕이 되는 앙토낭 아르토의 주요 개념과 그것이 어떻게 EPR에 의해 구조화될 수 있는가를 보이고자 한다. 그리고 이 맥락에서 가급적 "샤머니즘적"이라는 용어를 쓰지 않으려 한다. 그것이 명료함을 방해하고 오히려 혼란을 더한다고 느끼기 때문이다. 나는 솔직히 말해 다른 문화권에서 가져온 주제나 인위적 구조를 야단스레 떠벌리면서 우리에게 강요하는 행태에 대해 반감을 갖

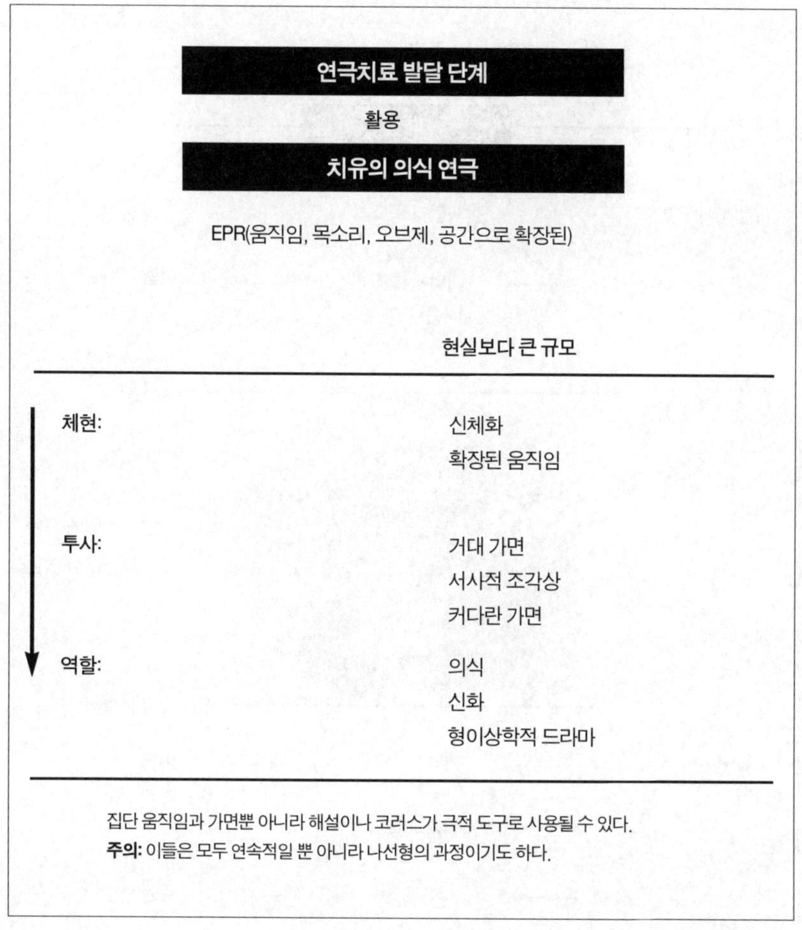

그림 6.3 치유의 연극에 활용된 연극치료 발달 단계

고 있다. 나는 연극치료와 샤먼적 전통 사이에 유사성이 있음을 보지만, 그럼에도 불구하고 연극치료사를 현대의 샤먼이라 생각하지는 않는다. 연극치료사는 필요한 사람들에게 "연극의 치유 모델"을 적용하는 임상 훈련을 받은 연극 예술가일 뿐이다.

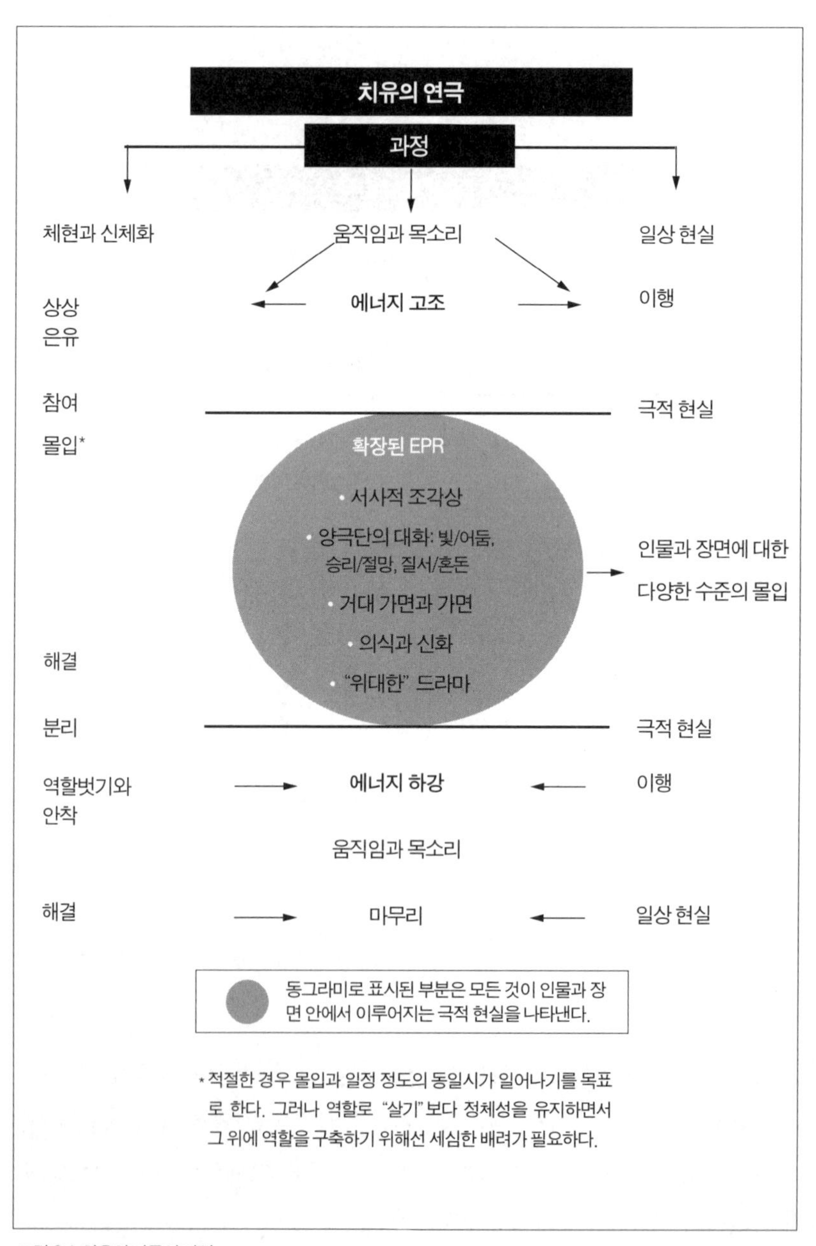

그림 6.4 치유의 연극의 과정

앙토낭 아르토의 기여

앙토낭 아르토는 연극 예술에 대한 이해와 실제에 근본적인 충격을 던져 주었다. 수년 동안 그는 숭배의 대상이자 "아방가르드"의 상징으로 군림해 왔다. 그것은 특히 그가 정신병원에서 보낸 시간들 때문이기도 했다. 피터 브룩은 그를 일러 예언자라 하고, 어떤 이들은 안내자로 추앙하기도 한다. 아르토는 서구 연극이 전통을 깊게 파고듦으로써 그 원형을 재발견하여 "최초의 극적 언어"를 구축하기를 원했고, 그래서 다른 사회의 제의를 서구 연극에 이식하기보다 자기 것을 재발견할 필요가 있음을 강조했다. 그럼에도 불구하고 그는 발리의 연극과 멕시코 여행에서 영향을 받았고, 그 이미지와 과정을 새로운 연극 형식에 옮기려 노력했다. 그는 카타르시스에 관한 독특한 생각들뿐 아니라 "잔혹 연극," "부조리(혹은 그로테스크) 연극," 그리고 "연극과 그 분신"이라는 개념으로 기억된다. 이들 개념은 모두 연결되어 있고 극적 종합을 시도한 아르토를 잘 드러내기 때문에, 형이상학적 연극치료에 대한 이해의 일부로서 그 주된 내용을 요약하고자 한다.

잔혹 연극

> 신성하고 결정적인 것으로 믿어지는 텍스트에 귀를 기울이는 대신, 우리는 먼저 텍스트에 대한 종속을 깨뜨리고 몸짓과 생각 사이 어딘가에 있는 고유한 언어를 재발견해야 한다.
>
> (Artaud 1970: 68)

아르토는 1935년 멕시코의 의식 연극을 찾아 여행을 했다. 잔혹 연극은 "태양의 드라마"에 대한 생각에서 나왔다. 그것은 행동, 반란, 자기 확신,

위로 향하는 에너지로 특징지워지며, 몇 가지 형식을 취하지만, 궁극적으로 과감한 저항이나 잔혹한 몸짓을 필요로 한다. 아르토는 그 "잔혹성"이 형이상학적인 개념이지, 심리적이거나 사회적인 의미가 아님을 분명히 했다. 그것은 신들에 맞서는 형이상학적인 저항을 뜻했다. 멕시코의 페요테 희생 제의는 피, 태양, 깃털 달린 뱀, 독수리와 불의 상징들로써 그가 제안한 새로운 형식의 연극을 예증해 보여 주었다. 새로운 형식을 위해 아르토는 새로운 소리와 몸짓 그리고 현실보다 큰 거대 인형을 사용한 무대에서 재앙을 보여 주기를 원했다. 그는 "잔혹성"이 가학이 아니라 위험스런 느낌을 불러일으키는 거친 몸짓 그리고 결정적인 움직임임을 강조했다.

또한 아르토는 "잔혹 연극," 특히 페스트와 같은 엄청난 재난의 재현을 통해 카타르시스를 성취할 수 있다고 생각했다. 그는 아리스토텔레스와는 달리 비극뿐 아니라 희극의 중요성도 인식했으며, 사람들을 놀라게 할 필요가 있다고 역설했다. 아리스토텔레스는 『시학』에서 이렇게 말했다. "희극의 가면은 추하고 왜곡되어 있지만 고통을 담고 있지는 않다."

부조리(혹은 그로테스크) 연극

멕시코 제의에 영향을 받은 "태양의 드라마"가 구세주적인 행동과 파도처럼 밀려오는 에너지로 요약된다면, 부조리 혹은 그로테스크 연극으로 발전된 "달의 드라마"는 동양의 연극에서 영향 받은 바 크다. 특히 그는 1931년 파리에서 본 발리의 무용극에 깊은 인상을 받았다. 그리고 그보다 앞서 뷔흐너와 자리와 아폴리네르의 아이디어뿐 아니라 캄보디아 연극을 접하기도 했다(Sellin 1968). 달의 드라마는 신들의 몰락 이후에 발생하며, 희망 없음, 패배, 기다림, 염세주의자의 승리에 대한 궁극적 신념을 특징으로 한다.

그들의 몸짓은 나무로 된 텅 빈 드럼의 리듬에 너무나 정확하게 맞아떨어지면서 그것을 강조하고, 확신에 넘치는 도약으로 그것을 휘어잡고 있었다. 그 절정에서 음악이 무용수들의 텅 빈 사지를 채운 공허를 강조하는 듯 보인다.

층을 이룬, 여자들의 달의 눈.

그 꿈같은 눈은 마치 우리를 빨아들이는 듯하며, 그 앞에서 우리는 영혼으로서의 자기를 본다.

(Artaud 1970: 48)

연극과 그 분신

분신의 개념은 아르토의 생각과 글 전반에 스며 있다. 그는 연극이 삶의 그림자이며 삶은 연극의 분신이라고 믿었고, 작품에서도 자주 양극의 통일과 반영 그리고 거울을 끌어다 썼다. 또한 태양과 달의 드라마의 관계 역시 그림자와 양극을 화해시키려는 노력이라 할 수 있다.

만일 연극이 삶의 분신이라면 그리고 삶이 진정한 연극의 분신이라면… 이 제목은 내가 수년에 걸쳐 발견했다고 생각하는 연극의 모든 분신에 상응할 것이다. 형이상학, 페스트, 잔혹성.

(Artaud 1964: 272-3)

텍스트에 있는 말에 대한 집착 대신 몸짓과 소리를 통한 새로운 언어의 발견은 아르토에게서 일관되게 나타나는 주제이다.

연극을 할 때 마법과 주술의 견지에서 무대화의 기술을 고려해야 한다는

> 말은 텍스트와 거기 적힌 신체적 그림자의 투사물을 반영하는 것이 아니라, 몸짓과 말과 소리와 음악과 그 조합에서 추출할 수 있는 객관적인 결과물 일체를 강렬하게 투사해야 한다는 뜻이다.
>
> (Artaud 1964: 88)

그는 새로운 진실을 발견하기 위해서는 자기 안으로 뛰어들어야 한다고 말하는 한편, 발리 연극의 자세와 같이 외부로부터 형식을 구축할 수도 있다고 말했다.

> 나는 연극이 기본적인 주술적 아이디어로 돌아가기를 제안한다. 이는 궁극적으로 회복하고자 하는 상태에 어울리는 외부적 태도를 갖게 함으로써 환자를 치료하는 현대 정신분석에서 힌트를 얻은 것이다.
>
> (Artaud 1964: 96)

아르토는 새로운 형식, 특히 소리와 몸짓과 공간과 차원의 새로운 활용에 몰두한다. 그는 연극이 변형과 화해와 심지어 "성화聖化"의 능력을 가졌다고 생각한다. 그러나 그의 음적인lunar 측면은 또한 대립물 혹은 그림자의 화해 불가능성을 숙명으로 받아들이기도 한다.

한 인간으로서 아르토, 그리고 정신 분열과 입원으로 이어진 그의 흔치 않은 여정에 매혹되기는 쉽지만, 여기서는 그가 제시한 개념들을 "치유의 연극"과 관련지어 이해하는 것이 중요하다. 아르토에게서 영감을 얻은 의식적 연극치료, 곧 현실보다 큰 "치유의 연극"은 다음 네 가지를 원칙으로 한다. 첫째, 소리와 움직임을 통한 새로운 언어의 추구, 둘째, 현실보다 큰 이미지와 거대 인형의 사용, 셋째, 대립물의 대화와 화해, 넷째, 승리와 절망, 질서와 혼돈, 그리고 결국에 가서는 형이상학의 통합을 통한 해결.

소리와 움직임을 통한 새로운 언어의 추구

다른 예술가들과 마찬가지로 연극 예술가 또한 표현하기 힘든 것을 표현하기 위해 끊임없이 새로운 "언어"를 추구한다. 대부분의 심리 치료와 정신분석은 기존의 언어, 특히 말에 의존한다. 그러나 몸과 목소리에 대한 집중적인 작업을 통해 완전히 새로운 소통 수단을 찾아낼 수도 있다. 수동적이기보다 참여적인 "치유의 연극"을 원한다면 경험으로 들어갈 수 있는 기술이 요구된다. 몸과 목소리의 발달은 체현 단계에 속한다.

일단 이러한 기술을 훈련한 뒤에야 새로운 소통 양식을 찾고 실험할 수 있다. 그것이 발리 댄스든 마임이든 혹은 라반[루돌프 폰 라반은 헝가리 출생의 안무가이며, 인간의 모든 동작을 기록할 수 있는 기보법의 개발로 현대 무용 발달에 큰 영향을 미쳤다. 라바노테이션이라 불리는 그 방식은 세로로 세 줄의 직선을 그어 몸의 좌우와 중앙을 표시하고 동작의 형태뿐 아니라 방향과 속도까지 기록한다: 옮긴이]이나 알렉산더[19세기 말에 배우 출신인 F. M. 알렉산더에 의해 개발된 알렉산더 테크닉은 스트레스나 피로의 원인이 되는 불필요하고 비능률적인 동작 습관이나 고정 관념을 자각할 수 있게 도움으로써 조화롭고 균형 잡힌 자세와 움직임을 유도하는 일종의 재교육 방식이다: 옮긴이]나 요가든 움직임의 "체계"에는 여러 가지가 있으며, 그 형식이 즉흥을 할 수 있는 정도를 조절할 것이다. 다시 말해, 형식이 움직임의 형태와 패턴과 창조성의 한계를 지배한다는 뜻이다. 그러므로 움직임 교육에 좀 더 융통성 있는 접근 방식을 취한다면 적어도 두 가지 "체계"를 익혀 주된 체계와 부수적인 체계를 조합할 수 있다.

임상 사례: 정신병원 낮 병동에서의 연극치료 집단

부드럽게 스트레칭을 하고 몸을 흔들고 호흡에 집중하는 느린 움직임 "웜업"을 한 뒤에, 우리는 의식 워크숍을 위한 준비 단계로서 신체 부위를 과장하기로 했고, 그래서 먼저 각 부분에 초점을 맞추었다.

우선 몸 전체를 이완시키고 움직였다(무릎으로 기는 등). 그리고는 양팔과 다리로 넘어갔다. 팔꿈치에 초점을 맞추었을 때였다. 한 아주머니가 "내 팔꿈치를 봐요. 없어져요"라고 말했다. 그녀는 자기가 팔꿈치를 사라졌다 나타나게 할 수 있다는 사실에 열중하였고, 그것이 그녀가 처음으로 회기에 참여한 행동이었다. 언제나 그녀는 알아듣기 힘든 작은 소리로 혼잣말을 중얼거렸고, 그래도 절대 작업을 방해하지는 않았다!

우리는 없어지게 했다가 다시 나타나게 할 수 있는(가령 팔꿈치나 뒤꿈치처럼) 신체 부위들을 탐험하였다. 그리고 우리가 볼 수 없는(등이나 귀처럼) 부분과 사라지게 하기가 힘든 (코와 무릎 같은) 부분을 찾아보았다. 그러면서 신체를 움직이는 새로운 방식과 각 신체 부위가 시각적으로 또 움직임의 방식에서 어떻게 다른지를 탐험했다. 사람들은 여러 가지 아이디어를 냈고 나중에는 서로 다른 신체 부위가 만나는(팔꿈치와 무릎처럼) 짝-작업을 하게 되었다. 거기서 다시 전체 집단으로 범위를 넓혀 여러 부위가 모여 폭풍이 치는 바다, 가파른 절벽, 어두운 숲, 미로 등 다양한 "세상"을 창조하는 활동으로 이어갔다. 그 작업은 이미 신체적인 영역을 넘어 상상의 영역으로 이동하였고, 개인에서 짝으로 다시 전체 집단으로 일련의 단계를 거쳐 진행되었다.

다음 회기에는 호흡과 소리와 발성 훈련을 주제로 소리가 움직임을 동반하도록 활동을 배치했다. 폭풍이 치는 바다와 어두운 숲을 표현하는 음향 효과를 만든 다음, 두 모둠으로 나누어 — 움직임 집단과 소리 집단 — 실험을 하고 다시 역할을 바꾸었다. 그렇게 소리와 움직임 활동에서 극적 현실의 바탕이 마련되었다.

집단은 또 그 공간에서 어떤 사건이 일어날지 상상한 다음, 그중 몇 가지를 연결하기로 결정했다. 그래서 우리는 폭풍우 치는 바다에서 육지에 도착하여 어두운 숲으로 들어가 미로를 발견하고 그 한가운데서 보물을 찾게 되는 여정을 만들었다.

이는 미학적이고 형이상학적인 과정에서 길잡이가 되어 주는 "서사적 은유"(Jennings 1990)이다. 서사적 은유는 심리적이고 사회적인 진실을 잘 드러낼 수 있지만, 나는 분석을 위해 이러한 치유 과정의 진행을 멈추는 대신 그대로 "작동"되도록 놓아두기를 선호한다.

이 집단은 체현 기법 혹은 움직임과 발성의 기술로부터 상상적 행동으로 이동하여 그것을 움직임과 소리로써 창조해 나가는 과정을 보여 준다. 이는 구체적인 것에서 상징적인 것으로의 이동이고, 그러기까지 상당한 시간이 소요될 수 있다. 그러나 많은 사람들이 동일시할 수 있는 확실한 형태와 형식을 갖춘 구체적인 수준에 머무르기를 "선택"한다. 또 사람에 따라서는 구체적인 데서 옮겨갈 "능력이 없"을 수도 있으며, 그런 상황에서는 상징을 강제하지 않도록 한다. 실제로 "아무리 시베리아에 있다고 믿으려 해도 내가 연습실에 있다는 사실을 한 순간도 떨칠 수 없을 땐 정말이지 너무 힘들어요"라고 말한 사람도 있다.

현실보다 큰 이미지와 거대 인형

현실보다 큰 이미지라는 아이디어를 처음 접하게 해준 이는 인형극사인 존 필립스였다. 그는 세인트올번 스쿨에서 폐품을 이용해 인형을 공동 제작하는 수업을 했다. 학생들은 여러 모둠으로 나뉘어 줄, 상자, 대나무 막대, 신문 등 못 쓰는 물건을 가지고 이미지를 창조했고, 그 과정은 학생들이 하나의 결과물을 만들어 낸다는 점에서 그 자체로 사회적인 기술 훈련이 되었다. "이미지" 혹은 인형은 팔다리가 움직이거나 입을 벌릴 수 있도록 "작동"되어야 했고, 안에 적어도 두 사람 이상이 들어갈 수 있을 만큼 커야 했다. 인형을 완성한 다음에는 즉흥극을 하면서 여러 가지 이미지를 하나의 "이야기"로 엮어 넣었다. 처음에 나는 그런 작업 방식이 왜 중요한지를 확신하지 못했다. 그러나 한 회기를 해보고 나자, 학생들이 이미지에 얼마나 강렬하게 동일시하는지 그리고 그 이미지를 통해 이야기를 투사하는 데 얼마나 거대한 창조적 에너지가 요구되는지를 실감할 수 있었다. 그래서 그 작업은 가면이나 좀 더 작은 개인적인 인형 작업을 하기 전에 내가 즐겨 사용하는 방식이 되었다. 이런 인형을 만드는 데 전문적인 기술이 필요하다는 사실은 아무리 강조해도 지나치지 않다. "현실보다 큰" 이미지를 하고 나면, 학생들과 참여자들 모두 "현실 크기"의 인형 작업에서 좀 더 창조적이고 모험적인 태도를 보여 준다.

임상 사례

교육 받는 학생들로 이루어진 한 집단이 정신 장애가 심한 참여자를 대상으로 한 워크숍 프레젠테이션을 위해 안드로클레스와 사자의 이야기[아티카 야화에 실린 이야기 중 하나이다. 노예인 안드로클레스가 주인에게서 도망쳐 외진 굴에 살던 중에 앞발에 상처를 입은 사자를 만나 치료해 주는데, 나중에 그가 체포되어 원형 경기장에 끌려 나갔을 때 바로 그 사자를 만나게 되고 그 덕에 목숨을 건진다는 내용이다. 후에 버나드 쇼가 이 이야기를 극화하기도 했다: 옮긴이]를 사용했다. 학생들은 그 이야기를 먼저 일련의 "서사적 조각상"으로 만들었다.

부유한 가족,
가난한 가족,
비난,
감옥,
도망,
사막의 밤,
상처 입은 사자,
군인들에게 잡힘,
사자 우리와 결말.

해설자가 들려주는 이야기에 맞춰 학생들은 "현실보다 큰" 조각상을 만들어 보여 주었다. 아홉 개의 이미지는 이야기의 주요 "행동 단위"를 나타낸다. 이야기에 나오는 인물마다 그 "단위"에 영향을 미칠 수 있는 서로 다른 "동기"를 가질 수 있다는 점에 동의했다(이를 좀 더 정교하게 분석하려면 Jennings 1993 참고).

그런 다음 부유한 가족, 가난한 가족, 사자와 군인들로 세 집단을 구성했다. 이때 참여자들은 집단에 합류하거나 집단을 지켜보면서 아이디어를 제공하였다.

부유한 가족은 비 오듯 쏟아지는 선물과 지나친 관대함에 압도되어 망가진 이미지를 만들었다.

가난한 가족의 이미지는 도박에 빠진 남편과 희망을 잃은 아내를 보여주었고, 그들은 씨 뿌리고 괭이질하고 물을 주는 농경 행위를 의식으로 표현했다.

사자는 앞발을 들고 포효하고 나서는 발에 박힌 가시를 가만히 어루만지는 모습을 보여 주었다.

군인들은 행진하고 훈련하는 모습을 보여 주었다. (여기서 내가 "역할 안"에 들어갈 수 있었고, 하사관에게 집단을 정돈해 보라고 하자 신속하게 해냈다!)

그런 다음 학생들은 사자와 군인들과 안드로클레스를 커다란 "폐품 가면"으로 만들어 "현실보다 큰" 움직임, 몸짓, 자세, 소리를 사용하여 아홉 개의 조각상을 극화하면서 이야기를 새롭게 보여 주었다. 그리하여 참여자들은 그 드라마에 (1) 조각상을 곁들인 서술적인 이야기 (2) 인물들의 워크숍 (3) 이미지-드라마의 관객으로서 참여할 수 있었다.

이상은 장애가 상당히 심한 집단에 사용된 구조라는 점을 상기할 필요가 있다. 그 과정을 그림 6-4에 따라 다시 보면, 웜업으로 기능한 조각상 이야기에서 "참여"가 일어났고, "극적 현실"로의 몰입은 인물들의 워크숍에서 나타났다. 그리고 참여자 집단이 지켜보는 가운데 학생들이 공연을 할 때 일상 현실로의 회귀와 거리두기가 일어났다. 또한 그 경험은 관객들이 이야기를 브레히트적인 정치 연극으로 발전시켜 보면 어떨까 하는 아이디어를 포함하여 학생들에게 다양한 피드백을 주는 과정을 통해 최종적으로 "안착"되었다.

나는 이것이 아마도 이 집단이 연극치료 과정에 참여하는 유일한 방식이 아닐까 생각한다. 상처에 지나치게 민감한 나머지 드라마 작업이 오히려 연약한 방어 기제를 더욱 위축시킬 수 있기 때문이다. 이 같은 상황에서 "현실보다 큰" 접근법을 위한 원리를 정리하면 다음과 같다. 첫째, 조각상의 신체화는 일차적인 차원(체현)에서 소통한다. 두 번째, 인물 워크숍은 선택의 기회와 해결책을 제공한다(투사와 역할). (드라마의 대부분은 체현되고, 역할은 학생들에게 투사되거나 역할로서 발달되지만 여전히 체현으로 지속된다.) 이에 덧붙여 가면은 극적 거리를 허락함으로써 참여자의 참여와 연약한 방어 기제를 강화한다.

드라마는 사람들을 강화하고 고양시킬 수 있으며 동시에 사람들이 그 한계를 넘어서게 할 수 있다는 점을 기억하자. 아르토가 제안하듯이, 현실보다 큰 거대 인형은 새로운 소통 방식을 창조할 수 있다. 나는 앞의 이야기가 "태양의 드라마"의 범주에 들어갈 수 있다고 본다. 그것은 집단 안에서 보다 위대한 소통을 이끌어내고, 또 전에는 한 번도 해본 적이 없는 사람들이 드라마 과정에 참여할 수 있게 하는 촉진적 효과를 냈다. 그러나 학생 집단이 의식의 형태를 유지하고, 그것이 "현실 규모"나 개인적인 차원으로 옮겨가지 않도록 잘 조절했다는 점을 간과해선 안 될 것이다.

대립물의 대화와 화해

우리가 치료사로서 만나는 사람들은 대부분 자기가 극단적인 상황에 놓여 있다고 생각한다. 가령 "철저하게 나쁘"거나 "완전히 미쳤"거나 혹은 "전혀 가망이 없"거나 "처음부터 끝까지 뒤죽박죽"이라고 인식하는 식이다. 병원에서라면 그런 경우에 정신 질환이나 인성 장애나 신경증 진단을 내릴 것이다. 그렇지만 나는 진단명이 없는 교도소에서도 그와 유사한 자기-이미지를 흔히 본다.

대립물은 극적 이미지와 은유를 빌어 반대 극과 대화의 장에서 만날 필요가 있다. 모든 주요 신화와 드라마는 그러한 대립되는 양극 위에 구축된다. 선/악, 빛/어둠, 천국/지옥, 태양/달. 대립하는 양극은 흔히 동일자의 서로 다른 양상이기보다 상호 배타적인 것으로 간주된다. 일례로 "선한" 삶은 도무지 즐길 수가 없다고 주장한 재소자 집단이 있었다. 그들은 공간 가운데 벽을 세워 "선한 쪽"과 "악한 쪽"을 나누고는, 그 장벽을 넘기란 절대 불가능하다고 말했다. 선하고 밝은 측면을 조각상으로 만든 후에는 "착한 건 지루해"라거나 "착한 건 우울해," "착한 건 기대를 뜻해" 등의 반응을 보였다. 그에 반해 나쁘고 어두운 부분에 대해서는 흥미롭고 반짝거리고(어두운 측면의 빛이라니!) 자극적이고 모험적이라고 반응했다. "악한 것은 크다."

그 다음에는 선함과 악함의 전형적인 장면을 과장되게 만들었다. 그리고 각 입장에서 현실보다 큰 표현을 만들기 위해 어떤 소리와 자세를 동원해야 하는지를 찾았다. 그때 두 사람이 가운데서 양 측면의 설득하는 목소리에 귀를 기울여 보고 싶다고 했다. 나쁜/어두운 쪽은 사람들이 원하는 모든 것과 흥미진진함의 비밀을 갖고 있으며, 온갖 신비와 모험이 기다리고 있다고 유혹했다. 착하고/밝은 쪽은 진부하고 수세적인 말밖에 하지 못했다. "우린 당신을 돌볼 거야," "여긴 따뜻해," "당신 자리를 남겨둘게," "우린 당신을 비난하고 싶지 않아."

참여자들이 빛과 어둠의 거대 가면을 만들어 변형의 아이디어를 가지고 씨름하기까지는 아직 예술적 진정성을 향한 접근이 가능하지 않았다. 나는 여기서 "현실"이라는 말 대신 "예술적 진정성"이라는 말을 쓴다. 왜냐하면 우리는 일상 현실이 아닌 극적 현실에 속하는 "현실보다 큰 영역"에 있기 때문이다. 진정성은 전형적인 가정과 진부한 반응에서 변화하고 움직여 나아갈 수 있게 해준다. 엘리자베스 리스는 "만일 당신이 천국을 창조하려 한다면 지루한 건 금물이오!"라고 말한다(Rees 1992: 152).

거대 가면을 쓰고서 빛과 어둠에 고유한 "위험," 곧 가만히 서 있는 것의 위험과 변화의 위험을 표현했을 때, 비로소 매우 의미 있는 진전이 일어났다. 그들은 새로운 대립물을 끌어들여, 빛의 측면은 따뜻하고 어두운 측면은 차갑다는 두 겹의 명제를 탐험하기 시작했다.

승리와 절망, 질서와 혼돈

나는 이 두 가지 대립 항을 주제로 선택했다. 이는 아르토의 작업에서뿐 아니라 참여자와 학생 집단의 드라마에서도 지속적으로 나타난다. 승리와 절망은 태양과 달의 드라마의 지배적 상징이며, 그것을 극단까지 몰고 가면 조증과 우울증 환자의 침울함이 된다.

의례와 의식은 흔히 우리가 승리를 축하하거나 절망을 인식할 수 있는 수단이다. 이 장을 시작하면서 언급했듯이, 의식은 우리에게 영향을 주는 일련의 공통된 상징으로써 수행된 행동이다. 의식과 의례라는 안내판이 없다면 많은 사람들이 길을 잃게 된다는 사실이 놀랍지 않은가?

안드로클레스와 사자 이야기의 시작 부분에서, 학생들은 비난받는 안드로클레스라는 제목으로 그가 바닥에 엎드려 있는 달의 조각상을 만들었다. 우리는 다양한 몸짓들 — 팔을 밖으로 뻗어 손가락으로 누군가를 가리키는 — 과 함께 높이에 변화를 주면서 "비난"의 아이디어를 가지고 실험했다. 그 결과 안드로클레스를 향해 네 사람이 각기 다른 높이에서 비난의 몸짓을 할 때 가장 강력한 이미지가 나타났다. 이는 "밖에서 안으로 작업하기"의 보기이며, 그런 식으로 우리는 외적인 몸짓과 자세를 가지고 그것이 "타당하게 보이고 느껴질 때"까지 실험을 반복했다. 우리 모두 이 조각상이 집단에게 가장 영향력 있는 조각상임을 확신했고, 실제로 조각상 이야기를 하는 동안 이 이미지를 제시했을 때 전율의 순간이 있었다.

앞에서 언급한 재소자 집단이 만든 가면은 태양의 이미지와 달의 이미지의 흥미로운 조합이었다. 그것은 선/악과 빛/어둠의 주제를 따라 진행되었지만, 가면 속에서 드러난 것은 승리/절망과 질서/혼돈에 훨씬 가까웠다(그 가면의 실물을 보려면 Jennings and Minde 1993 참고).

한 가면은 반짝임, 약물, 술, 구멍 난 콘돔, "절정"과 "아찔한 재미"의 아이디어를 바탕으로 한 공허한 승리였다. 동굴처럼 크게 벌려진 입에 돈으로 만든 이가 붙어 있었고, 전체적으로는 절망의 느낌을 주었다. 또 다른 가면은 온통 검은 칠에("희망의 빛"인 한 군데 노란 색을 제외하고) "악함의 종기"와 "드러누운 코"를 가진 절망의 가면에 가까웠으며, 그 가면을 만든 집단 역시 그렇게 인식했다. 세 번째 가면은 길을 잃고 혼란에 빠져 물음표를 달고 있었다. 그리고 양 측면의 위험을 담은 마지막 가면(앞에서 따뜻한/차가운으로 언급한)은 의기양양한 모습이었고, 움직임을 통해 한 상태에서 또 다른 상태로 옮겨가는 모험을 감행했다. 구멍 난 콘돔과 달리 그 위험은 자기와 관련된 개인적 위험이었다. 그리고 가면을 만든 사람들은 그것을 통해 다른 사람들뿐 아니라 자기 자신을 신뢰하는 법을 배워야 했다고 한결같이 고백했다.

> 그러므로 연극을 그 인간적이고 심리학적인 부복에서 구해 내기 위해서는 말과 몸짓과 표현적인 형이상학을 창조해야 한다. 그러나 그러한 노력의 배후에 범상치 않은 개념을 자극하는 진정한 형이상학적 유혹이 없다면 아무것도 소용이 없다. 왜냐하면 그것은 그 본질상 한정되거나 공식적으로 묘사될 수도 없기 때문이다. 창조와 성장과 혼돈에 관한 이 생각들은 모두 우주적 질서로서, 연극에 전혀 낯선 분야에 대한 최초의 아이디어를 제공한다. 그것들은 인간, 사회, 자연, 대상 사이에 가슴 떨리는 평형 상태를 창조할 수 있다.
>
> (Artaud 1970: 69)

형이상학의 통합을 통한 해결

사회적이거나 심리적인 것을 초월한, 인간에 대한 가학적 행동이나 잔혹

함이라기보다 신이나 우주적 질서에 대한 반항 혹은 반란으로서의 드라마라는 아르토의 아이디어를 다시 한 번 언급할 필요가 있다. 막대 가면/인형에서 시작해 머리에 쓰는 가면으로 끝난 가면의 행진(Jennings 1990 참고)에서, 우리는 거대 인형의 분리적 특성을 거쳐 온머리 가면이라는 "또 다른 얼굴"로 발전해 가는 과정을 볼 수 있다. 온머리 가면은 전적인 동일시를 유발하기 쉬우므로 함부로 사용해서는 안 된다. 나는 "현실보다 큰 드라마" 내에서 개인의 정체성을 온전하게 유지할 뿐 아니라 상호 작용할 수 있는 형식을 부여하기도 하는 커다란 가면과 거대 인형에 좀 더 흥미를 느낀다. 사람들은 거대 인형에 동일시할 수는 있지만, 그 정체성을 취하지는 않는다.

임상 사례

학생들은 나무 빗자루를 이용한 거대 인형을 가지고 〈리어왕〉을 만들기로 했다. 예를 들어, 리어왕의 거대 인형은 모자와 보석으로 정교하게 장식했지만, 글로스터의 경우는 간단하게 선글라스만을 끼웠다. 왕국의 분할은 희곡에서 뽑은 한 줄의 대사를 가지고 실험했다. 인물들은 짝을 지어 몸짓과 소리와 한 줄 대사를 통해 상황을 탐험하였다. 그리고 "리어왕의 부인"이 죽기 전, 그러니까 딸들이 아직 어릴 때의 리어 가족을 그리는 데 시간을 들였다. 그들은 왕비의 장례식 장면을 만들었고, 그 의식은 함께한 참여자 집단에게 매우 중요했다(Jennings 1992b와 근간 『셰익스피어의 치유의 연극』 참고). "그 이상은 할 수 없단 말이오?"라는 레어티즈의 호소[여동생 오필리어의 장례를 치르는 과정에서, 신부가 사인이 미심쩍다는 이유로 진혼가를 부르며 미사를 드리는 격식을 제대로 갖추지 않자 그에 항의하는 대사이다: 옮긴이]가 그 집단의 욕구를 반영해 주었다.

폭풍우 속 리어와 광대의 여행은 폭풍우 효과음을 배경으로 모든 거대 인형이 서로 부르고 울부짖는 장면이 되었다. 결말은 이야기를 태양의 드라마로 보는가 아니면 달의 드라마로 보는가에 따라 여러 형태가 있었다. 전체적으로는 드라마가 달의 특성을 갖고 있다는 합의에 도달했고, 그래서 리어가 치장을 벗고(거지 톰이 옷을 모두 벗기듯이) 모든 것을 빼앗기고 딸마저 잃은 뒤에 절망 가운데 서 있는 장면을 만들었다. 하지만 그 상황에서 그는 자기 한계 안에서 평화를 찾는다.

그 작업에 대한 반응의 일부를 소개하면 이렇다.

"리어의 폭풍은 내 인생에서의 폭풍을 만날 수 있게 해주었어요."

"리어를 연기하면서, 아기를 갖고 싶은 갈망을 조금이나마 표현할 수 있었어요. 리어가 빗자루로 만든 인형이라는 게 전혀 방해가 되지 않았어요."

"내 증오심은 너무나 커요. 그건 어디서 온 걸까요?"

"난 우리 아버지를 잘 알아요, 마지막 일 분까지 달래야만 하죠."

이 반응들은 다층적 경험이 의식 드라마를 통해 어떻게 신체적이고 형이상학적인 — 감정과 사고 — 통합을 유발할 수 있는지를 보여 준다. 이제는, 내가 앞서 제안한 바와 같이, 미메시스와 포이에시스를 통해 양극의 대립이나 분열보다는 그 연계와 소통을 추구하는 경향이 좀 더 보편화되고 있다.

치유의 연극에서 의식 드라마를 사용하는 것은 "합의에 이르거"나 "행위화"한다거나 "문제 해결"과 같이 단순히 기능적인 차원뿐 아니라 "마땅하게 느끼는 것," 다시 말해 특정한 극적 형식이 그를 위한 최선의 방식임을 느끼고 또 그러한 것으로서 인식되는 것이다.

파킨은 그의 에세이 「이성, 감정 그리고 권력의 체현」에서 다음과 같이 말한다.

> 그러므로 정서는 기능적 적합성뿐 아니라 미학에 기여한다… 그렇게 만족스런 많은 이미지들은 몸의 사용과 관련된다. 마술사들은 흔히 양식적인 움직임과 몸짓을 통해 공연을 극적으로 고조시키곤 한다. 몸의 드라마와 감정은 서로 의존하며, 그와 동시에 만족스럽고도 합리적으로 간주되는 행동과 결정과 제안을 이끌어낸다.
>
> (Parkin 1985: 142)

치유의 의식 연극

이 장에서 나는 의식이 치유 과정의 일부가 되는 여러 경로 중 몇 가지를 살펴보았다. 의식은 사전에 충분히 고려하고 예상한 뒤에 활용되어야 한다. 나는 의식을 활용할 때 "샤먼적" 접근이 반드시 도움이 되지는 않는다는 사실과 함께 이런 유형의 개입을 계획할 때는 상당한 엄정함이 요구된다는 점을 명시하였다.

나는 잔혹 연극과 부조리 연극, 태양의 드라마와 달의 드라마, 분신까지 아르토의 주요 이론을 취하여 연극치료의 형이상학적 모델의 근간으로 발전시켰다. 그리고 거기에 몇 가지 단계, 특히 어떤 연극치료적 상황에서도 활용될 수 있는 EPR 패러다임을 제안하였다. 그것은 극적 현실 안에서 작업하는 데 필요한 몰입을 가능케 하고, 사람들의 경험을 확장하기에 적합한 기술을 습득하도록 도와준다.

나는 특히 개인의 힘과 정체성을 증강시키는 한편, 형이상학으로의 관문이 된다는 측면에서 현실보다 큰 가면과 거대 인형의 사용을 강조했다. 이러한 형식의 연극치료에서는 주로 "밖에서 안으로" 작업하게 된다. 외부로부터 움직임과 발성 기술이 먼저 구축되고, 그런 다음 그것이 내면세계에 영향을 미치게 된다는 논지이다. 움직임과 소리는 내면세계에 이를 수 있는 은유와 이미지를 창조한다(Cox and Theilgaard 1987 참고). 그것들은 연약한 내면을 보호하기 위해 우리가 둘러친 방어 체계를 넘어 들어온다.

나는 이 장에서 연극치료 전반과 특히 형이상학적인 치유의 연극이 갖는 생물학적 영향을 논하지 않았다. 그것은 장차 작업의 주제가 될 것이다. 그러나 "공연 예술가는 규약, 틀거리, 소통의 형이상학적 틀거리뿐 아니라 자기의 두뇌 상태를 가지고 영원히 유희한다"(Schechner 1990: 40)는 말을 현실로 이루어 가는 것은 얼마나 흥미진진한가! 나는 신체적이고 형이상학적인 것을 상호 연결하는 데서 한 발 더 나아가, 미적 경험이 반드시 포괄해야 하는 생물학적 기저로 반경을 넓혀 가기를 원한다.

이 연극치료 형식을 통해 가능한 통합을 인식하는 것 그리고 "예술적 진정성" 혹은 "미학적 적합성"을 치유 과정의 본질로 자리매김하는 것은 매우 중요하다. 치유의 연극은 기능적일 뿐 아니라 반드시 미적이어야 한다. 치유적 자산은 그것들이 한데 어우러질 때 비로소 모습을 드러낸다고 마음을 다해 상상한다.

참고 문헌

Artaud, A. (1964) *Oeuvres Completes IV-V*, Paris, Gallimard.

Artaud, A. (1970) *The Theatre and its Double*, London, John Calder.

Cox, M. and Theilgaard, A. (1987) *Mutative Metaphors in Psychotherapy*, London, Tavistock.

Gersie, A. (1991) *Storymaking in Bereavement: Drangons Fight in the Meadow*, London, Jessica Kingsley.

Grainger, R. (1990) *Drama and Healing: the Roots of Dramatherapy*, London, Jessica Kingsley.

Hillman, J. (1983) *Healing Fiction*, New York, Station Hill.

Jennings, S. (ed.) (1987) *Dramatherapy Theory and Practice 1*, London, Routledge.

Jennings, S. (1990) *Dramatherapy with Families, Groups and Individuals* (also trans, into Danish), London and New York, Jessica Kingsley.

Jennings, S. (ed.) (1992a) *Dramatherapy Theory and Practice 2*, London, Routledge.

Jennings, S. (1992b) "The nature and scope of dramatherapy: theatre of healing," in M. Cox (ed.) *Shakespeare Comes to Broadmoor*, London, Jessica Kingsley.

Jennings, S. (1993a) *Playtherapy with Children: a Practitioner's Guide*, Oxford, Blackwell Scientific.

Jennings, S. (1993b) "Shakespeare's theatre of healing," *Dramatherapy*.

Jennings, S. (1994) *Introduction to Dramatherapy*, London, Jessica Kingsley.

Jennings, S. (forthcoming) *Shakespeare's Theatre of Healing*, London, Jessica Kingsley.

Jennings, S. (forthcoming) *The Greek Theatre of Healing*, London, Jessica Kingsley.

Jennings, S. and Minde, A. (1993) *Dramatherapy and Art Therapy*, London, Jessica Kingsley.

Lahad, M. (1992) "Storymaking: an assessment method for coping with stress. Six-piece storymaking and the BASIC Ph," in S. Jennings (ed.) *Dramatherapy Theory and Practice 2*, London, Routledge.

Landy, R. (1992) "A taxonomy of roles: a blueprint for the possibilities of being," *The Arts in Psychotherapy*, 18(5), 419-31.

Landy, R. (1993) *Heroes and Fools, Victims and Survivors: a Study of Role in Theatre, Everyday Life and Therapy*, New York, Guilford Press.

Lewis, G. (1980) *Day of Shining Red*, Cambridge, Cambridge University Press.

Lewis, I. M. (1986) *Religion in Context: Cults and Charisma*, Cambridge, Cambridge University Press.

Parkin, D. (1985) "Reason, emotion and the embodiment of power," in J. Overing (ed.) *Reason and Morality*, ASA Monograph 24, London, Tavistock.

Rees, E. (1992) *Christian Symbols, Ancient Roots*, London, Jessica Kingsley.

Rycroft, C. (1985) *Psycho-analysis and Beyond*, London, Hogarth.

Schechner, R. (1990) "Magnitudes of performance," in Schechner, R. and Appel, W. (eds), *By Means of Performance*, Cambridge, Cambridge University Press.

Sellin, E. (1986) *The Dramatic Concepts of Antonin Artaud*, Chicago, IL, University of Chicago Press.

Turner, V. (1982) *From Ritual to Theatre*, New York, Performing Arts Journal Publishing.

Van Gennep, A. (1960) *The Rites of Passage*, London, Routledge & Kegan Paul.

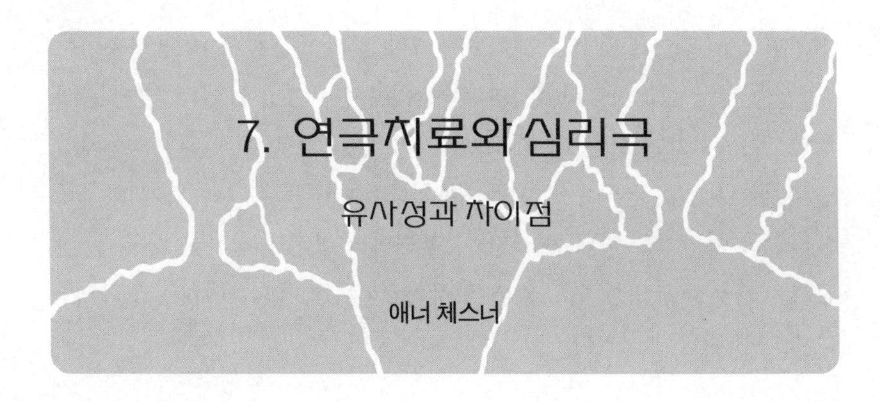

7. 연극치료와 심리극

유사성과 차이점

애너 체스너

개관

"연극치료와 심리극의 차이는 무엇일까?" 이것은 각 분야의 신참자들이 흔히 하는 질문이며, 실제로 그 둘은 자주 혼동되기도 한다. 연극치료와 심리극의 관계를 제대로 이해하기 위해서는 둘의 차이에 주목하기에 앞서 공통된 바탕이 존재함을 인식하는 것이 중요하다. 그것이야말로 그 둘이 빈번하게 혼동되는 이유이기도 하기 때문이다.

나는 먼저 드라마라는 공통의 기반에서 비롯된 큰 원칙의 측면에서 연극치료와 심리극의 유사성을 살펴보고자 한다. 그런 다음 가상의 회기를 보기로 들어 각 접근법의 원리와 패턴을 중심으로 실제에서의 차이를 좀 더 면밀하게 고찰할 것이다.

주요한 유사성과 차이를 명료화함에 있어 각 분야 내에서 일어나는 개인적 스타일과 치료적 방향성의 다양함을 합당하게 다룰 수는 없음을 밝힌다. 여기서는 불가피하게 일반화를 감행할 수밖에 없지만, 그 이면에는 아마도 예외가 있을 것이다.

나의 배경은 드라마에 있다. 연극치료사로 출발하여 그 교육 과정에서 심리극을 처음으로 경험했으며, 20년가량 흐른 지금은 심리극 연출자이자 집단 분석 심리치료사로서의 훈련을 마치는 과정에 있다. 집단 분석 심리 치료는 집단 환경 내에서 움직이지 않고 말로 수행된다는 점에서 연극치료나 심리극과 뚜렷하게 구분된다. 참여자들은 둥그렇게 의자에 둘러앉아 이야기를 한다. 하지만 이 접근법의 경험과 철학은 다른 두 접근법의 과정을 조명할 수도 있다. 연극치료와 심리극의 차이를 살펴볼 때 그에 대해 언급할 것이다.

유사성

드라마

연극치료와 심리극의 일차적인 공통점은 둘 다 드라마를 핵심으로 한다는 것이다. 영국연극치료사협회에서 채택한 연극치료의 정의는 다음과 같다.

> 연극치료는 증상 완화, 정서적이고 신체적인 통합, 개인적 성장이라는 치료적 목표를 성취하기 위해 드라마와 연극 과정 및 관련된 기법을 의도적으로 사용하는 것이다.
>
> (Barham 1992; 부록 1 참고)

심리극의 창시자인 J. L. 모레노는 그 접근법을 이렇게 표현한다. "극적 방식으로 '진실' 을 탐험하는 과학. 그것은 대인관계와 사적인 세계를 다룬다"(Moreno 1953, Holmes 1992: 6에서 인용). 연극치료나 심리극에 참여하는 사람은 경험을 현존케 하는 극적 언어를 기대할 수 있다.

드라마는 창조적인 예술 형식이며, 연극치료와 심리극 모두 예술적 형식으로써 치료 과정을 자극하고 거기에 형태를 부여한다. 치료사와 참여자는 치료에서 공유하는 문화적 자원과 내면의 창조적 자원을 사용한다. 건강한 상태에서 우리는 모두 창조적 존재이며, 창조적 행동이 온전해지는 과정에서 핵심을 이룬다는 메시지가 거기에 함축되어 있다.

드라마는 행위와 관련된다. 극적 세계는 행동의 세계로서 참여자들은 그 안에서 역할을 연기하면서 활동적이 된다. 이렇듯 두 방식은 참여자들을 행동하게 만들며, 그것이 프로이트의 작업에 기원을 둔 비행동적이고 언어적인 심리 치료와 가장 대조되는 지점이다.

드라마와 몸

행동을 통해 자기를 표현할 때 우리는 신체적 차원에서 움직인다. 신체적 움직임과 접촉은 매우 강력한 영향력을 지닌다. 신체와 감각, 정서와 정신적 상태는 근원적으로 연계되어 있다. 몸을 움직임으로써 정서적이고 내적인 세계에 보다 쉽게 접근하게 된다.

몸과 마음의 연계는 극적 역할을 좀 더 효율적으로 살아내기 위해 신체적이고 음성적인 유연성을 기르는 배우의 훈련에도 마찬가지로 적용된다. 그러한 훈련 없이는 표현의 범주가 일상적인 수준에 제한될 수밖에 없으며, 결국 어떤 역할을 맡아도 "자기를 연기"하는 데 그칠 뿐이다. 치료에서의 신체적 참여는 일상적인 자기를 보다 충분히 표현할 뿐 아니라 행동 속에서 새롭고 대안적인 역할을 입어볼 수 있는 기회를 의미하기도 한다.

몸은 무의식과도 연계를 맺고 있다. 정신분석가인 조이스 맥두걸은 『몸의 연극 *Theaters of the Body*』(McDougall 1989)이라는 제목의 책에서 그 연관성을 깊게 파고든다. 신체적 증상은 내적 고통, 곧 분석 과정에서 발견되는 고통의 역사적 기원을 드러내 보인다. 그와 비슷하게 심리극에서는 신체적 행동을 통해 그 증상을 현재의 문제를 이해할 수 있는 일련의 중요한 기억으로 통하는 통로로 삼아 극적으로 탐험하기도 한다. 연극치료와 심리극에서 공히 경험의 신체성은 정서와 무의식을 치료적 무대로 이끌어낸다.

연극과 치료에서 공간의 사용

치료적 공간은 몇 가지 측면에서 연극 무대와 상응한다.[1] 그것은 환영과 놀이가 수용될 수 있는 공간이며, 행동으로써 삼차원적으로 표현할 수 있는 공간이다. 극장에 갈 때 우리는 무대 위에서 벌어지는 행동이 거리나 극장 로비에서 일어나는 행동과는 다른 종류의 현실임을 받아들인다. 콜러리지는 이 과정을 "불신의 자발적 중지"라는 말로 표현했다. 배우와 관객이 함께 놀이에 합의하는 것이다. 플레이play라는 단어는 희곡과 공연뿐 아니라 아이들의 전형적인 레크리에이션 활동을 지칭한다. 조명이 어두워지면서 공연이 시작되면 관객은 아이들이 "옛날 옛날에…"나 "이제부터 …가 되어 보자"라는 말을 들을 때처럼 불신의 중지로의 초대를 받아들인다. 치료 과정에서 참여자는 기억과 환상과 신화의 세계를 치료적 무대로 가져오게 된다. 연극치료 작업을 하건 심리극을 하건, 치료적이고 극적인 공간의 안전함 속에서 행동하도록 초대받으며, 그 환영과 놀이의 맥락에서는 보다 자유로운 탐험과 표현이 허용된다.

연극 무대와 심리극적이거나 연극치료적인 공간이 만들어 내는 현실의 특성은 하나의 상태와 다른 상태 사이에 존재하는 "문지방"으로서 통과 의례라는 인류학의 개념으로 표현될 수 있다. 그와 관련된 또 한 가지 개념은 위니콧(Winnicott 1974)이 놀이가 발생하는 곳이라고 말한 "전이적

---

1. 치료와 연극에서 시공간상의 경계에 관하여 좀 더 상세한 내용을 보고 싶다면, Antinucci-Mark(1986)를 참고하시오.

공간 혹은 잠재적 공간"이다. 이 공간은 어린이의 내적 현실과 외부 현실 사이에 걸쳐 있다. 흔히 곰 인형이나 이불 한 귀퉁이로 나타나는 "전이적 대상"은, 주관성과 객관성에 다리를 놓아줌으로써 "나"와 "나 아닌 것" 사이 어딘가에 있는 현실에 존재할 수 있게 해준다는 데 그 중요성이 있다. 그것은 외부 세계에 구체적인 방식으로 존재하지만, 아이는 거기에 자기 내면의 의미를 창조적으로 부여한다. 이는 굉장히 강력하며 발달적으로 변형적이다. 연극치료와 심리극의 치료적 공간 또한 내적 세계와 외부 세계를 잇는 다리로 기능한다는 점에서 "전이적"이다. 극적 언어는 놀이 경험과 밀접하게 연관되며, 따라서 놀이에 대한 합의는 어린아이들이 그러하듯 어른들의 탐험과 변화를 촉진할 수 있다.

드라마와 꿈

내면세계의 드라마는 꿈을 통해 우리에게 친숙하다. 프로이트는 꿈을 "무의식으로 통하는 왕도"라고 했다. 무의식은 말이 아니라 본질적으로 극적인 소통 방식으로 우리에게 말을 걸어온다는 사실은 매우 흥미롭다. 꿈에서 우리는 이야기, 배경, 플롯, 장면 전환, 공간적 관계, 인물, 대사와 같은 극적 요소를 발견한다.

의미는 이들 요소 각각을 통해 그리고 그것들이 전체로서 어우러져 만드는 분위기를 통해 표현된다. 무의식보다는 의식에 좀 더 근접한 백일몽에서조차 우리의 마음은 갈등의 역동을 탐험하기 위해 극적 대사와 이미지를 사용한다. 그 과정은 자연스럽고 우리에게 심리적으로 익숙하다.

연극치료사와 심리극 연출자는 의식과 무의식의 표현을 촉진하기 위해 동일한 요소를 사용한다. 상상이나 환상 혹은 기억에서 출발한 이야기를 드라마로 외화시켜 공유하는 것이다. 다만 치료사가 이를 전개하는 방식에서 차이가 나타날 뿐이며, 드라마에서 내적 관심사를 표현하는 소통 수단을 구한다는 점에서 두 접근법은 일치한다.

드라마와 역할

역할의 극적 개념은 연극치료와 심리극에서 모두 중요하다. 모레노는 역할을 이렇게 정의했다.

> 자아의 실제적이고 구체적인 형식이다. 그러므로 우리는 역할을 개인이 다른 사람들이나 대상과 관련된 특정한 상황에 반응하는 특정한 순간에 취하는 기능적 형식이라고 정의한다.
>
> (Moreno 1961, Fox 1987: 62에서 인용)

역할의 개념은 극적 전통에서 유래하며, 모레노는 그것을 출생 이후에 지속되는 우리의 삶에 적용한다. 그는 역할을 심리 신체적 역할, 사회적 역할, 심리극적 역할의 세 가지로 분류한다. 심리 신체적 역할은 예를 들어 "잠이 없는 사람," "입맛이 까다로운 사람," "입성이 형편없는 사람"과 같이 개인이 신체적인 차원에서 기능하는 방식과 관련된다. 사회적 역할은 "제멋대로인 엄마," "경쟁적인 자매," "자신감 넘치는 교사"와 같이 관계 속에서의 개인을 표현한다. 심리극적 역할은 다른 사람들과 관련하여 좀 더 내적인 이미지로 존재한다. 그것은 현실의 상호 작용을 "저주받은 희생자," "착한 소녀," "위험하게 줄을 타는 사람"과 같이 채색한다. 모레노의 이론에서 역할은 맥락과 개인의 특성이나 습관에 따라 순간순간 변화할 수 있다. 일부 역할은 다른 역할을 누르고 지나치게 발달되는 경향이 있다. 또 어떤 역할은 아예 고정되기도 하는데, 그런 경우 맥락에 따라 도움이 되기도 하지만 역기능적인 문제를 일으킬 수도 있다.

연극치료와 심리극은 이 평형 상태에 도전한다. 익숙하지 않은 여러 가지 역할을 치료적 공간에서 연기하면서 가지고 놀아볼 수 있다. 역할 레퍼토리가 확장됨에 따라 개인은 매 순간 엄청난 선택의 자유를 누릴 수 있게 된다. 역할과 관련된 자발성은 모레노의 핵심 개념이다. 자발성이라는 말은 "자유 의지로"라는 뜻의 라틴어 sponte에서 유래한다. 자발적 행동이라 해서 통제를 벗어나거나 적절한 경계가 결여된 상태를 뜻하지는 않는다. 그것은 오히려 지금 이 순간에 자유로이 행동할 수 있기 위해서 과거와 미래로부터 충분히 자유로운 상태에 존재할 것에 대한 요구라 할 수 있다. 자발성이란 "개인이 새로운 상황에 적합하게 반응하거나 기존의 상황에 새롭게 반응하도록 만드는" 힘이다(Moreno 1953, Fox 1987: 42에서 인용). 심리극은 이러한 의미에서 자발성의 발달에 특히 힘을 쏟으며, 연극치료에서도 자발성은 핵심적인 개념이다.

두 접근법의 기본적인 유사성을 살펴보았으므로 이제 차이점으로 넘어가도록 하자. 그를 위해 먼저 본보기 회기를 통해 각 방식을 개괄하려고 한다.

차이점

연극치료와 심리극에는 두 가지 주요한 차이점이 있다. 집단 치료로서 작동하는 방식이 그 한 가지이며, 연극치료가 광범한 영역에 걸친 기법과 구조를 사용하는 데 비해, 심리극은 특정한 기법과 구조와 치료적 의도에 의해 작동된다는 것이 두 번째 차이이다.

집단 치료로서 연극치료와 심리극

심리극은 주인공이라 불리는 한 참여자의 심리극적 여정에 초점을 맞춘다. 일단 주인공이 결정되면 나머지 참여자들은 대개 주인공의 내면세계를 반영하는 역할을 맡는다. 연극치료 역시 한 회기의 대부분을 한 사람에게 초점을 맞출 수는 있지만, 집단 전체에게로 자유롭게 초점을 이동시키기가 쉽다.

이러한 차이는 두 회기를 자세히 살펴보면 좀 더 명확하게 드러날 것이다. 하지만 그보다 앞서 집단 치료로서 이들 두 접근법의 차이를 조명하는 데 도움이 될 **집단 매트릭스**의 개념을 소개하고자 한다. 이 개념은 집단 분석 심리 치료의 맥락에서 풀크스가 사용했다.

> **매트릭스**라는 말은 대인 관계적일 뿐 아니라 초개인적인 집단의 공통 자산으로서 심리적 소통망을 의미한다. 매트릭스가 소통과 관계의 수용적인 연결망으로 발전됨에 따라, 개인은 좀 더 명확하게 정의되고 끊임없이 움직이는 상호 작용의 역동 속에서 자기 자신을 발견하게 된다.
>
> (Foulkes 1990: 182)

집단 분석 심리 치료에서 매트릭스는 자유로운 토론을 통해 나타난다. 소통의 내용이 무엇이건, 말로 하건 말로 하지 않건, 그것은 치료사를 포함해 참여자들에게 공명을 불러일으킨다. 주제가 명확해지면서 말로써 작업이 진행된다.

매트릭스는 분석 집단이나 연극치료 집단이나 심리극 집단에 상관없이, 집단의 에너지와 관심사가 존재하는 곳에 나타난다. 참여자들은 과거의 지배적이고 습관적인 역할 가운데 현재로 불러온 것을 통해 매트릭스를 창조하고 그와 관계 맺는다. 연극치료의 맥락에서 치료사는 집단에게 여러 가지 구조를 제안하는데, 그 구조를 통해 집단 전체가 매트릭스를 탐험한다. 심리극에서 집단의 관심사는 선택된 주인공, 전체 집단의 대표로서 작업하는 그 사람의 문제를 통해서만 다루어진다.

심리극의 구조와 기법

연극치료와 심리극 기법의 핵심적인 차이는 모레노 한 사람의 작업에서 유래된(그리고 그의 아내 제르카 모레노에 의해 발전된) 심리극의 역사에서 기인한다. "고전적 심리극"은 여전히 활용되고 있으며, 전략적 심리극, 분석적 심리극, 개인 중심의 심리극과 같은 다양한 변형의 근거로서 존재한다. 그에 비해 연극치료는 샤머니즘적 제의, 스토리텔링, 극적이고 창조적인 놀이, 스타니슬라프스키로부터 그로토프스키에 이르는 다양한 연극인들의 작업(더 자세한 내용을 원한다면 Landy 1986 참고)과 같은 여러 갈래의 극적이고 연극적인 전통에 직접 뿌리를 두고 있다.

실제에서 이것은 심리극 연출자가 심리극적 여정을 구조화함에 있어 상대적으로 구체적인 지도를 사용함을 의미한다. 이는 또한 좀 더 정밀한 치료적 의도를 반영한다. 각 회기는 웜업, 행동, 공유/마무리의 세 단계로 구성되며, 그중에서도 행동 단계는 특히 구조화된다. 각 단계를 살펴보자.

웜업

이 단계의 기능은 다음과 같다.

1. 참여자들이 집단 안에서 서로에게 웜업이 되게 한다.
2. 참여자들이 자기 내면세계에 웜업 되어 해결되지 않은 갈등이나 문제, 감정과 접촉할 수 있게 한다.
3. 행동 단계의 초점이 될 주인공을 정한다. 주인공(그리스 연극에서 가져온 말로 "첫 번째 배우" 혹은 중심인물을 뜻한다)은 나머지 참여자들의 지지에 힘입어 심리극을 탐험하며, 다른 참여자들은 주인공의 내면세계에서 비롯된 역할을 연기하게 될 것이다.

웜업에 사용되는 방식은 몸을 움직이는 게임에서 유도된 환상이나 언어적인 반영에 이르기까지 매우 다양할 수 있다. 여기서 연출자의 과제는 집단 매트릭스가 나타나고, 집단 전체가 가장 공명할 주인공을 찾아낼 수 있도록 돕는 것이다. 이는 매우 미묘하고도 직관적인 과정이다. 여러 사람이 주인공으로 나설 수도 있으며, 그런 경우에는 주인공을 선택하는 방법도 다양하다. 가장 공감하는 주제를 제기한 사람 뒤에 줄을 서도록 할 수도 있고, 주인공이 되기를 원하는 사람들끼리 토론을 할 수도 있으며, 집단의 지지에 힘입어 연출자가 선택을 할 수도 있다.

행동

심리극이 연극치료와 확연히 구별되고, 지도의 개념이 중요해지는 지점이 바로 여기다. 미국의 심리극 연출자인 일레인 엘러 골드먼과 델시 슈럼 모리슨은 고전적 심리극의 여정을 나선 형식으로 도표화한 지도를 만들었다. 심리극이 따르는 원칙적인 방향은 "주변에서 핵심으로" 그리고 다시 주변으로 돌아오는 것(Goldman and Morrison 1984: 27)이다.

이 여정은 대개(치료적 계약에 따라) 시간 여행의 요소와 관련된다. 즉, 심리극은 현재나 얼마 지나지 않은 과거에서 시작하여 현재의 문제가 발원된 과거의 형성적 시기로 거슬러 올라간다. 그리고 다시 현재로 돌아와 변화의 실제 도전에 직면한다.

이것이 행동 단계의 일반적 흐름이다. 행동 단계는 주인공이 다양하고 강렬한 감정을 경험하고 자기 자신과 현재나 과거의 중요한 타인에 대한 통찰을 얻을 수 있는 매우 강도 높은 과정이다. 심리극 여정의 각 단계를 탐험하기 위해 특정한 기법이 사용된다. 이제 헬렌이라는 가상의 주인공을 세워 그 여정을 좀 더 자세히 살펴보도록 하자.

헬렌의 심리극

웜업은 헬렌이 직장에서 겪고 있는 어려움과 접촉하도록 한다. 그녀는 직장에서 동료들이 승진을 하는 동안 자기는 뒤처지고 있다고 느낀다. 집단은 그녀를 주인공으로 선택한다.

헬렌과 연출자는 그 상황을 탐험하는 데 동의한다. 헬렌은 자기가 왜

무시당하는지 이유를 밝히고 싶어 한다. 이 계약은 심리극에 초점을 제공한다. 심리극을 진행하다 보면 탐험을 유용하게 진행할 수 있는 방향이 여러 갈래일 때가 있다. 그런 순간에 연출자는 애초의 계약을 상기하여, 그와 관련된 선택을 한다. 헬렌을 위해 또 다른 방향을 탐험하고자 한다면 다음 심리극을 활용할 수 있다.

심리극은 **장면 제시**와 함께 시작된다. 헬렌은 장면을 통해 현실에서 문제를 경험하는 방식과 장소를 보여 준다. 최근에 부하 직원이 상사 후보로 지명된 것을 알게 된 장면을 극화한다. 연출자는 헬렌이 그 상황의 직접성을 충분히 표현할 수 있도록 **장면 구축**을 도와준다. 장면에 대한 헬렌의 주관적 인식이 회기 안에서 재연됨에 따라 "그때"와 "거기서"가 "지금"과 "여기"로 바뀐다. 극적 공간을 배열하여 사무실의 분위기와 배치를 재현하고, 장면은 "마치" 그것이 지금 일어나는 것"처럼" 진행된다. 헬렌은 그렇게 장면에 대한 기억을 극적 공간으로 투사한다.

나머지 참여자들 중에서 장면에 나오는 다른 사람들 혹은 **보조 자아**를 연기할 사람을 선택한다. 연출자는 주인공이 사장을 비롯해 장면에 등장하는 동료들과 **역할 바꾸기**를 하도록 이끈다. 역할 바꾸기는 흔히 심리극에서 가장 중요한 기법으로 인식된다. 사장 역할을 하면서 헬렌은 그에 대한 자신의 인식을 체현한다. 그리고 그의 눈을 통해 자기 자신을 보고 또 자기 입장에서 벗어나 사장의 관점에 잠시나마 동일시할 수 있는 기회를 갖는다. 연출자는 사장 역할 속에 있는 헬렌을 인터뷰하고, 그 과정에서 사장이 한 번도 헬렌을 승진 대상으로 생각하지 않았다는 사실이 드러난다. 커피는 맛있게 타지만 그다지 중요하지 않은 평범하고 귀여운 아가씨 정도로 여기는 것이다. 반면에 사장이 승진을 기대하는 젊은 여자는 발군의 실력을 갖고 있고 업무에서의 성취도 눈에 띈다. 하지만 이것은 어디까지나 상황에 대한 헬렌의 주관적 인식이라는 사실에 주목할 필요가 있다. 실제 사장이 그 자리에 있다면 동의하지 않을 수도 있다는 말이다. 심리극은 주인공의 내면세계를 다루며, 그것은 외부 현실의 경험을 채색하기 마련이다.

주인공이 장면을 제시하는 동안, 연출자는 역할 분석을 한다. 다시 말해 다른 사람들과 관련하여 주인공의 지배적인 역할을 평가하는 것이다. 연출자는 그를 위해 인터뷰, 독백, 방백, 말풍선과 같은 기법을 사용한다. 역할 분석에는 다섯 가지 핵심 요소가 있다. 역할이 발생하는 맥락, 역할 속에서 경험되는 감정, 장면에서의 실제 행동, 그 행동의 근거가 되는 신념 체계 혹은 정체성, 그리고 이 요소들이 주인공에게 미치는 영향이 그것이다.

헬렌의 사례에서 역할 분석은 먼저 동료들과의 잠재적 경쟁 상황 그리고 상사의 잠재적 인식을 작업의 맥락으로 드러낸다. 헬렌의 감정은 표현되지 않은 상처와 분노인 반면, 그 상황에서 그녀의 실제 행동은 그러한 감정을 숨기고 웃으려 노력하는 것이다. 그녀는 화사한 미소를 띤 채 사무실에 있는 사람들에게 일일이 커피를 타주고는 자기 안으로 숨어든다. 그녀는 자기를 내세우지도 않고 사장의 판단에 이의를 제기하지도 않는다. 그녀는 "아무도 나를 주목하지 않아. 하지만 야단스럽게 구는 건 이기적이고 나쁜 거야. 감정을 드러내서는 안 되고 사람들에게 친절해야만 해"라는 신념 체계를 갖고 있는 듯 보인다. 이 모든 것의 결과로 헬렌은 기분이 매우 상해 있고 주목을 받거나 승진을 하는 데도 실패했다.

이러한 역할 분석은 한 장면에 바탕을 두며, 연출자는 이 패턴이 헬렌의 삶의 다른 측면들에도 영향을 미치는지 아니면 직장에서만 그러한지를 확인해 볼 수 있다. 연출자는 헬렌에게 혹 다른 곳에서도 무시당하는 것 같은 기분을 느끼는지 묻는다. 그녀는 집에서 가끔 남편에게 그렇다고 말한다.

두 번째로 헬렌과 남편 해리의 장면이 구성되고 동일한 기법으로 상황을 분석한다. 집에서도 헬렌의 존재는 너무나 당연시된다. 차를 쓰는 데서는 언제나 남편이 우선권을 갖고 있고, 그래서 헬렌은 밤에 있는 도자기 수업을 줄곧 포기해 왔다. 여기서도 헬렌은 강한 그러나 표현되지 않은 상처와 분노를 경험한다. 하지만 그녀는 남편과의 대면을 피한다. 그런 행동이 이기적이고 결혼 생활을 깨뜨릴 거라고 믿기 때문이다. 남편은 도자기 수업이 아내에게 얼마나 중요한지조차 모른다. 하나의 관계 양상이 삶의 여러 장면에서 나타나는 것은 심리극에서 흔한 양상이다. 헬렌이 자기 자신을 뚜렷이 느끼게 하는 친숙한 역할들은 심리의 일부로서 내적인 차원에 존재한다. 그리고 그녀는 이러한 내적 역할들이 등장하는 상황으로 이끌려 간다. 만족스럽지 않은 역할들조차도 이런 방식으로 고착된다. 심리극은 내적인 차원의 변화를 목표로 하며, 그것은주인공의 심리가 외화된 세계 속에서 일어난다.

지금까지의 심리극적 탐험은 나선의 주변부에 해당한다. 주인공은 집단과 연출자의 도움을 받아 현재의 갈등 영역을 탐험했다. 역할 분석을 통해 연출자는 주인공의 신념 체계가 현실 상황에 적절하지 않음을 파악한다. 헬렌은 앞서 정의한 의미에서 자발성이 부족하다. 직장과 집 장면에서 그녀가 보여 준 반응은 부적절하고 만족스럽지 못하다.

이제 여정은 나선의 핵심부로 접근하여, 헬렌이 그 행동의 저변에 깔린 신념 체계를 학습하거나 강화하게 한 경험을 찾아 시간을 거슬러 올라간다. 신념 체계가 발원한 그곳을 **로쿠스 나센디***locus nascendi* 라고 부른다. 심리극적 나선의 측면에서 이는 지도의 중앙에 위치한다.

장면 분석에서 얻은 정보를 통해 연출자는 주인공이 이 **로쿠스**를 찾을 수 있도록 안내한다. 연출자는 주인공에게 상처와 분노를 감추도록 배운 그리고 다른 사람들이 자기를 알리거나 제 갈 길을 가는 동안 소리없이 그들을 도와야 한다고 배운 어린 시절의 경험을 떠올리게 한다. 그런 다음 분명하게 드러나는 지점들을 요약한다. 복합적인 감정 전반에 충분히 웜업이 된 헬렌은 이내 한 장면을 기억해 낸다. 내면화된 그 과거의 경험은 무의식적인 방식으로 현재의 인식에 영향을 준다. 연출자는 질문으로써 현재의 신념 체계와 다양한 맥락에서 부적절하고 과도하게 발달된 역할을 익숙하고 습관적인 것으로 만든 잠재적 원천이 어디에 있는지를 밝혀내도록 돕는다. 심리극 안에서 과거로 돌아감으로써 헬렌은 현재로부터 과거를 해결하고, 또 미래를 향해 의식적인 선택을 할 수 있는 기회를 갖게 된다.

헬렌은 일곱 살 시절로 돌아간다. 장면은 심리극 무대에서 마치 지금 일어나듯이 진행되고, 헬렌은 그것을 일곱 살 아이로서 만난다. 어린 헬렌은 학교에서 막 돌아왔고 손에 그림을 들고 있다. 그것을 자랑스럽게 부모님께 보여 주고 싶어 한다. 하지만 엄마는 헬렌의 어린 여동생 제인을 돌보느라 정신이 없다. 제인은 항상 몸이 약해 골골하는데, 게다가 요즘에는 병이 나서 앓고 있다. 헬렌이 그림을 가지고 다가가자 엄마는 제인이 겨우 잠들었으니까 떠들지 말라며 주의를 준다. 착한 소녀 헬렌은 기다려야 한다. 아버지가 돌아오신다. 그의 첫 번째 질문 역시 제인의 안부이고 헬렌은 또다시 뒷전으로 밀려난다. 엄마, 아빠, 여동생과의 역할 바꾸기를 통해 헬렌은 이 순간이 바로 그녀가 주목받고 인정받고 싶은 욕구를 억누른 채 아무것도 요구하지 않으면서 사려 깊게 다른 사람들을 도와야 한다는 것을 배운 많은 순간을 표상한다는 것을 보여 준다. 동생은 특별하고 중요하지만, 헬렌 자신은 식구들 중에서 가장 덜 중요한 사람이라고 생각한다. 동생은 갖은 변덕을 부려도 모두 비위를 맞춰 주지만, 헬렌의 욕구는 이기적이고 나쁘게 받아들여진다. 그래서 그녀는 자기 감정을 감추고 위축된 채 착하게 굴면 언젠가 주목받을 순간이 올 거라 믿으며 사람들을 도우려 애쓴다.

주인공의 문제는 어느 한때 자신의 욕구를 뒷전으로 밀쳐두어야 했던 것이 아니라 늘 그렇게 해온 듯 보인다는 데에 있다. 연출자는 헬렌이 장면 속에서 생각과 행동을 바꾸도록 돕는다. 헬렌에게 분신을 붙여 그녀가 꺼내기 힘들어하는 감정과 생각을 말할 수 있게 한다. 분신은 주인공에게 공감하는 참여자가 하되 주인공의 자세와 몸짓을 그대로 따라하면서 말한다. 분신의 과제는 분석이 아니라 공감에 있다. 분신이 말을 잘못하면 헬렌이 고쳐 준다. 그러면서 점차 장면에서 숨어 있던 감정들이 표현된다. 부모와 여동생에 대한 분노, 그리고 "그림을 봐달라고 소란을 피우면 제인이 죽게 되지는 않을까? 그러면 그건 내 잘못이 되는데" 하는 어린아이 같은 두려움. 그 두려움은 소리 내지 못하게 입을 막는 손처럼 나타난다. 연출자는 어린 헬렌의 느낌을 이해하고 도와줄 수 있는 사람이 없느냐고 묻는다. 주인공은 할머니를 늘 같은 편처럼 느꼈던 걸 기억해 낸다. 하지만 할머니는 그때 곁에 없었다.

장면은 모레노가 잉여 현실이라 부른 다른 모드로 움직여 간다. 잉여 현실에서는 어떤 것도 가능하며, 주인공은 그때까지 부인되었던 새로운 경험을 할 수 있다. 이 사례에서는 할머니를 장면으로 데려와 어린 헬렌의 상처 입은 마음, 질투심, 분노, 두려움의 감정을 털어놓게 한다. 분신도 헬렌의 역할에 함께 머물러 있고, 헬렌은 지지적인 할머니와 역할을 바꾼다. 할머니로서 그녀는 그림을 아주 인상 깊게 보았으며, 헬렌이 얼마나 특별하고 재능 있는 아이인지를 말해 준다. 연출자는 헬렌을 다시 자기 역할로 돌아가게 한다. 그리고 그녀가 일곱 살 어린아이의 역할로서 새로운 경험을 할 수 있도록 장면을 다시 한 번 재연한다.

부모와 여동생과 대면하는 것은 헬렌에게 매우 중요하다. 권위적인 인물과 동료들에 대한 부적절한 생각에 지배당하거나, 어른이 된 이후에도 같은 패턴을 반복하고 싶지 않다면 말이다. 할머니와의 작업은 헬렌의 자존감을 강화하여 다른 식구들을 만날 수 있게 해준다.

그녀는 먼저 부모와 만나 담아두었던 분노를 표현하고 늘 두 번째로 밀려나야 했던 고통을 털어놓는다. 그리고 부모에게 자신의 욕구는 어째서 한 번도 알아주지 않았느냐고 묻는다. 헬렌은 역할 바꾸기를 사용하여 자신의 질문에 대답하면서, 부모로서 아픈 딸에 대한 걱정을 표현한다. 또한 부모 역할을 하면서 그녀는 어린 헬렌에게 감사하지 않은 데 대한 후회와 함께 보상하고 싶은 욕망을 경험한다. 그래서 헬렌에게 부모의 사랑을 일깨우고, 그림을 거실에 걸어둠으로써 큰 딸을 얼마나 자랑스러워하는지 보여 준다.

다음은 또 동생 제인을 만날 차례다. 헬렌은 동생 방으로 가서 말을 하기로 결정한다. 그러려면 제인을 깨우는 위험을 감수해야 하지만 결국 그렇게 하고, 제인에게 언제나 주목받는 동생을 바라보는 느낌이 어떤지를 표현한다. 헬렌은 그렇게 하면서도 제인이 죽지 않을까 너무나 두려워한다. 하지만 역할을 바꿔 연기하면서 제인이 죽지 않을 것이며 언니를 제쳐놓고 싶어 하지도 않는다는 사실을 알게 된다.

이는 단순히 헬렌의 개인사를 고쳐 쓰는 것이 아니다. "무관심하고 다른 데 골몰해 있는 부모"의 역할은 헬렌의 심리 내적인 차원에 존재한다. 그리고 그것은 자기감정을 숨기고서 절대 주목을 요구하지 않는 헬렌의 역할과 상응한다. 심리극에서 부모가 헬렌의 그림을 "자랑스럽게 걸면," 주인공은 상징적으로 새롭게 자기에게 가치를 부여한다. 그러면서 그녀는 기존의 신념 체계에 의미 있는 전환을 시도하게 되며, 그것이 결국 그녀의 삶에 근원적인 영향을 미치게 될 것이다. 여동생과의 작업은 주목받고자 하는 욕구가 파괴를 초래할 거라는 무의식의 신념에 도전할 수 있도록 도와준다.

로쿠스에서의 작업은 헬렌을 자신의 존재 방식에 대한 중요한 통찰로 이끈다. 그녀는 새로운 역할을 활성화하는 법을 배우고 새로운 신념 체계를 내면화하기 시작한다. 그렇게 내적 차원에서 그녀의 세계가 변화하면, 행동 단계의 나머지는 현재의 실제 도전으로 돌아가는 다리를 만드는 데 초점을 맞춘다. 과거는 지나갔다. 그리고 변화는 오직 현재와 미래에만 일어날 수 있다. 심리극적 나선의 측면에서 말하자면, 다시 주변과 제시된 장면으로 돌아오는 것이다. 주인공은 새로운 통찰을 스타투스 나센디 *status nascendi*, 곧 그녀가 역할 훈련을 통해 새로운 역할들을 실제에 옮겨 심도록 격려 받는 곳으로 가져간다. 다음날 다시 직장에 출근해서 심리극 작업에서 얻은 깨달음을 적용하기란 쉬운 일이 아닐 것이다. 심리극의 지도는 그녀에게 새로운 역할을 전이적 공간의 안전함 속에서 실행해 볼 수 있는 기회를 제공한다.

이 과정이 언제나 쉽지는 않다. 헬렌은 차를 쓰는 문제에 대해서는 남편과 그럭저럭 협상을 해낸다. 그러나 직장 장면에서는 사장 앞에 서기도 힘들어한다. 그녀는 자기가 무슨 말을 하고 싶은지를 알지만, 다른 사람들이 자신에게 "낡은 자아"를 기대하는 상황에서 적합한 역할을 불러내기를 어려워한다. 집단에서 두 사람이 내적 목소리의 역할을 맡아 그녀에게 이기적이어선 안 된다고, 예전처럼 미소를 지으면서 커피를 타라고 말한다. 그러면서 헬렌을 주전자가 있는 무대 뒤쪽으로 밀어 사장과 만나지 못하도록 물리적으로 떼어놓는다. 헬렌은 신체적이고 음성적인 에너지를 끌어모아 이들 낡은 자아의 파괴적인 힘을 이겨내려고 애쓴다. 그 노력이 성공하면서 그녀는 결국 사장 앞에 설 수 있는 에너지와 말을 찾게 된다. 그리고 사장에게 자기는 더 이상 무시당하기를 원치 않으며 그동안의 실적이 상당하므로 다음에 승진 기회가 있을 때는 꼭 알려주기를 바란다고 분명하게 의사를 전달한다.

공유/마무리

행동 단계가 끝나면 심리극은 마무리 단계로 접어든다. 참여자들은 주인공의 작업에 대한 감정과 경험을 공유한다. 주인공은 이때 자신의 상처와 인간적인 면모가 혼자만의 것이 아님을 확인하며, 다른 사람들은 각자의 경험에 근거하여 주인공에게 어떻게 동일시하는지를 공유한다. 극의 초점이 집단 전체로 이동하면서 각 참여자가 심리극의 주제를 가지고 공명하게 된다. 집단 매트릭스 역시 진행된 작업의 견지에서 재정립된다. 이 지점에서 연출자의 역할은 공유 과정이 판단적이지 않은 방식으로 진행되도록 조절하는 것이다. 이 시점에 있는 주인공은 드라마에 대한 분석을 감당하기에는 미처 준비되지 않은 상태이다. 주인공으로서 집단의 초점이 된 경험은 헬렌에게 자기 작업이 다른 참여자들에게도 가치가 있음을 알게 해준다. 그녀의 심리극에 대한 반응은 다른 사람들이 주인공이 될 장래의 심리극을 위한 출발점에 해당한다.

심리극의 여정은 고도로 구조화된다. 나선의 비유가 말해 주듯이, 처음에는 현재 상황을 탐험하는 데서 시작해서, 습관적인 역기능적 행동의 기원을 찾아 과거로 거슬러 올라가며, 거기서 얻은 통찰과 자발성으로 현재에서 좀 더 자발적인 역할을 수행하는 것이다. 심리극은 극히 강력하고 예리하다. 주인공은 2시간여 동안의 심리극에서 말로 진행되는 정신 분석을 몇 년 받은 것보다 더 많은 경험을 다룰 수도 있다. 그렇다고 해서 치료 과정이 한 회기에 한정된다는 말은 아니다. 그 경험은 참여자들이 주인공으로, 보조 자아로, 또 다양한 사례의 목격자로 참여하는 경험의 연속성과 관계된다. 그러나 고전적 심리극은 대개 심층과 과거로의 완결된 여정과 관련되며, 그 과정을 담아내고 안내하는 데는 구조화된 지도와 친숙한 심리극적 기법이 필수적이다.

연극치료의 구조와 기법

이제 연극치료를 좀 더 정밀하게 살펴보도록 하자. 회기가 전체적으로 3단계의 구조로 진행된다는 점에서는 심리극과 유사하다. 그러나 심리극이 웜업, 행동, 공유로 구성된 반면, 연극치료 회기는 웜업, 본 활동, 마무리로 나눌 수 있다.

웜업

연극치료에서 웜업의 목표는 다음과 같다.

1. 참여자들 사이에 신뢰와 공감대 형성을 촉진한다.
2. 참여자들이 신체적으로나 음성적으로 표현을 할 수 있도록 준비시킨다.
3. 집단 내에서 주제나 관심사가 나타나도록 자극한다.

반드시 주인공을 찾아내지 않아도 좋다. 연극치료는 여기서 심리극과 구별되며, 매우 유연하다. 집단은 회기를 통틀어 전체로서 작업을 진행할 수도 있고 한 사람이 작업의 초점이 될 수도 있다.

연극치료의 웜업은 의식儀式에서 그 핵심 개념을 가져온다. 웜업은 흔히 게임의 요소와 관련되는데, 규칙이 있는 단순한 게임은 자발적인 상호 작용을 위한 구조를 제공한다. 정형화된 구조 자체가 상호 작용을 담는 그릇이 되는 것이다. 의식과 위험(Jennings 1990 참고), 형식과 자발성은 서로 균형을 이루는 대척점이다. 연극치료사는 회기의 각 단계에서 이 균형을 의식하고 있어야 하며, 참여자들이 감수할 수 있을 만한 도전거리를 제공하는 적절한 구조를 찾아내는 것을 그 과제로 한다(Grainger 1990: 78).

본 활동

회기의 구조는 상대적으로 안전한 데서 시작하여 발달 단계 동안에는 위험의 정도가 높아지며, 마무리에서는 다시 의식과 안전으로 돌아가는 흐름을 따른다. 시간이 지나면서 집단은 자신의 내면세계와 집단의 지금 여기에서 공유된 사회적 세계를 표현하고 탐험하는 데 있어 보다 큰 위험을 감수하도록 자극받는다.

이 과정에서 사용되는 기법은 드라마나 연극의 어느 영역에서도 끌어올 수 있다. 거기에는 텍스트 작업, 공연, 목소리, 게임, 조각상 만들기, 스토리텔링, 분장, 가면, 인형극, 움직임 등이 포함된다. 연극치료사는 극적 과정에 대한 이해와 기술을 사용하여 집단의 요구에 맞는 구조를 창조한다. 앞서 언급한 바와 같이, 연극치료 회기의 중심 단계는 심리극처럼 정밀한 지도를 따르지 않는다. 연극치료사에게는 많은 선택의 기회가 열려 있다. 가상의 회기를 예로 들어 본 활동 단계를 설명하면서 연극치료 작업의 몇 가지 원리를 조명할 것이다. 이 회기에서 사용된 극적 요소는 움직임과 가면과 즉흥극이다.

1단계
집단은 처음에 스트레칭과 호흡으로 신체 감각에 초점을 맞추다가 움직이면서 공간을 탐험한다. 먼저 바닥 높이에서 시작하여 몸을 바닥에 접촉하면서 가능한 움직임에 어떤 것들이 있는지 찾아본다. 그런 다음에는 무릎 높이로 올라가서, 스트레칭과 호흡의 감각과 동작의 역학의 측면에서 가능한 움직임을 찾는다. 다시 일어선 높이에서 같은 방식으로 탐험을 한다.

원리 이것은 신체적 웜업이다. 그 구조는 "공간을 자유롭게 움직여 다니세요"라고 주문하는 데 비해 덜 위협적이다. 치료사는 바닥 높이에 머물라는 규칙을 부여한다. 이것은 유아기의 경험과 상응한다. 아기 때 우리는 기는 위험을 감수하기 전에 바닥에 몸을 붙이고 움직이는 법을 배운다. 집단에게는 스트레칭하는 몸과 호흡의 감각에 초점을 맞추라고 한다. 여기서의 의도는 두 가지이다. 하나는 신체적 수준에서 자기를 의식하도록 격려하는 것, 다른 말로 해서 참여자들을 신체적 자각에 "접지"시키는 것이다. 이는 작업의 "체현" 단계(이 책 6장 참고)에 해당한다. 두 번째는 기대치를 제한함으로써 참여자들에게 과제를 적절하게 수행하는 경험을 주고자 하는 것이다.

2단계
지시에 따라 높이를 바꾸면서 계속해서 움직인다. 그리고 네 가지 형용사 — 뾰족한, 가벼운, 무서운, 흐르는 — 에 따른 동작을 시작한다. 치료사의 말에 따라 움직임의 높이와 형태를 한순간에 변화시킬 수 있다. 나중에는 거기에 목소리를 더한다. 동작에서 나오는 소리는 무엇이든 낼 수 있다. 치료사는 참여자들이 동작과 소리를 연관시킬 수 있게 격려한다.

원리 치료사는 좀 더 강도 높은 자발성과 상호 작용을 요구하기 시작한다. 위험 수준 역시 상승하며, 집단이 도전을 맞닥뜨릴 때 재미의 요소가 나타난다. 누구도 관심을 독점하지 않는다. 참여자 모두가 동시에 같은 과제를 수행한다. 집단 전체의 활동이라는 방패 아래 참여자들이 움직이면서 소리를 낼 수 있게 하는 일체성의 요소를 겨냥한다.

3단계

치료사는 참여자들이 바닥에 누워 눈을 감고 호흡에 집중하게 한다. 활발한 신체적 활동 뒤에 오는 반가운 휴식 시간이다. 그동안 치료사는 방 주변에 여러 가지 동물 가면을 늘어놓는다. 참여자들은 일어나서 다른 사람들과 대화하지 않고 방에 놓인 가면을 관찰한다. 가면을 모두 본 다음에는 동그랗게 모여 앉아 다시 눈을 감고 어떤 가면이 떠오르는지 살핀다. 마음에 남은 가면은 매력적이거나 반감이 들거나 혹은 재미있는 인상을 주었을 것이다. 이유가 무엇이든 그 가면을 향해 가서 앞에 선다. 두 사람 이상이 같은 가면을 원할 경우에는 한 사람이 한 가면을 갖게 될 때까지 협상한다. 선택이 완료된 후에는 다시 원으로 돌아가 각자 앞에 가면을 놓는다.

원리 여기서는 의식의 요소가 등장한다. 가면은 집단이 눈을 감고 있는 동안 배치된다. 그렇게 하는 의도는 참여자들이 공간을 걸어 다니면서 이완되고 수용적인 상태로 들어가 고요하게 동물 가면과 조우하게 하려는 것이다. 이때 참여자들이 말을 하면 가면의 충격이 분산될 수 있다. 대화를 금하는 지시는 가면의 충격을 극대화하고, 동물 가면과의 동일시 혹은 공명을 격려하고자 함이다. 제의적 분위기는 기대를 구축한다. 거기에는 샤머니즘적인 의례의 분위기도 있을 수 있다. 여기서 가면은 특정한 에너지의 그릇으로서 매우 조심스럽게 다루어진다. 가면은 그것을 쓴 사람이 그 에너지의 특성을 체현할 수 있게 해준다. 가면을 관찰할 때 참여자들은 외부 현실로서 "거기 밖에 존재하는" 가면의 특성과 잠재력을 보게 된다. 그러한 특질에 대한 반응은 개인 내부에서 지나치게 발달되거나 그렇지 못한 특징과 역할이 무엇인가에 따라 달라진다.

내면세계로부터 가면으로 투사가 나타나며, 그것은 대개 무의식적이고 본능적인 차원에서 발생한다. 가면은 그것을 보는 이의 내면의 양상을 담아낸다. 그것은 심리극에서 주인공에 대한 보조 자아의 관계와 어느 정도 유사하다. 가면을 쓰는 것은 역할 바꾸기의 과정에 비할 수 있다. 두 과정 모두 참여자가 자기 자신을 다른 사람으로 경험하게 해준다. 가면 작업은 연극치료사가 내적 역할을 활성화하고 내면세계의 외화를 촉진하기 위해 사용하는 여러 가지 투사 기법 중 하나이다.

4단계

참여자들은 둘씩 짝을 지어 가면에 어울리는 동작과 소리를 찾는다. 한 사람이 먼저 가면을 쓰고 움직이면, 짝은 마주 따라하면서 상대의 동작을 보여 주고 또 제안을 하기도 한다. 이런 방식으로 한 가면이 "활성화"되면, 그 가면은 한쪽에 벗어두고 다른 가면으로 같은 과정을 반복한다.

원리 각 참여자가 가면에 대한 자기만의 해석을 발전시키기 시작하면서 위험의 정도가 훨씬 커진다. 참여자들은 상당히 창조적인 자원을 끌어내야만 하며, 이 도전은 둘씩 짝이 되어 움직이는 구조에 의해 탄력을 받는다. 전체 집단이 여전히 함께 활동하므로 어느 정도 일체성이 유지되지만, 개별성이 조금씩 증가한다.

이 단계에서는 준비와 리허설의 요소가 사용된다. 아이디어를 시도해 보는 시간으로 별로 좋아 보이지 않을 땐 얼마든지 취소할 수 있으며, 반대로 괜찮으면 정교하게 다듬어갈 것이다. 습관적인 역할 때문에 새로운 아이디어를 시도하거나 실수를 하지 못하는 참여자들에게는 이 과정 자체가 치료적이다. 극적 탐험의 맥락은 새로운 역할을 계발하고 낡은 패턴을 전복시킬 수 있도록 도와준다.

5단계
준비는 즉흥극으로 진행해 간다. 책상과 의자와 손에 잡히는 물건들로 추상적인 세트를 만든다. 그것은 정글이나 사막 혹은 여러 가지 동물을 나타낼 수도 있다. 참여자들은 준비가 되면 가면을 쓰고 세트로 들어간다. 거기서 원하는 만큼 머무르면서 다른 동물들이 장면에 들어올 때 어떤 일이 벌어지는지를 본다.

원리 이 단계에는 최대치의 자유와 위험이 공존한다. 구조 안에서 각 인물은 어떻게 관계 맺을 것인가를 선택할 수 있다. 물론 거기에는 미지의 요소가 존재한다. 전체 집단이 처음으로 각자의 역할 안에서 자유롭게 상호 작용하게 된다. 가면에 투사된 특성은 이제 가면을 쓴 사람에 의해 체현된다. 가면을 단서로 또 다른 역할을 입는 것이다. 동시에 가면은 거리를 창출하여 심리적 방어를 제공하기도 한다. 약탈하고 지켜보다가 내리꽂는 것은 내가 아니라 부엉이이기 때문이다. 참여자들은 "이건 내가 아니야"라는 생각의 방패 뒤에서 안전하게 부엉이의 특성을 경험할 수 있다.

이 지점에서 새로운 단계로 진행할 수도 있다. 집단은 다양한 동물의 특성을 살핀 다음, 각 동물과 닮은 인간이 등장하는 장면으로 즉흥극을 발전시킬 수 있다. 가족이 모였다거나 한 배에 탄 승객이라는 상황을 설정할 수 있을 것이다.

작업을 이렇게 발전시키면서 참여자들은 가면-동물-인물의 특성과 현실에 근접한 상황의 연계성을 살펴볼 수 있다. 하지만 이것은 연극치료사가 이후 회기를 고려하여 판단하고 선택할 문제이다. 치료적 탐험의 속도는 조절이 가능하다. 이 가상의 회기에서 치료사는 동물의 비유에 남기로 결정한다.

6단계
성찰과 역할 벗기. 즉흥극이 끝나면 참여자들은 가면을 벗고 다시 동그랗게 둘러앉는다. 집단은 자유롭게 회기에서의 경험을 되돌아본다. 치료사는 참여자들에게 가장 어려웠던 역할과 자기와 비슷한 역할을 찾아보게 한다. 역할을 연기하면서 현실의 실제 인물이 연상될 수도 있다. 또한 역할에서 회기 안에 남겨두고 싶은 측면과 가져가고 싶은 측면을 나누어 보면서 경험을 성찰할 수도 있다. 참여자들은 한 사람씩 가면을 가운데 있는 상자에 담은 뒤에 공간을 떠난다.

원리 이 지점에서 참여자들은 극적 역할과 거리를 둔다. 그것은 먼저 가면을 벗는 것으로 시작해, "자기로서" 회기에서의 경험을 이야기하는 것으로 이루어진다. 이 과정은 습관적인 존재 방식에 대한 통찰을 불러올 수 있으며, 어떤 변화가 적절할 것인가를 생각하게 만든다. 부엉이를 연기한 사람은 그의 현실에서 어둠을 틈타 낚아채기를 즐기는 누군가를 떠올릴 수도 있으며, 실제 생활에서는 자기가 약탈자이기보다 희생자가 되는 경향이 있음을 느낄 수도 있다.

그런가 하면 회기에서의 경험을 일상생활에 적용하는 데 특별히 에너지를 쏟지 않을 수도 있다. 연극치료 작업에서 이것은 별반 문제가 되지 않는다. 변화는 경험의 축적을 통해 점차적으로 일어날 수 있으며, 극적 작업의 의미에 지나치게 밝은 빛을 직접 비추려드는 것은 심리적으로 해가 될 뿐 아니라 반치료적일 수 있다는 사실을 고려해야 한다. 가장과 노출 사이에는 역동이 있으며, 지나치게 과도한 노출은 치료 작업에 방해가 될 수 있다. 심리극이 마음의 어둡고 후미진 곳에 의식적 자각의 횃불을 들이대는 경향이 있는 반면, 연극치료는 상대적인 어둠의 장막 아래서 일어날 수도 있다.

결론

우리는 심리극과 연극치료를 사용하는 두 개의 본보기 작업을 살펴보았다. 두 접근법 모두에서 구조가 중요하다. 심리극의 지도는 작업 과정에 정밀한 패턴을 제공하며, 세부 사항은 주인공의 역사와 당면한 문제에 따라 달라진다. 연출자의 역할은 주인공에게 적합한 방식으로 지도를 따르게 하는 것과 관련있다. 이는 앞서 언급한 고전적 지도에서의 이탈을 의미할 수도 있다. 가령 로쿠스에서 시작하거나 심리극 내내 현재 장면에서 탐험 작업을 진행할 수도 있다는 것이다. 연출자의 첫 번째 관심사는 주인공이며, 지도는 그와 함께하는 여정에 일종의 준거를 제공한다.

연극치료의 치료 과정은 심리극에 비해 좀 더 거칠게 스케치된다. 개인에게 초점을 맞추지 않고 집단 전체가 작업하는 회기에서는 길이 여러 갈래로 열려 있다. 연극치료사는 심리극 연출자가 심리극을 안내하듯이, 집단을 촉진하기 위해 정확한 기법을 선택한다. 그러나 반드시 한 회기 내에서 강도 높은 심리적 여정을 완결하려는 기대를 갖지 않는다. 연극치료 회기의 구조는 참여자들이 자신의 내적 세계와 집단으로서 공유하는 세계를 탐험할 수 있도록 안전망을 구축한다. 변화에 대한 질문은 간접적으로 그리고 점진적으로 접근한다. 참여자들은 역할이나 이야기의 은유를 통해 자기 문제에 대해 일정 정도 거리를 둔 채 작업할 수 있는 보호막을 갖는다. 이 과정은 아이들의 놀이와 유사하다. 집단 내 개인의 문제에 초점을 맞출 경우에는 그 작업을 위해 모레노가 개발한 심리극 기법을 사용할 수도 있다. 본격적인 심리극을 진행하기 위해서는 별도의 훈련이 필요하지만, 역할 바꾸기나 분신이나 거울 기법은 연극치료의 맥락에서도 흔히 사용된다.

치료사의 역할

두 접근법은 진행 속도와 정서적 강도에서 구별되며, 그에 따라 연극치료사와 심리극 연출자의 역할 역시 다소 다르다. 심리극 연출자는 실제로 연극치료사에 비해 치료적 차원에서 좀 더 지시적이다.

심리극이 진행되는 동안 연출자와 주인공의 관계는 한편으로는 강한 감정이입의 끈으로 연결되지만, 다른 한편으로는 명확한 분석적 태도가 자리한다. 감정이입적 연결은 주인공이 심리극적 탐험에서 초기의 상처받기 쉬운 상태로 퇴행하려 할 때 필수적이다. 연출자는 주인공의 정서적 욕구를 반드시 감지해야 하며, 주인공이 그것을 잘 표현하지 못할 경우에도 역시 그러하다. 동시에 연출자는 지도를 읽어 내야 한다. 이는 치료적 판단과 심리극 여정이 취하는 방향에 영향을 미친다. 지나치게 여러 길을 따라가면 주인공이 문제에 압도될 수 있으며, 따라서 심리극 여정 또한 성공적으로 완결되기 어려울 것이다. 그러므로 연출자는 애초에 동의된 목표와 관련이 없거나 비생산적일 수 있는 길로는 들어서지 않게끔 작업을 안내할 책임이 있다.

심리극 연출자는 웜업과 회기의 공유 부분을 집단 매트릭스와 연관시킬 책임을 갖고 있다. 개인은 전체로서의 집단을 위해 작업을 한다. 그리고 심리극의 웜업과 공유는 형성되고 변화하는 매트릭스 안에 작업을 안착시키는 데 필수적이다.

연극치료사의 역할 역시 감정이입을 필요로 한다. 치료사는 반드시 회기에서 사용되는 각 활동과 구조의 치료적 가능성을 감지해야 하며, 집단 전체와 그 분위기뿐 아니라 진행 중인 주제와 관심사에 조응해야 한다. 치료사가 제안하는 극적 구조는 집단에게 매트릭스의 탐험을 권하는 초대장과 같다. 앞서 제시된 본보기 작업에서, 가면 작업은 집단 성원 사이의 현재의 역동을 포함하여 공격성, 사회적 지위, 자유, 가장假裝, 재산을 비롯해 여러 다른 가능성들과 관련된 집단의 관심사를 드러낼 수 있다.

가면 작업을 탐험할 수 있는 집단의 자유는 집단 분석 심리 치료에서 사용되는 자유 난상 토론에 비할 수 있다. 참여자들 사이의 상호 작용을 통해 행동을 공유하는 공간에서 주제가 나타난다. 연극치료사의 역할은 집단 분석 진행자와 마찬가지로 무엇이 나타나는지를 민감하게 관찰하다가 적절한 시점에서 개입하여 탐험을 고취하는 것이다. 이러한 개입은 집단 분석 심리 치료에서와 같이 전체로서의 집단이나 개인에게 초점을 맞출 수 있다.

연극치료 작업의 전반적인 반경은 심리극을 뛰어넘는다. 이것은 연극치료사를 세부적인 작업에서 보다 눈에 덜 띄고 덜 지시적일 수 있게 한다. 물론 상대적으로 지시적인 연극치료사와 상대적으로 비지시적인 심리극 연출자가 있을 수 있다. 그러나 일반적인 관점에서 심리극은 치료사에게 좀 더 지시적인 개입을 요구한다.

요약

나는 극적 전통에 공통의 뿌리를 둔 연극치료와 심리극의 유사성을 살펴보았다.

그리고 각 접근법의 보기로서 그리고 각 방식의 차이점을 부각시키기 위해 두 사례를 들어 설명하였다.

1. 회기의 초점. 심리극은 집단 관심사의 담지자로서 한 명의 주인공을 통해 작업하는 것이 상례이다. 반면에 연극치료는 흔히 집단 전체에 초점을 맞춘다.
2. 사용된 기법. 연극치료는 극적 활동의 전 범주를 치료적 자원으로 활용한다. 심리극은 모레노가 개발한 특정한 기법을 가지고 정밀한 치료적 여정을 연출한다.
3. 치료 과정의 속도와 강도. 연극치료는 은유와 다양한 투사 기법을 통해

간접적이고 점진적으로 주제에 접근한다. 심리극은 보다 직접적으로 주제에 직면한다. 심리극은 심리 치료로서 명확하게 규정되는 반면, 연극치료는 그 이름에 대해 아직 양가적이다.

4. 집단 매트릭스와의 관계. 연극치료에서 집단 매트릭스는 막연한 방식으로 탐험된다. 심리극에서 그것은 회기의 시작과 함께 몇 분 안에 규명되어 주인공의 선택으로 이어진다.
5. 치료사의 역할. 각 과정의 특성과 진행 속도가 연극치료사를 좀 더 촉진적으로 이끈다면, 심리극 연출자는 보다 지시적인 치료적 존재로 만드는 경향이 있다.

참고 문헌

Antinucci-Mark, G. (1986) "Some thoughts on the similarities between psychotherapy and theatre scenarios," *British Journal of Psychotherapy*, 3(1).

Barham, M. (1992) unpublished document.

Foulkes, S. H. (1990) *Selected Papers*, London, Karnac.

Fox, J. (1987) *The Essential Moreno*, New Yock, Springer.

Goldman, E. E. and Morrison, D. S. (1984) *Psychodrama: Experience and Process*, Dubuque, IO, Kendall/Hunt.

Grainger, R. (1990) *Drama and Healing: the Roots of Dramatherapy*, London, Jessica Kingsley.

Holmes, P. (1992) *The Inner World Outside*, London, Routledge.

Jennings, S. (1990) *Dramatherapy with Families, Groups and Individuals*, London and New York, Jessica Kingsley.

Landy, R. (1986) *Drama Therapy: Concepts and Practices*, Springfield, IL, Charles C. Thomas.

McDougall, J. (1989) *Theatres of the Body*, London, Free Association Press.

Winnicott, D. W. (1974) *Playing and Reality*, London, Pelican.

8. 어린이와 함께 하는 극적 놀이

연극 치료와 놀이 치료의 접점

앤 캐터넉

자기와 자기를 넘어선 세계를 발견하기

나 하나 우리 엄마
나 둘 우리 엄마
나 셋 우리 엄마
나 넷 우리 엄마
나 다섯 우리 엄마
나 여섯 우리 엄마
나 일곱 우리 엄마
내가 먹었다 우리 엄마[ate와 eight의 발음이 동일한 데 착안한 말놀이다: 옮긴이]

이 라임은 『나는 이소우를 보았다』(Opie and Opie 1992)에서 "고약한" 내용이라는 평가를 받는다. 그러나 아이가 엄마 무릎에 앉아 울다가 차츰 엄마를 먹어 들어가는 장면을 보여 주는 모리스 센닥의 아름다운 삽화로 장식된 이 시는 놀이 치료의 핵심 관심사를 집약하고 있다. 내게 속한 건 무엇이고 내가 아닌 건 무엇인가, 나는 정말로 엄마를 먹을 수 있나, 아니면 엄마가 날 먹을까?

같은 책에 또 이런 줄넘기 노래가 있다.

엄마, 엄마, 나 아파요!
병원에 가자! 네, 그래요.
의사 선생님, 의사 선생님, 내가 죽나요?
그래, 아가야, 나도 죽지.
내가 언제 죽을지 말해 주세요,
마차가 몇 대나 있을까?
하나, 둘, 셋, 넷…

일동 우린 모두 훌륭해.

나는 여기서 극적 놀이의 핵심 관심사, 곧 삶, 죽음, 공간, 자기 바깥의 세상이 기능하는 방식에 대한 관심을 본다.

놀이치료사는 아이들과 놀고, 연극치료사는 아이들에게 극적 놀이를 자극한다. 이렇게 놀이와 드라마를 하는 이유는 아이들이 상징적 세계의 안전함 속에서 그들이 아는 세계를 이해할 수 있도록 도우려는 데 있다. 이러한 맥락에서 놀이와 드라마의 차이는 치료사와 아이 그리고 치료사와 집단과 매체 — 최선의 상징적 방식을 찾아 치료 여정을 가능케 하는 데 쓰이는 — 의 관계에서 비롯된다.

연극치료사와 예술 치료 모델을 사용하는 놀이치료사가 놀이와 드라마를 치료로서 사용할 때, 놀이와 드라마는 치유를 위한 매체가 된다. 이야기나 해석을 위한 자극으로서가 아니라 치료의 핵심에 위치한다는 말이다. 이러한 치료 형식 안에서 우리는 놀이와 드라마를 빌려 일상 현실에서 상징적 세계로 이동한다.

아동과의 개인 작업에서, 놀이와 드라마는 아동의 욕구와 그 발달 단계에 따라 서로 섞일 수 있다. 아주 어린 아이들에게는 아직 역할 연기와 극적 놀이를 할 수 있는 기술을 기대하기 어려우며, 대개 한 회기 안에서 놀이에서 극적 놀이로의 변환이 나타난다.

놀이 치료 모델

『학대받은 아동을 대상으로 한 놀이 치료』(Cattanach 1992a)에서 나는 예술치료의 맥락에서 놀이를 치료로서 사용하는 데 기본이 되는 네 가지 개념을 제시했다. 첫 번째는 아동이 자신의 경험을 이해하고 세상과 친숙해지는 방식으로서 놀이의 중심성이다. 두 번째는 놀이가 발달적 과정이라는 개념이다. 다시 말해 아이들은 놀이를 통해 자기와 과거, 현재, 미래를 탐험하면서 발달적 연속체를 따라 앞으로 가기도 하고 뒤로 가기도 한다. 세 번째가 상징적 과정으로서의 놀이이며, 네 번째는 놀이가 치료적 공간에서 일어난다는 점이다. 그것은 물리적 공간이면서 또한 아동과 치료사 사이의 공간이기도 하다.

놀이의 중심성

아동은 사물을 생각하는 방식으로 놀이해야 한다. 아이들은 자신의 경험을 이해하기 위해 논다. 과거의 해결되지 않은 문제를 해결하거나 현재의 관심사를 다루기 위해 그리고 앞으로의 과제와 미래를 준비하기 위해 놀이를 사용할 수 있다. 아이들에게 놀이는 "나"인 것과 "나 아닌" 것이 무엇인지 배우고 그에 대한 이해를 증진시키며, 외부 세상과의 관계를 발견할 수 있는 공간이다. 놀이는 또한 자기로부터 대상과 환경을 분리하고 분류할 수 있는 장이기도 하다.

그레인저(Grainger 1990)는 이렇게 말한다.

> 나는 외부 세계로부터 하나의 대상을 선택하여 거기에 정체성을 부여한다. 그러면 그것은 내 것임에도 불구하고 그 자체에 속하게 되며, 이는 노는 법을 배움으로써 가장 먼저 성취된다.

발달적 과정으로서의 놀이

2장에서 나는 연극치료의 발달 모델에 대해 언급하였다. 놀이 치료에서 이 패러다임은 수 제닝스(1990, 이 책 6장 참고)가 체현 놀이, 투사 놀이, 역할 놀이라 명명한 놀이의 세 개의 발달 단계를 통해 발현된다.

체현 놀이

놀이 치료에서 체현 놀이는 아동이 감각을 통해 세상을 탐험하는 퇴행적인 놀이이다. 아기들은 플레이도[밀가루에 여러 가지 색소와 소금을 넣고 반죽해 아이들이 주무르고 모양을 만들기 좋게 만든 놀잇감이다: 옮긴이]나 찰흙 또는 그 밖의 다른 감촉을 주는 물질을 만지고 킁킁대고 냄새 맡으면서 자기만의 세계를 탐험하는 놀이를 시작한다. 학대받은 아이들은 이러한 물질을 공포스런 기억에 접근하는 통로로 사용한다. 그래서 학대 경험을 탐험할 수 있을 만큼 충분히 안전하다고 느껴질 때까지 몇 시간이고 그렇게 논다. 하지만 그런 방식으로 탐험하는 법을 전혀 학습하지 못한 아이들은 고통을 줄이기 위해 감각을 차단함으로써 폭력에 적응하기도 한다. 어지럽히고, 끈끈한 반죽을 주물러대고, 비눗방울을 불고, 손가락 사이로 물이 흐르는 걸 보는 재미란! 영화 〈고스트버스터〉의 엑토플라즘을 쓸 수 없다는 건 정말 애석한 일이다. 그건 지나치게 끈적이지도 않고 너무 흐르지도 않아서 뒤범벅 놀이에 그야말로 완벽하게 어울리는 곤죽이다.

투사 놀이

감각 놀이를 하면서 아이들은 장난감과 놀이에 쓰인 대상을 통해 바깥세상을 발견하기 시작한다. 이는 아이들이 현실에 대한 상징적 대안을 실험하기 시작하고, 가장 놀이가 나타나는 상징적 놀이의 출발점이다.

역할 놀이

아이들이 투사 놀이를 통해 가상의 세계를 창조하는 기술을 익히면서 뒤이어 극적 놀이가 나타난다. 역할 놀이는 잠을 자거나 음식을 먹는 행동을 일상이 아닌 놀이에서 보여 주는 자기-재현과 함께 시작되며, 그렇게 자기 자신을 연기하는 데서 점차 다른 사람을 가장하는 단계로 나아간다. 이는 흔히 아이가 자기를 연기하면서 동시에 인형으로서 다른 사람의 역할을 창조하는 형태로 시작된다. 그러다가 자연스럽게 다른 아이들과 함께 하는 가장 놀이를 즐기게 된다. 슈워츠먼Schwartzman(1978)은 치료 센터에 다니는 아이들의 가장 놀이를 묘사했다. 잘 놀기 위해서는 반드시 정보를 소통할 수 있어야 하는데, 그 정보는 아이를 놀이 주체(즉, 마녀나 엄마의 역할 연기를 선택하는)이면서 구체적인 사회적 맥락(예를 들어, 치료 센터)에 있는 놀이 객체로서 동시에(그리고 역설적으로) 규정한다. 예를 들어 린다라는 아이가 있다면, 린다는 역할 놀이를 할 때 다른 아이들과 자기가 린다(즉, 다른 수업에서와 마찬가지로 활동을 주도하고 지배하며 지휘하는 사람)이면서 동시에 린다가 아님(즉, 놀이 상황에서 엄마나 마녀)을 소통할 수 있어야 한다. 놀이는 이렇게 역할의 이중성이라는 역설을 통해 극적 놀이가 된다.

상징적 과정으로서의 놀이

상징적 놀이란 자기 자신이나 장난감 또는 대상을 사용하여 "만약 ~라면"의 가상 세계를 만드는 놀이를 말한다. 놀이 치료에서 아이들은 자신의 경험을 상징적으로 재현하는 가상의 세계를 만들어 그 안에서 그 사건의 의미와 해결을 탐험할 수 있다. 치료를 시작할 때, 아이들은 흔히 자기 자신과 다루고자 하는 경험에 적합한 상징을 찾는 데 상당한 시간을 들이곤 한다. 나는 학대 경험이 있는 5살 난 여자아이와 작업한 적이 있다. 그 아이는 자기 경험을 표현할 인물을 찾고 싶어 했고, 아주 다양한 재료를 가지고 충분히 놀아 본 뒤에 겉으로는 피를 흘리지만 안은 꽁꽁 얼어붙어 움직이지 못하는 붉은 피의 눈사람을 만들었다. 그리고 그 인물을 주인공으로 한 이야기와 의식을 만들어 눈사람의 의미를 탐험했다. 피 흘리는 눈사람은 학대받은 경험에 대한 아이의 감정을 명확하게 표현했다. 그러나 그것은 놀이의 대상일 뿐 자기 자신이 아니었기 때문에 적절한 거리를 유지한 상태에서 안전하게 탐험을 할 수 있었다.

상징적 놀이는 발달 과정의 일부이며, 아동은 성장함에 따라 상징과 은유를 통해 더욱 복잡한 의미 수준을 학습하게 된다. 그 과정은 대상이 있는 놀이를 통해 시작되며, 일련의 간단한 행동에서 보다 복잡한 흐름의 행동을 거쳐 나중에는 대상을 변형하고 가장 놀이를 창조하는 데까지 나아간다. 아동이 이런 방식으로 놀이를 사용할 수 있을 때 비로소 경험을 변형하고 초월할 수 있는 가능성이 존재한다.

치료적 공간

이는 치료사와 아동이 만나는 물리적 공간과 둘의 관계가 깊어지면서 발달해 가는 심리적 공간을 동시에 지칭한다. 아동은 현실 세계에서 멀리 떨어진, 그들의 안전을 위해 선택된 특별한 공간에서 논다. 내 어린 시절에는 다락방이 그런 공간이었다. 그곳은 안에서 문을 잠글 수 있었기 때문에 특히 더 안전했다. 한바탕 싸운 뒤 씩씩거리며 쫓아오는 동생을 피해 나는 문을 쾅 닫고 나는 듯 계단을 올라 다락으로 숨어들곤 했다. 그때 그곳은 안전한 나만의 세계였다. 문을 흔들어 보며 안전함을 확인할 때의 그 거대한 안도감이라니. 나만이 그 쓰임새를 아는 그 공간에서 나는 수천 가지의 다른 삶을 탐험할 수 있었다.

아이들은 굴, 다락, 탁자 밑처럼 세상과 경계에 있는 공간을 좋아한다. 작업을 하다 보면, 겁에 질린 아이들이 주의 깊은 시선으로 밖을 경계하면서 탁자 밑이나 구석진 곳에서 놀며 스스로 치유하는 모습을 자주 볼 수 있다. 탁자 밑은 어른들이 기어 들어가기에는 너무 낮아 안전하게 느껴지기 때문이다.

3살 난 제인은 치료 작업을 시작하기 전까지 무려 18개월 동안 그렇게 탁자 밑에서 놀았고, 우리의 안전한 장소에서도 그 탁자 밑 놀이는 지속되었다. 이미 그렇게 자기를 치유하기 시작한 제인에게는 귀 기울여 들어줌으로써 그 경험을 정당화해 줄 사람이 필요했다.

치료적 놀이에서는 놀이 공간의 이러한 안전함, 곧 분명한 경계를 가지면서도 좀 더 사회적인 환경으로의 접근을 허용하는 특성을 복제할 필요가 있다. 놀 수 있는 자유뿐 아니라 사회적 환경으로의 접근성을 갖추어야 한다. 따라서 놀이 공간은 상상적 가능성뿐 아니라 아이가 바깥으로 나가는 통로를 쉽게 찾을 수 있는지를 고려해야 한다. 지나치게 위협적인 방은 아이에게 안전감을 주기 어렵다. 방이 지나치게 클 경우에는 매트나 구석자리가 거시(Gersie 1987)가 말하는 "구조화된 시간의 가장자리"에 위치한 장소가 될 수도 있다.

아동과 치료사 사이의 심리적 공간은 위니캇(Winnicott 1971)이 말한 엄마와 아이 사이의 잠재적 공간과 유사하다. 관계가 발달하면서 아동은 다른 누군가가 지켜보는 앞에서 혼자 노는 경험을 한다. 치료사는 신뢰할 만하고, 도움을 줄 수 있으며, 한동안 잊었다가 다시 떠올릴 때에도 여전히 도움을 청할 수 있는 사람으로 존재하며, 놀이 중에 일어나는 일들을 되비추어 보게 하는 존재로 느껴진다.

아동은 치료사와 두 가지 방식으로 놀 수 있다. 처음에는 두 사람이 함께 놀되 치료사가 아동의 활동에 맞춘다. 그러다 나중에는 치료사가 하고 싶은 놀이를 가지고 들어와 아이가 자기 것이 아닌 아이디어를 경험하게 할 수 있다. 치료사와 아동은 그렇게 관계를 형성해 간다.

놀이 치료 과정

첫 만남에서는 어떻게 놀이 치료를 하게 되었고, 누가 위탁했는지를 아이에게 분명히 확인할 필요가 있다. 그리고 앞으로 한 시간 동안 함께 놀 텐데 마쳐야 할 시간이 되면 10분 전에 미리 알려줄 거라고 설명을 한다. 아이가 아직 시간 개념이 없다면 10분 전에 예고하는 대신 장난감 하나를 더 가지고 놀 수 있는 시간이 남아 있다고 말해 준다.

나는 다른 곳에서(1992b) 작업 공간에서 제공되는 편의시설에 따라 공간에 경계를 부여하는 방식과 여러 가지 놀이에 적절한 재료를 설명한 바 있다.

장난감은 플레이도, 비눗방울, 모래, 물과 같이 체현 놀이를 자극하는 것이 좋다. 투사 놀이에는 스토리 메이킹뿐 아니라 그림 그리기에 필요한 작은 가족 모형, 동물, 괴물, 손 인형 등이 필요하다. 놀이 치료에서 가장 놀이는 대개 장난감과 물건을 가지고 하는 투사의 방식을 취한다. 그러나 역할 연기를 즐기거나 치료사와 함께 또는 혼자서 이야기를 표현하기를 좋아하는 아이들도 많다. 따라서 그러한 형식의 놀이를 촉진하고 역할 연기를 도와줄 물건이나 옷가지 등을 갖추도록 한다.

첫 번째 만남

거시는 첫 번째 접촉에서 치료사가 해야 할 일을 다음과 같이 정리한다.

1. 정보 수집, 참여자와 유사한 아동(연령 집단/성별/배경)이나 동일한 상황에 있는 사람들에 대한 정보 또는 다른 상황에 있을 때 참여자가 어떤지에 대한 것까지 포함한다.
2. 아동이 처한 상황과 경험에 관련된 표현과 상호 작용을 탐험한다.
3. 아동의 문제에 대하여 잠정적 가설을 세운다. 그리고 한두 가지 전문적 처치를 할 때와 그렇지 않을 때 가능한 발달 양상을 추측한다.
4. 위로의 시작. 거시는 아동이 의지를 굳게 다져 문제를 극복하는 데 필요한 에너지를 유지하도록 격려하기 위해 어떤 방식으로 직접적인 안도감을 제공해야 할지를 탐험하는 것이 가장 중요하다고 말한다!
5. 가능한 처치와 후속 작업을 위한 유연한 제안서를 작성한다.

이상의 정보는 아동과 이야기하면서 그리고 회기에서 노는 모습을 지켜보는 가운데 얻을 수 있다. 아동과 치료사가 개입의 본질에 대한 계약을 하는 것이 중요하다. 작업이 몇 번의 회기로 제한되는지 혹은 끝을 열어둘 것인지, 놀이를 통해 무엇을 탐험할 것인지, 치료사와 아동 모두에게 수용 가능한 행동이 무엇인지를 명확히 한다. 예를 들어 내 경우에는 때리지 않기가 늘 등장하며, 나의 역할을 치료사로 한정한다. 아동이 받을 보살핌은 놀이에서 비롯되며, 나는 아동의 보호자가 아니라 치료사이기 때문이다.

아이들과 함께 하는 극적 놀이

놀이를 치료로서 구체화하는 개념은 아이들과 함께 하는 극적 놀이가 치유 과정으로 사용될 때도 동일하게 적용된다.

치유를 위한 드라마

치유 과정으로서 드라마의 중심성, 개인이나 집단이 만날 수 있는 안전한 공간, 체현, 투사, 역할의 발달 모델, 드라마에 본질적으로 내재한 상징적 과정, 이들 드라마의 치유적 양상에 대해서는 6장에서 좀 더 상세하게 다루고 있다.

연극치료사는 극적 놀이를 통해 아이들이 경험을 변형하도록 돕고, 나아가 전환을 가능케 하고자 한다. 이는 치유 과정으로서 드라마의 핵심이며, 일상 현실에서 극적 현실로 이동할 때 경험된다. 수 제닝스(1992)는 이를 허구적 드라마를 통해 실재하지 않는 것을 창조하고 수용하는 인간의 능력이라 정의하며, 연극치료에 대한 우리의 이해는 이를 중심으로 한다.

아이들은 극적 놀이를 하면서 스스로 창조한 허구의 상징적 형식을 통해 경험을 변형한다. 극적 과정에서 기억하게 된 과거와 상상하는 미래를 이용하여 가상의 현재를 창조하며, 허구를 통해 삶의 경험에 직면하고, 과거의 상황을 재구성하거나 가능한 미래를 시험해 볼 수 있다. 그것은 놀이가 가진 허구적 본질에 의해 일상 현실로부터 적절한 거리를 유지할 수 있기 때문이다. 코트니(Courtney 1985)는 이 과정을 허구적이고 상징적인 차원에서 삶의 경험과 직면하는 방식이라고 표현한다. 아이들은 가능한 미래를 "시험"하고 과거의 문제를 "행위화"할 뿐 아니라, 허구적 현재를 통해 심층적인 방식으로 문제 해결에 참여한다.

아홉 살 사라는 엄마와의 관계에서 문제를 겪고 있었다. 사라의 엄마는 몇 년 동안 알코올 중독 상태에 있다가 술을 끊기 위해 열심히 일을 하면서 아이들을 다시 집으로 데려 왔다. 사라는 우리가 만날 때마다 이야기를 만들고 극적 놀이를 하면서 두려움을 표현했다. 사라의 이야기에는 늘 섬이 등장했고, 그 가상의 섬을 통해 사라는 현재의 난관을 이해할 수 있었다. 허구는 거리를 두어 사라를 안전하게 해주었고, 그 가상 세계의 위력은 현실의 경험에 타당성을 부여했다. 그 창조 과정을 관찰하는 것은 매우 흥미로웠다. 사라는 언제나 끈적거리는 재료로 섬을 만들면서 그 감각적인 경험을 즐겼다. 그런 다음 섬에 여러 가지 모형과 물건을 배치하고, 마지막에는 극적 놀이나 스토리 메이킹의 형식으로 극화 작업을 했다.

다음은 사라가 만든 여러 섬 중 하나에 대한 설명으로, 엄마가 있는 집으로 돌아오게 된 데 대한 느낌이 드러나 있다. 아이들이 학교에서 배운 걸 어떻게 사용하는지 관찰하다 보면 재미난 경우가 많다. 하드리아누스 [하드리아누스 방벽으로 유명한 로마 황제 하드리아누스(재위 117-138)는 네르바, 트라야누스, 안토니우스 피우스, 마르쿠스 아우렐리우스와 함께 로마 제국의 최전성기를 구가한 오현제로 불린다: 옮긴이]는 그날 역사 수업의 주제였다.

> 이건 하드리안의 섬이다. 여기에 타이어 창고와 체육관과 텔레비전이 있는 방이 있고, 그 옆에 볼링장이 있다. 섬 가운데는 하드리안의 동상이 있다.
> 섬 한켠에 침실이 있는데, 한쪽 벽을 해초로 만들어 수영복을 걸어 놓았다.
> 하드리안은 아침마다 동상한테 가서, 모든 게 제자리에 있는지 살펴본다.
> 동상처럼 되고 싶은데 너무 뚱뚱해서 실망한다.
> 가끔씩 수영을 하면서 다른 사람이 있는지 찾아보지만 아무도 없다. 왜냐하면 어렸을 때 혼자였으면 좋겠다고 소원을 빌었는데, 그게 정말로 이뤄졌기 때문이다.
> 그는 집으로 돌아갈 길을 찾기 위해 램프를 구하러 다닌다.
> 난파선에서 가구를 건져 물로 씻은 다음 페인트를 칠해 집을 장식한다.
> 때로는 행복하고 때로는 우울하다.

발달로서의 드라마

코트니(1980)는 극적 행동의 발달 단계를 다음과 같이 네 단계로 정리한다.

1. 동일시 단계(0-10개월)
2. 의인화 단계 — 배우(10개월-7살)
   (1) 최초의 행동(10개월)
   (2) 상징적 놀이(1-2살)
   (3) 순차적 놀이(2-3살)
   (4) 탐험적 놀이(3-4살)
   (5) 확장적 놀이(4-5살)
   (6) 융통적 놀이(5-7살)
3. 집단 드라마 단계 — 계획자(7-12살)
4. 역할 단계 — 소통자(12-18살)
   (1) 역할 "외관"(12-15살)
   (2) 역할 "진실"(15-18살)

발달 단계상 뒤에 있는 단계는 이전 단계를 모두 포함한다. 가령 청소년이라면 무엇보다 소통자의 특성이 전면에 부각되겠지만, 동시에 배우이자 계획자이기도 하다는 말이다.

치료사의 치료적 개입을 놀이 치료가 아닌 연극치료로 정의할 수 있다면, 그것은 코트니의 구분에서 세 번째 단계가 기점이 될 것이다. 그때부터 작업의 초점이 개별적인 배우로서의 아동으로부터 집단 안에서 생각과 행동을 공유하는 법을 배우는 집단 드라마로 옮겨지기 때문이다.

집단 과정으로서의 극적 놀이

아이들이 극적 놀이를 위해 집단을 만들면, 과제를 수행하는 집단이 예의 그러하듯, 그 안에서 갖은 협상과 상호 작용이 일어난다.

아이들은 드라마를 어떻게 발전시킬 것인가를 놓고 서로 협상해야 한다. 누가 마녀를 연기하고 왕과 여왕을 맡을 건지, 누구의 아이디어를 선택하고 어떤 아이디어를 버릴지, 어떻게 거절의 뜻을 전달할 건지에 대해서 말이다. 또한 거기에는 각 개인의 정서적이고 내면적인 과정과 창조적 발달 그리고 집단의 역동과 창조적 발달의 많은 과정이 얽혀 있다.

그중에서도 가장 복합적이라면 아마도 개인의 허구적 역할과 집단 내에서의 실제 역할을 이해하고 수용하는 문제일 것이다.

아이들은 이러한 기술을 배우는 중이며, 그래서 가끔은 곧바로 반응하지 않고 감정을 갖고 있기 힘들어하기도 한다. 치유 과정에서도 고통을 담아내지 못해 극이 중단되는 경우가 있으며, 놀이 치료에서도 가상의 상황을 탐험하다가 "이제 안 놀 거야"라며 갑자기 멈추는 일이 왕왕 벌어지기도 한다. 치료사는 이를 아이들의 놀이 규칙으로 받아들일 필요가 있다.

아버지가 엄마를 폭행하는 장면을 목격한 제임스라는 아이가 있었다. 그 아이는 개념이 만족스럽게 정의될 때까지 "좋은" 가족과 "나쁜" 가족 놀이를 몇 번이고 반복했는데, 폭력적인 행동을 하면서 "나쁜" 가족을 연기하다가 이내 "이제 그만 놀 거야"라면서 다른 이야기로 넘어가곤 했다. 때로는 "너무 무서워요"라고 하기도 했는데, 그것은 아이가 내게 부적절한 역할을 맡기려 할 때 내가 곧잘 쓰는 말이다. 아이들은 그 설명을 놀이 규칙의 일부로 이해하고 또 실제 현실로서 받아들인다.

연극치료로서의 극적 놀이

아이들을 대상으로 치료적 개입으로서 극적 놀이를 사용하는 집단을 구성할 때는 치료의 목적을 분명하게 하고 그 목표를 성취할 초점과 구조를 제공하는 것이 중요하다.

수 제닝스(1990)는 실제 작업상의 연극치료 모델을 네 가지로 구분했다. (1) 창조적-표현적 모델 (2) 과제와 기술 모델 (3) 심리 치료적 모델 (4) 통합 모델. 이 가운데 창조적-표현적 모델과 과제와 기술 모델이 아이들을 대상으로 극적 놀이를 사용하는 연극치료의 바탕이 될 수 있다.

창조적-표현적 모델

이 모델은 참여자의 건강한 측면에 초점을 맞추며, 작업을 통해 개인과 집단이 드라마 속에서 고유한 창조적 잠재력을 발견하도록 자극하고자 한다. 이 모델은 놀이와 극적 놀이의 형식을 사용하고, 언어적이고 비언어적인 소통을 모두 강조한다. 이 모델에서의 극적 탐험은 체현 놀이와 투사 놀이와 상징적 놀이를 거쳐 역할 놀이로 이어지는 발달 모델을 통해 놀이의 형식으로 경험된다. 이런 방식으로 아이들은 시간의 흐름 속에 존재하는 허구를 만들면서 발달의 연속체를 따라 앞뒤로 이동할 수 있다.

이 형식은 개인과 집단의 성장을 강조한다. 거기에는 과거의 문제를 해결해야 한다는 압력이 없다. 모두가 잘하는 것을 탐험함으로써 집단의 기술을 향상시키고 자존감과 자기에 대한 감각을 북돋우는 데 초점을 맞춘다.

가족 문제로 고통 받는 8살 난 아이들 세 명이 집단을 이루었는데, 그 중 한 아이 줄리는 선택적 함묵증을 나타냈다. 그래서 집단은 한동안 마임을 사용해서 이야기를 만들기로 했다. 그렇게 하면 줄리가 말을 해야 한다는 부담을 벗을 수 있을 것 같았기 때문이다. 그 과정에서 다른 아이들은 말이 아닌 방식으로 소통하는 법을 터득해 갔고, 줄리는 조금씩 말을 하기 시작했다.

이 집단은 줄리가 받는 여러 가지 치료 중 하나에 불과했지만, 아이에게 충분히 안전한 장소가 되어 주었다. 그것은 아이들이 마임을 준비하면서 끊임없이 이야기를 했음에도 불구하고 말이 유일한 소통 방식이 아니었기 때문에 가능했다. 줄리는 다른 아이들과 연계를 형성할 수 있었고, 특정한 형식의 소통 형식에서의 기술을 인정받았다. 마임을 잘한 덕분에 다른 아이들이 기꺼이 드라마에 포함시켜 주었다. 이처럼 창조적-표현적 모델은 집단에서 활용할 수 있는 기술을 채택한다. 다시 말해 각 참여자가 무엇을 할 수 있는지 그리고 그 기술을 다른 사람들의 기술과 어떻게 통합할 수 있는지를 강조한다.

이런 종류의 집단에서 어떤 아이들은 어린 시절의 경험을 실제보다 기분 좋게 재연하고 싶어 한다. 이는 성적으로 학대당한 아동에게서 흔히 나타나는 현상으로, 그들은 과거의 폭행 경험을 탐험하기보다 현실에서는 가능하지 않은 방식으로 이야기를 만들고 즐겁게 놀기를 원한다. 하지만 자신의 창조성이 가치를 인정받고 어른에 의해 조작되거나 왜곡되지 않을 때, 아이들은 자기 몸이 어른들의 쾌락을 위한 제물이 아니며 그들에게 속하지도 않는다는 사실을 발견할 수 있다.

한번은 큰 학교에 적응하지 못하는 중학교 1학년 학생 일곱 명과 작업한 적이 있었다. 우리는 한 학기 동안 매주 한 번씩 학교에서 만났다. 어떤 아이들은 학교에 대해 공격적인 행동으로 반응했고, 또 다른 아이들은 의기소침해하거나 겁에 질려 있기도 했다. 우리는 집단 내에서 서로를 존중하고 따돌림이나 폭력을 금하는 규칙을 세웠다. 매 회기는 에너지 방출이 필요한 아이들을 위해 폭발적인 신체 활동으로 시작했고, 그런 뒤에는 조용한 관찰 게임으로 넘어갔다. 환경에서 안정감을 느끼지 못하는 아이들은 흔히 경계심을 고조시키기 마련이며, 주변 환경을 매우 민감하게 자각하게 된다. 그래서 나는 관찰에서 아이들의 기술을 절대 따라갈 수 없었고, 아이들은 그 기술에 경탄해 마지않는 나를 보면서 자긍심을 느꼈다.

집단은 감정을 숨기는 것, 겉으로 드러내는 감정과 안에서 느끼는 감정을 주제로 탐험했다. 먼저 가면으로 주제를 나타냈고, 움직임과 조각상 이야기를 사용하여 극적인 표현을 시도했다. 하지만 말은 하지 않았다. 아이들은 영화에 나오는 정지 화면처럼 일련의 이미지를 통해 생각을 발전시키는 게 더 쉽다고 느꼈다. 그런 다음에는 주제로부터 전형적인 역할을 선택하여 거친 마초에서부터 우아한 여신에 이르는 영웅의 의미를 탐험했다. 그 과정에서 수줍음이 많고 위축된 아이들이 거칠게 말하는 다른 아이들에 대한 두려움을 표현할 수 있었다. 그렇게 천천히 조금씩 집단은 드라마에서 각자의 기술을 존중하는 법을 배우고 서로 대화하는 방식을 익혀 갔다.

작은 승리의 경험도 있었다. 교장에게 야단을 맞고 교장실을 때려 부쉈던 짐은 부적절한 행동에 대한 징계를 수용하여 분노를 수습하고 방을 원상태로 돌려놓을 수 있었다. 그리고 여럿이 뭉쳐 다니며 거칠게 노는 난장판이 겁나 운동장에 나가지 못했던 준은 반 친구들 몇몇과 접촉을 할 수 있었고 전보다 덜 무서워하게 되었다.

집단 안에서 존중받는 경험과 함께 모두가 집단의 안전을 위한 기본 규칙을 지키는 법을 배울 때 비로소 자존감이 자라나기 시작했다.

과제와 기술 모델

이 모델은 현실을 위한 리허설로서 극적 놀이와 연관되며, 참여자들은 그 안에서 일상에서 요구되는 기술을 연습할 수 있다.

연극치료사는 일상의 문제를 해결하는 방식을 탐험하기 위해 가상의 인물을 사용하여 상황을 극화함으로써 놀이를 매체로 과제에 접근한다. 예를 들어, 성적으로 학대당한 어린이를 위한 치료의 첫 단계는 신체 경계를 익히도록 돕는 프로그램일 수 있다. 이야기와 가상의 상황을 만드는 활동은 훌륭한 학습 방식이다. 드라마는 어디까지나 허구이므로 그 속에 사는 인물은 얼마든지 틀릴 수 있으며, 그것은 아이들이 역할의 안전함 속에서 여러 전략을 충분히 탐험해 볼 수 있다는 뜻이기도 하다. 내가 어리석은 토끼는 아니지만 이번에는 그 바보 같은 토끼를 좀 더 나은 방법으로 도와보자, 라고 할 수 있다는 말이다.

충동적으로 물건을 훔치고 친구나 형제에게 지속적으로 괴롭힘을 당하는 12살에서 15살의 학생 집단이 있었다. 그들은 어떻게 괴롭힘을 당했는지 이야기할 때 더 곤란한 상황을 피할 수 있는 방법에 대해 그럴듯

한 의견을 내놓았지만, 정작 같은 장면을 즉흥 연기하면서는 희생자 역할에 저항하지 못하고 쩔쩔맸다. 드라마를 통해 전략을 탐험하면서 말보다 극적 놀이에서 전략을 유지하기가 훨씬 어려움을 알게 되었다. 아이들은 모두 말하는 데 거침이 없었고 그 말에 진실을 기하였지만, 희생당하는 장면에서는 막혔던 것이다. 아이들은 이러한 발견에서 충격을 받았고, 친구들의 압력에 대처할 수 있는 더 많은 전략을 익히게 되었다.

극적 놀이와 놀이 치료의 접점

놀이 치료와 극적 놀이의 과정은 하나의 흐름으로 이어져 있으며, 그로 인해 놀이 치료가 극적 놀이로 혹은 극적 놀이가 놀이 치료로 흡수되는 경우가 잦다. 이러한 현상은 한 회기에서도 일어날 수 있고 보다 긴 치료 과정에서 나타나기도 한다.

놀이 치료에서 아동은 놀이 형식을 사용하며, 때로는 극적 놀이가 해당 회기에서 탐험하려는 은유를 담아내는 데 가장 적절한 형식일 경우가 있다. 그때 아동과 치료사는 창조된 이야기를 극화하기 위해 각자의 역할로 함께 연기한다.

나는 타냐라는 8살 난 여자아이와 작업을 한 적이 있는데, 그 아이는 엄마와의 관계에 문제가 있었다. 타냐는 동화를 좋아해서 빨간 모자 소녀, 헨젤과 그레텔, 거위 소녀에서 원하는 장면을 뽑아 연기하였다.

타냐는 부모에게 제압당할 때의 느낌을 표현해 주는 장면과 아이들이 엄마의 잔소리를 귀 기울여 듣지 않는 장면을 선택했다. 실제로 통학 길에서 자주 말썽을 일으키곤 했던 타냐는 빨간 모자 소녀의 이야기를 만들면서 숲에서 길을 잃지 않도록 조심하라는 엄마의 충고를 가장 강력하게 느꼈다. 아마도 빈둥거리지 말라고 경고하는 엄마 역할을 연기하면서 그 충고가 내면화된 때문일 것이다. 타냐는 또한 헨젤과 그레텔에서 마녀를 오븐 속으로 밀어 넣는 장면을 즐겼다.

타냐는 장난감을 갖고 노는 웜업 활동 후에는 언제나 극적 놀이를 했다. 그리고 체현 놀이와 투사 놀이를 하면서 극적 놀이의 초점을 잡았다. 타냐에게는 극적 놀이가 가장 의미 있었지만, 다른 형식의 놀이 자극 역시 필요했다.

도움이 필요한 아이들 중 다수가 전혀 놀지 않으며, 그래서 치료의 첫 단계를 놀 수 있게 돕는 것으로 설계하기도 한다. 그런 아이들은 각 발달 수준의 놀이를 모두 경험해야 하며, 그러다 보면 적절한 시점에서 가장 놀이가 나타나게 된다. 장난감을 어떻게 가지고 놀아야 할지 몰랐던 5살짜리 존은 만날 때마다 놀이 모형을 꺼내 들여다보고는 다시 제자리에 가져다놓기를 반복했다. 하지만 존은 그 활동을 즐겼고, 우리는 조금씩 모형들 사이에 간단한 연관을 만들기 시작해 존이 모형에 상징적 역할을 부여할 수 있을 때까지 그 작업을 지속했다. 그렇게 한동안 시간이 흐르자 존은 놀이 모형을 통해 처음으로 절망감을 표현할 수 있었다. 하지만 아직 발달적으로 가장 놀이에서 자기 자신을 상징적 대상으로 쓸 준비가 되지는 않았고, 그래서 존이 통제하고 수용할 수 있는 물건을 사용했다.

가장 놀이를 익힌 후에도 여전히 작은 집단에서 효율적으로 기능하지 못할 수 있다. 그것은 아이들이 사회적 상호 작용에 대처할 준비가 덜 되었기 때문이며, 그런 경우에는 개인 치료가 좀 더 필요하다. 수전이 바로 그러한 경우였다. 수전은 나와는 극적 놀이를 함께 할 수 있었지만, 또래로 구성된 작은 집단에서는 불안을 수용하지 못했다.

어른과 마찬가지로 아이들 역시 때로는 개별적인 놀이 치료를 어느 정도 진행하다가 극적 놀이를 위해 집단으로 옮겨갈 수 있다. 치료사는 아동의 발달 수준, 감당할 수 있는 관계 양상, 선호하는 놀이 방식과 내용에 근거하여 치유를 도울 수 있는 최선의 방식을 평가할 필요가 있다. 그것은 때로 무엇이 가장 잘 어울리는가의 문제이기도 하다.

사다리로 올라가 벽을 타고 내려와,
한 시간에 1페니면 우리 모두 충분해,
네가 버터를 사면 난 밀가루를 살게,
반시간이면 푸딩이 될 거야.

참고 문헌

Cattanach, A. (1992a) *Play Therapy with Abused Children*, London, Jessica Kingsley.

Cattanach, A. (1992b) *Drama for People with Special Needs*, London, A. & C. Black.

Courtney, R. (1980) *The Dramatic Curriculum*, New York, Drama Book Specialists.

Courtney, R. (1985) "The dramatic metaphor and learning," in J. Kase-Polisini (ed.) *Creative Drama in a Developmental Context*, Lanham, University Press of America.

Gersie, A. (1987) "Dramatherapy and play," in S. Jennings (ed.) *Dramatherapy Theory and Practice 1*, London, Routledge.

Grainger, R. (1990) *Drama and Healing: the Roots of Dramatherapy*, London, Jessica Kingsley.

Jennings, S. (1990) *Dramatherapy with Families, Groups and Individuals*, London and New York, Jessica Kingsley.

Jennings, S. (1992) "The nature and scope of dramatherapy: theatre of healing," in M. Cox (ed.) *Shakespeare Comes to Broadmoor*, London, Jessica Kingsley.

Opie, I. and Opie, P. (1992) *I saw Esau*, London, Walker Books.

Schwartzman, H. B. (1978) *Transformations: the Anthropology of Children's Play*, New York, Plenum Press.

Winnicott, D. W. (1974) *Playing and Reality*, London, Pelican.

9. 연극치료 모험 프로젝트

스티브 미첼

케스 토 바위를 향해 걸어가면서 우리는 달려오는 바람과 비의 세계로 들어섰다. 머리 위로 또 온몸으로 휘감아 몰아치는 바람을 헤치면서, 수백 년 전 그 거친 광야에서의 생존을 위한 투쟁을 떠올리며 가쁜 호흡으로 고된 전투를 치렀다. 한 사람씩 바위 꼭대기로 올라갔다. 그리고 두 팔을 뻗은 채 맹렬한 바람에 맞서 죽을힘을 다해 버티고 서 있었다. 그러면서 우리는 삶 속에서 우리를 얽어맨 모든 것을 날려버렸다. 그리고 또다시 함께 바위에 올라 손을 잡고 한 줄로 섰다. 우리를 향해 돌진해 오는 최악의 미친바람에 도전하여 새롭게 발견한 용기를 외쳤다….

마치 숲의 인디언들처럼, 우리는 땅으로 고요히 가라앉았다. 가운데 머리를 두고 팔다리를 뻗어 바퀴살처럼 둥근 원을 만들었다. 나는 천천히 눈을 감고 어머니 대지와의 낯선 밀착감을 경험했다. 태양은 얼굴 위에서 명멸하는 빛의 패턴을 만들어 냈다. 등뒤에서는 잔디의 축축함을 느낄 수 있었고, 솔방울의 우툴두툴함과 따끔거리는 호랑가시나무 잎도 감촉할 수 있었다. 팔 위로 올라온 벌레들이 스멀대며 기어가 얼굴을 물기도 했다. 대지는 너무나 안전하게 느껴졌다. 생명의 근원이자 종국에 되돌아가게 될 물질….

(참여자의 노트에서 1990)

개관

연극치료 모험 프로젝트는 그로토프스키의 연극 실험실의 초연극적 활동[그로토프스키는 배우와 관객의 만남을 연극의 유일한 본질로 규정하여 무대 안에서 그 둘의 진정한 영적 교감을 추구한 "가난한 연극" 시기를 지나, 1970년경부터 연극의 틀에서 벗어난 일련의 프로젝트 작업을 진행하였다. 그러한 전환은 관객의 존재가 진정한 만남을 소외시킨다는 판단 아래 참여자 모두가 주체적 입장에서 자기를 무장 해제시킴으로써 타인과의 교감을 통해 자아 성장을 이루게 하려는 의도에서 비롯되었다. 구체적으로는 숲 속, 시냇가, 자갈밭, 농장 등의 다양한 환경에서 워크숍이나 집단생활을 통해 참여자가 직접 행동하고 감각을 경험하는 형태로 구성되며, 어둠 속에서 달리기, 나무 주위 맴돌기, 사냥 등 원초적인 활동을 했다. 대표적인 초연극 작업인 "산山 프로젝트"(1975)를 예로 들면, 참여자들의 신체를 자유롭게 만들어서 내면의 감정이 걸림 없이 분출되도록 몸, 발성, 호흡을 훈련시키는 치료적 과정, 언어를 벗어나 자기의 충동과 동기를 인식하게 하는 명상, 놀이를 통해 인간 내부의 진동을 확인하는 활동, 타인과 깊이 교감하게 하는 연극 놀이와 신체 훈련, 다른 문화권에서 온 사람들과의 접촉을 위한 국제 스튜디오, 자신의 본질을 새롭게 인식함으로써 믿음을 가지고 타인과 만날 수 있게 하는 특별 작업까지 여섯 단계로 구성되었다: 옮긴이]에서 구체적인 영감을 얻고 있다. 여기서 나는 초연극적 활동이 실내와 야외에서의 연극치료 작업으로 활용될 수 있는 방식에 집중함으로써 이러한 아이디어를 확장할 것이다.

이제 두 집단의 사례를 종합하여 소개할 텐데 그들 모두가 다음과 같은 방식으로 작업을 구조화했다. 하나는 단기 외래 환자 집단이었고, 다른 하나는 재적응 훈련 집단이었다. 두 집단 모두 다트무어 국립공원에서 일주일 동안 함께 먹고 자면서 집중적인 회기를 가졌다. 때로는 외래 환자 집단이 좀 더 강도 높은 체험을 사용하긴 했지만, 본질적으로 두 집단은 동일한 과정에 참여했다. 이에 대해서는 관련된 부분에서 설명할 것이다. 두 집단 모두 1주에 걸친 해당 프로젝트를 위해 조직되었고, 자연의 요소를 작업의 개념적인 틀거리로 삼았다. 하지만 항상 그러해야 하는 것은 아니며, 실내 작업과 실외 활동을 어떻게 조합하면 좋을지에 대해서는 마지막에 다시 논하려고 한다. 이제 그 준비 과정부터 시작해 보자.

준비

행정적 측면

형식을 막론하고 연극치료 작업의 성패는 집단을 실제로 운영하기 전의 그 준비 과정에 달려 있다. 이 점은 특히 참여자들을 병원에서 외부로 데리고 나가려 할 때 강조되어야 한다. 자연 환경에 대한 이해가 부족하거나 돌발 상황에 대한 배려가 없는 리더는 어떤 형태든 자연에서 행해지는 작업에 유혹을 받아서는 안 된다. 연극치료사가 경험이 없다면, 그렇게 할 수 있는 "안내자"를 반드시 동반해야 한다. 실제로 생사가 걸린 문제가 발생할 수 있기 때문에 이 점은 아무리 강조해도 지나치지 않다. 우리는 지도나 나침반을 읽지 못해 길을 잃은 사람들에 대한 기사와 그 때문에 소환되어 비극적 사건의 뒤처리를 해야 하는 관계자의 변명을 심심찮게 접하곤 한다.

집단을 도심에서 멀리 떨어진 곳으로 데리고 가려면, 그 전에 작업을 진행할 지역을 철저하게 답사해야 한다. 그것은 "집단 경험"에 적당한 장소를 물색하기 위해서이기도 하지만, 과정 중에 일어날 수 있는 모든 위험에 대비하여 가장 조용하고 안전하며 유사시에 빨리 도움을 청할 수 있는 경로를 파악해 두기 위해서이기도 하다. 그런 의미에서 작업 장소에서 가장 가까이 있는 전화, 의사, 구조 본부, 약국 등을 알아두는 것도 중요하다. 또한 예기치 못한 상황에 대비하여 비상시 계획을 짜두고 사고

— 스태프 팀의 부상을 포함하여 — 에 대처할 예비 인력을 준비함으로써, 그런 상황에서도 나머지 사람들이 안전하게 과정을 진행할 수 있도록 해야 한다. 이 준비 단계는 실제 작업만큼 본질적인 과정이다. 안전한 환경을 창조하는 것은 모든 연극치료 작업의 필수 요건이며, 참여자를 일상적인 생활 반경 밖으로 데리고 나갈 경우에는 더구나 두말할 나위가 없다. 병원 관리자와 치료사의 직속 감독은 또한 안전 요인이 철저하게 검토되었는지 그리고 비상 상황에 대비한 절차가 치밀하게 안배되었는지에 대한 증거를 문서로 요구할 것이다.

감독은 안전성의 문제뿐 아니라 프로젝트의 재정적인 측면에도 관심을 가질 것이다. 그에 대해서는 프로젝트 전반을 면밀히 조사하여 작업의 매 과정마다 어느 정도의 비용이 드는지를 명확하게 보이는 예산안이 필요하다.

1. 센터 대여비
2. 운송 수단 대여비
3. 이동과 데본에서의 활동에 필요한 연료비
4. 음식
5. 필요한 장비
6. 보험
7. 예비비

참여자

일단 직속 감독이 오케이를 하면, 다음 과제는 프로젝트를 홍보하여 참여자를 모집하는 것이다. 그것은 적어도 프로젝트가 실시되기 6개월 전에 이루어질 필요가 있다. 예산안은 경영상의 필요에 맞추겠지만, 홍보물은 또 다른 규준을 만족시켜야 한다. 프로젝트가 정신병원이나 지역 단체에서 진행될 때는 상담사, 간호사, 작업치료사, 심리학자, 사회복지사 등 다른 전문가에게 위탁하는 경우가 많으므로, 감독을 설득하기 위해 썼던 언어를 심리적 안전과 치료적 근거에 대한 조리 있는 설명으로 수정해야 한다. 홍보물을 받는 집단이나 부서나 특정 개인에 따라 그에 맞게 내용을 첨삭하는 것이다. 치료사는 회의에서 프로젝트의 개요를 설명할 수 있으며, 원하는 위탁 형태를 스태프에게 안내하고 또 그들의 질문에 답할 수도 있다. 나는 치료 팀과의 조정 회의를 활용했다. 그렇게 하면서 그들의 특정한 관심사에 반응할 수 있었고, 또 프로젝트가 지향하는 목적을 그들의 특정한 언어나 배경에 맞게 전달할 수 있었다. 그런 다음에는 참여자를 위해 디자인한 낱장의 리플릿을 팀원들에게 나누어 주었다.

참여자의 선택

리플릿에는 프로젝트에 참여를 희망하는 사람은 치료사와 개인적으로 만나 더 자세한 이야기를 나누도록 안내되어 있다. 그 만남은 대개 30분 정도 소요되며, 치료사가 참여자에게 프로젝트를 설명하고 질문에 답한다. 참여자가 프로젝트에 적합하다고 판단될 경우에는, 헤어지기 전에 공식적인 사전평가 면담에 참석해 달라고 말했다. 그리고 공식적인 사전평가 면담에 오기 전에, 상담자나 의사에게 동의를 구하고 매일 복용하는 약물 목록을 받아 놓도록 했다.

공식적인 사전평가 면담의 구조는 다음과 같았다.

1. 참여자들에게 편지로 병원에 있는 사무실로 와달라고 전했다. 그들은 사전에 약속을 다시 한 번 확인해야 했다.
2. 프로젝트의 다양한 측면을 확인하기 위해 15가지 질문 목록을 작성하였다.
   - 당신의 상담자 혹은 의사는 누구입니까?
   - 우리가 알아야 할 신체적/의학적 문제가 있나요?

- 식이요법을 하고 있나요?
- 날마다 복용하는 약은 어떤 건가요?
- 보충 주사를 맞는다면 언제가 적당한가요?
- 멀미를 하나요?
- 방수 점퍼, 장갑, 모자, 운동화 등 야외 활동에 필요한 옷이 있나요? 우리가 준비해야 할 게 있나요?
- 햇볕에 그을려도 괜찮은가요?
- 술과 흡연에 관련된 기본 규칙에 동의하나요?
- 함께 기거하는 것이 프로젝트의 일부입니다. 거기에 혹 어려움이 있습니까?
- 응급 상황 시 누구에게 연락해야 하나요?
- 사전 모임을 갖는 데 아무런 문제가 없나요?
- 우리가 작업하게 될 흙, 불, 공기, 물에 대해 어떤 관심을 가지고 있나요? 혹시 특별한 문제가 있지는 않은가요?
- 더 질문하고 싶거나 알아야 할 것이 있다면?
- 여전히 이 프로젝트에 참여하길 원하나요?

3. 프로젝트의 도우미 중 한 사람이 참여자가 대답한 내용을 받아 적어서, 유사시에 적절한 조치를 취할 수 있게 기록하였다.
4. 면담은 25분씩 진행되었다. 특별한 문제가 없을 경우에는, 면담 말미에 참여자에게 프로젝트에 참여할 수 있음을 알려 주었다.

이러한 공식적인 사전평가 면담이 참여자들에게 위협적으로 느껴진다는 논란이 있을 수 있으며, 실제로 어떤 참여자들은 면담을 하기 전에 불안해하기도 했다. 그러나 면담을 앞두고서는 마음이 무거웠던 게 사실이지만, 프로젝트 후반부가 되고 보니 우리가 만든 장치가 안전함을 느끼게 해주었고, 덕분에 전체 과정을 더욱 존중할 수 있었다고 말해 주었다. 리더들이 부적합하다고 판단한 사람들은 나와 개별적으로 만나, 일반적인 연극치료 집단의 경우와 같이, 다른 가능성을 세심하게 살펴보았다.

사전 모임

출발 전에 모임을 갖는 것이 참여자들을 안심시키는 중요한 방법 중 하나라고 결정되었다. 그래서 일주일에 한 번씩 네 번을 만나 서로 소개하고, 다트무어에서 작업할 드라마를 간단하게 선보이며, 작업이 진행될 장소와 식단 및 주방 당번과 개인 준비물을 점검하였다.

모임 1

1. 사무실에서 교회 강당까지 함께 걷기
2. 촛불 의식
3. 소리 즉흥
4. 프로젝트 전반에 대한 소개
5. 다트무어, 센터, 여행 등에 관한 정보
6. 차와 마무리

모임 2

1. 촛불 의식
2. 짝 작업 — 짝 소개하기
3. 식단 및 주방 당번 정하기
4. 차와 마무리

모임 3

1. 촛불 의식
2. 감각 작업
3. 준비물 목록 검토

4. 차와 마무리

모임 4

1. 촛불 의식
2. 짐 점검
3. 준비물 점검
4. 여행을 위한 준비
5. 차와 마무리

첫째 날

다트무어로의 여정

짐은 출발 전날 마지막 모임 때 워크숍 장소로 가지고 와서 제반 사항을 점검한 다음 사무실에서 하룻밤 보관했다. 참여자들은 다음날 아침에 만나 소형 버스를 타고 데본으로 출발했다. 목적지까지는 7시간이 걸렸기 때문에 두 시간마다 휴게소에 들러 30분씩 쉬는 시간을 가졌다.

도착과 센터의 정비

센터는 마을의 오래된 유치원으로 현재는 아이들의 야영 센터나 다트무어를 탐험하는 어른들의 베이스로 사용되고 있다. 그곳에는 큰 방이 하나 있고, 스태프를 위한 작은 침실 하나, 큰 부엌, 강당, 세면실 그리고 야외에 두 개의 방갈로가 있는데, 한여름에는 거기서 각각 여덟 명 정도가 잘 수도 있다. 밖에도 복합 건물이 한 채 있고 남녀 화장실이 있다. 건물 뒤에는 텐트 서너 개를 칠 수 있을 정도 넓이의 잔디밭이 있다. 기본적인 설비가 갖추어진 센터를 우리 필요에 맞게 변형하는 것이 중요하다. 집단마다 센터를 각자의 방식으로 변형하겠지만, 보통 필요한 가구는 옥외 건물에서 가져오고, 낮에는 강당을 드라마 스튜디오로 쓰고 밤에는 매트리스를 깔아 침실로 사용한다. 일부 참여자들은 방갈로에서 자거나 텐트를 치기도 할 것이다.

분위기를 "집처럼" 만들기 위해 개인 짐을 풀고 음식을 먹는다. 첫날 저녁 주 메뉴는 미리 조리하여 냉동 보관해 온 음식으로 한다. 그 밖의 모든 먹을거리, 아침, 점심, 스낵과 음료수는 집단 전체가 책임을 진다. 도착해서 가장 먼저 해야 하는 일 중 하나가 바로 짐을 푸는 동안 저녁 식사를 데우는 것이었다.

촛불 의식

첫 번째 회기는 저녁을 먹고 나서 "드라마 스튜디오" 중앙에 깐 둥근 천 주위에서 진행된다. 촛불 의식은 랭카스터에서 맨 처음 가진 준비 모임 때부터 해온 구조로, 회기를 열고 닫는 일종의 제의로서 사용된다. 천 가운데 초를 놓고 집단은 그 주위에 앉는다. 참여자들 중 한 사람이 그날 촛불의 수호자가 된다. 그는 초에 불을 붙이면서 원한다면 짧은 헌신 의식을 수행할 수도 있다. 그리고 하루를 정리하면서 초를 끌 때도 그날의 수호자는 마무리를 어떻게 할지 선택한다.

일단 수호자가 초에 불을 붙이면, 의식을 거행하듯이, 둥그렇게 둘러앉은 참여자들에게 그것을 전달한다. 첫째 날에는 자기 이름을 말하면서 촛불을 전했다. 하지만 이튿날부터는 그와 다른 형식으로 진행된다. 초를 전하면서 프로그램에 대한 의견을 내놓을 수 있으며, 초가 한 바퀴를 돌고 난 뒤에 제기된 문제를 논의한다. 주제는 그날의 시간표에서부터 샤워를 효율적으로 하는 방법에 이르기까지 무엇이든 가능하다. 그러나 작업에 대한 개인적인 느낌을 나누는 시간은 아니다. 일단 공적인 문제를 의논하고 스태프가 공지 사항을 발표한 후에 초를 다시 한 번 전할 수 있으며, 그때 개인적으로 나누고 싶은 느낌이나 이미지를 공유하도록 한다.

참여자들은 첫 번째 촛불 의식을 마무리하기 전에 천 주변에 미리 가져다놓은 타악기를 사용하여 소리 즉흥을 한다. 그러면서 그날 있었던 일, 집 떠나기, 긴 여정, 도착, 짐 풀기, 첫 번째 식사, 작업에 대한 기대와 관련한 모든 감정을 환기할 것이다. 이 모두가 다트무어의 첫 번째 창조적 경험 가운데 공유하게 될 주제이다.

밤 산보

첫 번째 체험은 데본의 좁은 길을 따라 소란스레 흐르는 강물을 끼고 이어지는 어두운 계곡으로 걸어 내려가는 것이다. 그 길은 꽤 어두워서 오직 달빛만이 우산처럼 길을 뒤덮은 나무들 사이로 간간이 비친다. 참여자들은 절대적으로 필요한 경우가 아니라면 말을 삼가도록 했다. 그것은 다른 사람들과 함께 있음을 경험하면서 또한 혼자 있음과 시골의 밤의 정적 속에서 깨어나는 감각에 초점을 맞추기 위함이었다. 필요한 경우에는 손전등이나 우리가 나누어 준 호루라기를 이용하도록 했다. 산보는 한 시간가량 지속된다. 센터에 돌아와서는 숙소로 곧장 들어가지 않고 잠시 밖에 머문다. 완전한 원으로 서서 조용히 구름과 나무와 언덕을 배경으로 춤추는 달빛과 계곡의 안개 너머로 밤을 지켜보는 시간을 갖는다.

촛불 의식

밤 산보의 경험은 실내에서 촛불 의식으로 마무리한다. 참여자들은 초를 전하면서 산보를 하는 동안 어땠는지 이야기할 수 있다. 그리고 첫째 날의 마무리 활동으로 초를 한 번 더 돌리면서 그날 있었던 일에 대한 느낌을 나눈다. 그런 다음 그날의 촛불 수호자가 초를 어떻게 끌 것인지 그리고 여정의 시작 — 데본에의 도착 — 을 어떻게 종결할 것인지를 제안한다.

둘째 날: 땅

촛불 의식

집단은 의식의 천 주위에 둘러앉아 촛불 의식을 치르면서 하루를 시작한다. 공적인 문제를 다룬 다음 그날의 주제를 소개하는데, 첫째 날의 주제는 "땅"이다. 나는 직접적으로 땅을 "만나는 것"뿐 아니라, 감각의 포문으로부터 세상을 인식할 수 있도록 몸에 스스로 "접지"시키는 관점에서 주제를 이끌어 갈 것이라고 설명한다. 그것은 감각 지각에 몸을 일깨우는 활동으로 이어진다.

감각 경험

작업은 방 안을 걸어다니면서 몸을 푸는 동작들, 마리 오도넬 풀커슨(Fulkerson 1977)이 "쉬운 동작"이라 부른 단순한 움직임 활동으로 시작한다. 그러고 나서 연극 실험실의 "조형 활동"(Grotowski 1968)[이는 심리적인 것을 신체적 행위와 연관시킴으로써 잠재의식을 탐구하고 해방하려는 배우 훈련 방식이다. 실질적으로 조형 훈련은 배우를 매우 피로하게 만들어 육체적으로 견딜 수 있는 극한까지 몰고 가며, 그 상태를 통해 배우가 창조 과정을 방해하는 한계들을 초월하도록 이끈다: 옮긴이]에 기초한 활동으로 옮겨간다.

참여자들은 적당한 장소를 찾아 자리 잡은 다음 가지런히 몸의 균형을 잡고 서서 눈을 감은 채로 몸의 각 부위에 초점을 맞춰 "지금 여기에서"

의 감각적 인상과 접촉한다. 단순하게 말해 무엇이 느껴지는지를 자각하는 것이다. 그리고 여전히 눈을 감은 상태에서 조금씩 몸을 움직이기 시작한다. 앞뒤로 몇 걸음씩 이동하다가 한 발로 서거나 제자리에서 뛰거나 앉았다 일어서는 동작을 하면서, 감각에 초점을 맞춘다. 그런 다음에는 안내자와 함께 눈을 감고 걷는 활동을 거쳐 "눈감고 달리기"보다 조금 더 섬세한 활동으로 진행한다. 한 사람이 눈을 감고 공간을 가로질러 달리면, 눈을 뜬 짝이 적당한 지점에서 "이제 그만"이라고 말해 안전하게 멈출 수 있게 해주는 것이다.

이 신체/감각 작업의 발전은 접촉 즉흥으로 이어진다. 나는 집단이 방향 감각을 상실하는 과정을 수용할 수 있고 촉각적인 친밀함이 형성되었다고 느낄 때만 그 활동으로 넘어간다. 따라서 그것은 외래 환자나 연극치료사 교육 과정에 있는 집단에게만 해당하는 구조일 수 있다. 그 "경험"은 바닥에 눕는 것에서 시작한다. 호흡을 주시하면서 깊은 숨을 쉬고 그것이 감각에 어떤 영향을 주는지를 관찰한다. 한 번 구르고 다시 멈춰 숨을 깊게 쉬면서 이번에는 몸 전체에서 들어오는 감각의 인상을 깨워 관찰한다. 구르고 멈추는 이 과정을 반복하면서, 공간을 신중하게 이동해 가며 샅샅이 탐험한다. 그렇게 움직이다가 다른 사람들과 마주치면, 마치 인간의 형상을 처음 느끼듯이 그와 진정으로 접촉한다. 강요하지 않되 조심스럽고도 창조적으로 접촉하면서 상대를 탐험하는 것이다. 부드럽고 리드미컬한 음악으로 영감을 불어넣어 이 첫 번째 만남을 마치 춤과 같은 접촉 즉흥으로 발전시킬 수 있다. 활동을 마칠 때가 가까워 오면, 나는 참여자들이 모두 모여 손을 잡고 한 줄로 길게 늘어서게 한다. 그 상태에서 안전에 유의하며 내가 인도하는 대로 발을 맞춰 걸으면서 천천히 공간을 둘러본 뒤에 밖으로 나가 첫 번째 경험을 마무리한다. 눈을 감은 채로 몸에 닿는 햇빛을 느끼면서 그 온기로 몸을 데우고 에너지를 받아들인 다음, 그늘에서 눈을 떠 주변에서 받아들일 수 있는 소리와 형상과 냄새와 감촉과 맛을 조용히 음미한다.

자연의 산물

참여자들은 다른 사람들의 눈에 띄지 않게 "자연의 산물"을 하나씩 가져온다. 의식의 천 주위에 둘러앉아 한 번에 한 사람씩 원 가운데로 들어가 눈을 감고 앉는다. 누군가 가운데 앉은 사람의 손바닥 위에 "자연의 산물"을 올려놓으면, 그는 오직 감각을 이용하여 그게 무엇인지 추측해야 한다. 마지막으로 원 가운데 초를 놓고 불을 붙여 동그랗게 전달하면서 첫 번째 회기의 경험을 공유한다.

숲으로의 여행

오후 회기에서는 아침에 했던 감각에 대한 준비 작업을 확장하여 "땅"과 직접 접촉한다. 먼저 산행 복장을 갖춰 입고 방수 점퍼와 응급 호루라기 사용법을 확인한다. 그리고 침묵 속에서(절대적으로 필요할 때만 말을 한다는 데에 동의하고) 오후 작업이 이루어질 커다란 숲으로 걷기 시작한다. 거기까지는 약 3.2킬로미터이다.

땅의 의식

계곡에 도착하자마자 맨손으로 땅에 얕은 구멍을 파면서 진짜로 땅과 접촉을 한다. 그리고 그 "구멍" 주위에 둘러앉아 찰기 없는 마른 흙을 옆으로 전달하면서 의례로서 흙을 느끼고 그것이 원을 따라 옮겨지는 것을 지켜본다. 흙을 다시 한 번 돌리면서 각자에게 "땅"이 무엇을 의미하는지 말한다.

땅의 의식의 일부로, 참여자들은 힘의 도구를 상징할 만한 땅의 산물을 찾아온다. 바로 전에 "땅"에서 어떤 영감을 얻었는지를 생각해서 그걸 나타내 보여 줄 뭔가를 찾으면 된다. 숲에서 한동안 혼자 거닐면서 나름의 방식으로 땅과 함께 머무른 뒤에, 자기의 힘의 도구를 상징하는 일종의 부적을 가지고 돌아오는 것이다. 그것을 집에 가져가 두고 보면서 "땅"이 어떻게 나의 가능성을 일깨우는지를 상기할 수 있다. 참여자들은 숲 여기 저기에 흩어져 약 30분가량 대지와 함께한다. 시간이 되면 북을 쳐서 알린다.

돌아와서는 힘의 도구의 상징을 구멍에 넣고, 잠시 명상을 한 다음 바닥에 눕는다. 처음에는 눈을 감고 있다가 한참 뒤에 눈을 떠서 나뭇가지 사이로 드러나는 하늘을 바라본다. 그리고 등 밑에 놓인 대지에 감각을 열어 몸을 내리누르는 중력과 땅에 속해 있음과 대지의 일부임을 느껴본다. 대지의 의식을 마무리하면서 참여자들은 숨을 깊이 들이마시고 다시 힘껏 내쉬면서 에너지 모으기를 여섯 번 반복하고, 마지막 일곱 번째 호흡과 함께 계곡 전체가 울리도록 "대지의 외침"을 내지른다.

돌아옴

계곡에서 돌아오는 길에 참여자들은 아침 회기에서 경험한 여러 가지 활동을 발전시킨다. 마치 "앞을 못 보는 듯" 한동안 눈을 감고 걸으면서 여러 가지 감각에 귀 기울여 가며 내리막과 모퉁이를 돌아 제 길을 찾아간다. 그런 다음 둘씩 짝이 되어 눈을 뜬 한 사람이 오직 접촉만으로 상대를 인도하면서 걷는데, 앞의 활동보다 훨씬 길게 유지한다. 마지막으로 모두가 한 줄로 눈을 감고 길게 늘어서서 맨 앞에 있는 리더의 안내에 따라 집단으로 움직인다. 이 활동 역시 상당히 오랫동안 지속한다. 잡았던 손을 놓고 서로 떨어진 상태에서 소리 내어 자기 위치를 다른 사람들에게 알리면서 마무리를 시작한다. 참여자들이 모두 모이면, 허밍을 시작해서 "숲의 노래"로 발전시킨다. 거기서부터 다시 말없이 센터까지 걸어가 저녁을 먹고 충분한 휴식을 가진다.

힘의 도구의 의식

저녁 회기는 땅거미가 내리기 직전 스톤 서클stone circle이 있는 넓은 풀밭에서 진행한다. 거기서 "땅"의 산물로 상징되는 긍정적인 치유 에너지를 수용하는 의식을 치른다. 다트무어의 넓은 대지와의 첫 번째 접촉이다. 참여자들은 말없이 스톤 서클로 걸어 나와 다음의 틀거리에 따라 각자의 의식을 고안한다.

첫 번째 입회자가 스톤 서클 안으로 들어가 자기를 도와줄 사람과 원 안 어느 곳에서 의식을 행할 것인지 선택한다. 그런 다음 조력자에게 힘의 도구를 주면서, 그것을 무슨 말을 하면서 어떻게 자신에게 전달할지를 일러준다. 예를 들어, 입회자가 무릎을 꿇은 채 원을 가로질러 반대편에 있는 조력자에게 다가가면, "캐롤, 나는 이 대지의 돌을 동거인에게 화난 감정을 표현하도록 돕는 힘의 도구로 당신에게 줍니다"라고 말하면서 돌을 전하는 식이다. 조력자는 입회자가 부탁한 행동과 말을 정확하게 따른다. 의식이 끝나면, 입회자와 조력자는 스톤 서클에서 의식의 증인으로서 지켜보고 있는 사람들에게로 돌아간다. 그리고 마지막으로 입회자 역할을 할 다음 참여자를 선택한다.

걷기

땅의 의식의 마지막 활동으로 참여자들은 한 번에 한 사람씩 맨발로 스톤 서클을 따라 걸으면서 일상생활에서 자신이 원하는 용기를 내기 위해 힘의 도구를 어떻게 사용할지 명상한다.

어둠이 내린다. 이제 초원을 떠나 돌아가야 할 시간이다. 때로는 황홀한 석양을 만나기도 한다. 참여자들은 이 경험을 하면서 자연으로의 첫걸음을 떼고 다트무어가 제공하는 생명력을 몸속으로 흡수했다. 다음날 다시 이곳으로 돌아올 것이다.

셋째 날: 공기

어제는 "몸"을 준비시키고 밖으로 나가 우리 몸과 대지의 관계를 탐험했다고 설명한다. 오늘은 우리가 몸속으로 받아들여 다시 몸 밖으로 내뱉는 공기를 통해 환경과 상호 작용하는 몸을 가지고 작업을 발전시킬 예정이다. 그러므로 실내 작업은 호흡 능력을 탐험하고 확장하며, 호흡으로 세상과 상호 작용하는 방식을 다룰 것이다.

목소리 작업

그로토프스키는 목소리 작업을 위해서는 반드시 몸의 에너지를 개방하는 작업이 선행되어야 목소리에 울림과 깊이와 힘을 실을 수 있다고 말한다(Grotowski 1968). 그래서 우리는 몸을 풀면서 어제 했던 "조형 활동"으로 넘어갔다. 몸속에서 경험되는 에너지에 초점을 맞추는 것으로 시작해, 그것을 움직임을 발전시키는 역동으로 삼아 자신의 내적 삶을 신체적 활동의 "세부와 요소"로써 되살려낸다(Grotowski 1968 참고). 내적 역동에 대한 이러한 자각에 덧붙여 호흡에 집중하기를 강조한다. 그 방법 가운데 한 가지는 온갖 아는 노래를 크게 부르면서 움직이는 것이다. 그러면서 어디서 숨을 쉬는지, 얼마나 깊게 들이마시는지, 활동 형식이 어떤 식으로 들숨과 날숨에 영향을 미치는지를 관찰한다.

노래 부르며 몸 풀기는 참여자들이 신체 작업에서 소리 작업으로 옮겨가도록 도와준다. 목소리 작업은 먼저 갈비뼈와 옆구리를 확장하여 몸통 깊숙이 숨을 들이마심으로써 깊은 호흡을 경험하게 하는 기술적인 측면과 관련되며, 그 다음에는 그것을 다양한 소리로 표현하면서 몸의 에너지를 탐험하는 것으로 나아간다. 이는 이미지를 가지고 에너지를 표현하기 전에 몸의 공명을 경험케 한다.

연극치료사로서 나는 무의식의 주제를 의식으로 표출하는 데 목소리가 매우 강력한 도구임을 발견한다. 그러므로 정서적인 내용을 가지고 작업하기를 권하기 전에 감정을 드러내지 않는 이미지를 대상으로 하는 활동 형식을 경험하는 것이 중요하다. 참여자는 그를 통해 무엇이 의식儀式 과정, 곧 감정적인 삶의 혼돈을 둘러싸는 안전한 틀이 될 것인지를 학습한다. 나의 스승인 폴 르빌로는 변형 의식의 과정에서 치유의 방식을 알고 있는 몸을 "신뢰"해야 한다고 주장한다(Rebillot 1993). 나 역시 그에 동의하며, 또 한편으로는 자기가 취하고자 하는 여정을 그로토프스키(1968)가 말하는 "신체 기억"으로 명기해 둘 필요가 있음을 강조한다. 그것은 참여자가 감정에 관한 이미지에 집중해 있는 순간에 무의식의 패턴으로서 작용하게 된다. 그래서 나는 목소리 작업을 하는 동안 개인적인 정서적 내용을 전혀 포함하지 않은 이미지로써 내적 에너지를 외화하는 형태를 먼저 시도한다. 그러고 나서 호흡과 목소리 작업을 통해 이후 유기적 즉흥에서 다루게 될 표현적인 자원을 준비시킨다.

소리 다발

"유기적 즉흥"이란 참여자들이 특정한 틀거리에 동의한 상태에서 끝을 열어 놓은 채 진행하는 활동이라 할 수 있다. 초연극적 작업에서 이것은 연극의 표현 형식 — 몸, 목소리, 상호 작용 — 을 사용하여 지금 여기에서의 지각에 색을 입히는 것과 관련된다. 이 즉흥 방식을 익히기 위해 우리는 먼저 실내 작업을 소리 다발이라는 구조로 마무리한다. 참여자들은 공간 중앙에 모여 서서 같은 높이로 허밍을 하다가 천천히 열린 소리로 변형하여 집단의 노래를 이끌어 낸다. 이는 단순히 열린 소리를 내는 문제라기보다 배워야 하는 과정이다. 참여자들은 흔히 자연스러운 소리보다는 후두에서 만들어진 소리를 내곤 한다. 그 밖에 극복해야 할 또 다른 어려움은 의식적으로 소리에 특정한 가락을 부여하려는 경향이다. 참여자들이 일단 이 경험을 익히고 나면, 소리 다발은 집단의 무의식적 목소리를 표현하고 수용하는 고유한 의식이 될 수 있다. 그 속에서 참여자들은 개인적인 주제를 보이지 않게 표현하면서 또 집단적인 방식으로 지지를 경험할 수 있다.

탐험

초연극 작업에서 "탐험"은 참여자들이 **무장 해제**하도록 돕는 중요한 방법 중 하나이다. 여기서 무장 해제라 함은 역할 레퍼토리, 사회적 의식儀式, 개인적 게임 뒤에 숨기보다 열린 상태로 현재에 존재함을 말한다. 그로토프스키는 "문화화"란 결국 사람들의 행동을 생기 없고 딱딱하게 만드는 죽은 껍질이라고 말한다("무장 해제"에 대한 좀 더 자세한 내용은 Mitchell 1992; Kumiega 1987 참고). 초연극 작업의 목적은 개인이 "자기를 재교육"(Grotowski 1980)할 수 있는 환경을 만들고, 그 안에서 열리고 현존할 수 있는 조건을 창조하며, 그리하여 존재하지 않는 "목표들"을 끝없이 좇거나 명령하거나 행동하는 대신 **만나고 반응하는** 상태에 도달하게 하는 것이다. 그로토프스키는 그러는 가운데 우리가 "에너지를 해방"시키고 우리 존재의 "충만함"을 경험하게 된다고 주장한다. 탐험의 목적은 자연을 여행하면서 감각을 일깨우고, 자연의 영감이 마음속에서 주술적인 힘을 발휘하게 하는 데 있다.

다트무어로의 탐험은 처음부터 끝까지 약 3시간 동안을 침묵 속에서 진행한다. 반드시 필요한 경우를 제외하고는 말을 하지 않는다. 참여자들에게는 그 이유를 다음과 같이 설명한다.

> 여러분은 이제 나름의 고유한 방식으로 여정을 경험할 것입니다. 때로는 기쁘고 때로는 힘이 들 텐데, 그 과정이 어떻든 다른 사람의 관점에 영향을 받거나 휘둘리지 않고 자기에게 머무르는 것이 중요합니다. 지각되는

정보를 끊임없이 나누면서 경험을 파편화시키는 대신 침묵 가운데 머무르면서 자기만의 의미를 보고, 듣고, 느끼고, 맛보고, 어루만지게 될 것입니다. 만일 경험이 지나치게 강도 높거나 다른 문제가 발생할 경우에는 스태프에게 알리고 응급 상황일 때는 호루라기를 불어 신호하시면 됩니다.

스태프 중 한 사람이 선두에서 길을 안내하고, 한 사람은 중간에 서며, 한 사람은 맨 뒤에서 뒤쳐진 사람들을 돌보도록 전략적으로 배치한다. 참여자들에게는 탐험을 하는 동안 여럿이 몰려다니지 않고 또 반대로 대열에서 보이지 않게 이탈하지 않도록 일러둔다. 출발하기 전에 예상할 수 있는 위험, 곧 날씨가 급변할 수 있고, 땅이 고르지 못할 수도 있으며, 또 어디로 가야 하는지 길이 헛갈릴 수도 있음을 설명한다. 그리고 대기를 호흡하고 자연의 요소들이 여정에 영감을 불러일으키도록 마음을 열기를 권한다.

탐험은 전날 밤 힘의 도구를 전해 받는 의식을 치렀던 스톤 서클에서 출발하여 케스 토라 불리는 커다란 바위까지 이어진다. 여정의 길고 짧음은 날씨에 달려 있다. 바람이 세고 또 앞쪽에서 불어오는 역풍이라면 진행이 힘들어질 수 있고, 반대로 등 뒤에서 불어온다면 오히려 쉬워질 것이다. 가끔 비가 내리기도 해서, 가랑비뿐 아니라 바람이 섞인 비가 올 수도 있으며, 따라서 방수복을 완전히 갖춰 유사시에 대비하도록 한다.

소망의 의식

다트무어에는 그에 얽힌 전설과 설화가 많다. 그중 하나가 제대로 서 있기조차 힘들 만큼 바람이 세게 부는 케스 토 꼭대기에 올라 두 팔을 앞으로 뻗고 똑바로 선 채 쓰러지지 않고 소원을 말하면 그대로 이루어진다는 것이다! 나는 이 이야기를 가지고 소망의 의식을 만들었다. 참여자들은 안전을 위해 짝과 함께 케스 토에 올라 "소원"을 빈다. 이 의식은 원하지 않는 사람은 하지 않아도 된다. 의식을 치른 다음에 케스 토 정상에 함께 서서 대지의 외침으로 마무리를 한다. 바람을 "만나고" 자기에게서 나온 "공기"로 자신만의 힘을 일궈내는 이곳을 전체 프로젝트의 하이라이트로 기억하는 참여자들이 꽤 있다. 초원으로 되돌아가기 전에 바람이 잠잠한 곳에서 간단한 점심을 든다.

대기의 의식

센터로 향하는 길로 접어들기 전에 강을 건너야 하는데, 거기에는 나무로 된 좁다란 다리가 있다. 거기서 대기의 의식이 진행된다. 참여자들은 한 사람씩 눈을 감고 다리를 건넌다. 그러면서 다트무어의 공기가 몸속으로 들어와 현실에서 변화시키고 싶은 뭔가를 바꿀 수 있는 힘을 준다고 상상한다. 그렇게 다리를 건너기 위해서는 무엇보다 용기를 내야 하며, 또 무엇을 바꾸고 싶은지를 정확히 알아야 한다.

초연극에서 "의식"의 과정

드라마를 공부하면서 꽤 오랫동안 나는 의식儀式 과정의 기제를 연구했고, 그러면서 드라마처럼 의식 역시 삶의 경험에 틀을 부여하는 것으로 정의될 수 있음을 알게 되었다. 일상의 행동에 "신성한" 의도를 부여하면 의식이 된다? 이는 진실이 아니다. 삶의 행위가 의식 과정으로 변형되기 위해서는, 특정한 방식으로 틀지어져야 할 뿐 아니라 입회자의 용기 있는 행동을 요하는 장애물이 있어야 한다. 그러니까 장애물을 극복함으로써 입회자의 의식意識이 엘리아데(1958)와 터너(1982)가 말한 "경계적 시간," 곧 의식 과정의 행동에 완전히 몰입하여 구체적인 사고가 느슨해지는 문지방에 올라서게 되는 위험한 순간이 있어야 한다는 말이다. 원시 사회는 의식에서 거칠고 고통스러운 요소를 경험하게 함으로써 어렵지 않게

"경계적" 시간을 성취하곤 했다. 고통의 본질을 통해 입회자는 현재에 머물게 된다. 그러면서 현재 행동의 직접성에 항복하여 특정한 이미지를 놓아버리고, 의식의 말미에 가서는 변화된 지각으로써 일상의 의식儀式에 안착하게 된다. 그러한 변화는 입회자가 의식의 상징적 행동이 변화를 가능케 할 것이라고 믿기 때문에 가능했다.

그러므로 의식儀式이란 입회자가 의식적意識的으로 특정한 의미를 부여하는 틀지어진 삶의 행동이라고 말할 수 있을 것이다. 그 특정한 의미는, 예를 들어 "나는 분노를 표현할 수 있게 되기를 원한다"처럼 의식 자체와는 별개이다. 입회자는 의식에 참여하면서 "만약 ~라면"의 행동에도 동의하게 된다. "만일 내가 눈을 감고 이 다리를 건너면, 내 소망이 이루어질 거야." 그리고 "균형을 잃지 않고, 물 흐르는 소리에도 놀라지 않고, 또 눈을 뜨지도 않고, 끝없이 길게만 느껴지는 다리에서 떨어지지도 않으면서" 갖은 장애물을 극복하는 데 주의를 집중한다. 그렇게 행동을 마친 다음에는 다리를 건넌 이유가 분노를 표현할 용기를 얻기 위함이었음을 기억한다. 한낱 하나의 가능성이 경험의 과정을 통해 의식意識의 신경회로로 엄연히 자리 잡는 것이다. 변화의 잠재성, 치유의 가능성은 바로 이 "경험하기"의 상징적 과정을 통해 현실화된다. 융이 지적하는 바와 같이 우리의 마음은 상징을 받아들이며, 치료 과정의 핵심과 의식儀式의 핵심에도 역시 그것이 자리한다. 그러나 우리는 폴 르빌로(1993)가 "의식儀式은 변화 자체가 아니라 변화를 위한 내적 준비일 뿐이다"라고 한 말을 잊지 말아야 한다.

셋째 날의 마무리

센터에 돌아올 때쯤이면 밖에서 다섯 시간을 보낸 참여자들은 모두 지친 상태이다. 그러므로 휴식, 잠, 차, 뜨거운 샤워, 저녁 식사, 그리고 식사 뒤에 촛불 의식으로 그날의 경험을 나눈다. 그 뒤는 자유 시간이다. 그러면 참여자 대부분은 근처에 있는 여관을 찾는다! 초연극 작업에서는 그런 일이 없겠지만, 연극치료 집단에서는 한동안 강도 높은 작업이 이어진 뒤에 프로젝트의 중간 지점에서 한 번 쉬어갈 필요가 있다.

넷째 날: 불

내면의 불 탐험하기

회기는 의식의 천 주위에서 시작된다. 천 위에 여러 가지 타악기를 늘어놓고 그 가장자리를 따라 초와 촛대를 배치한다. 참여자들은 먼저 초에 불을 붙이고 촛대(불을 가지고 작업할 때 필요한 안전과 배려를 상징하기 위해)에 끼운다.

그러고 나서 불이 분노나 공격성과 어떤 면에서 비슷한지, 그것이 어떻게 생명을 꺼뜨리거나 타오르게 하는지, 그 유용함과 해로움에 대해 이야기를 나눈다. 의견을 공유한 다음에는 타악기로 내면의 분노와 공격성의 불을 창조적으로 구현할 수 있는 방법을 탐험하기 시작한다. 이 "유기적 즉흥"을 "북치는 원"으로 발전시켜 타악기를 이용해 공격성을 표출하는 실험을 한다.

힘의 동물

참여자들은 바닥에 누워 눈을 감고 머릿속으로 동물의 왕국을 탐험하면서 공격성을 멋지게 표현하는 동물을 찾아낸다. 그 다음에는 눈을 감은 채 제자리에서 몸으로 동물의 형태를 구현하여 그 움직임과 몸짓을 표현한다(여기서는 리드미컬한 드럼 비트가 두드러진 음악을 사용한다). 그것을 점차 반복 가능한 동작으로 정착시키면서 그 동물의 내적인 불의 생명력을 표현할 만한 소리를 찾는다. 이 활동은 동물의 조각상을 만들어 짝과 공유하면서 마무리한다. 먼저 조각상을 짝에게 보여 주고 짝을 똑같은 모양으로 만든다. 그런 다음 두 사람은 각자의 동물이 공격성을 표현하는 방식에서 어떤 점이 마음에 드는지를 이야기한다. 끝으로 전체가 모여 어떤 동물을 만났는지 그리고 그 동물의 "내적인 불"이 분노를 다루는 각자의 방식에 어떤 영감을 줄 수 있는지에 대해 의견을 나눈다.

불의 춤

앞서 작업한 과정을 바탕으로 우리만의 "불의 춤"을 창조하면서 오전 작업을 마무리한다. 집단에 따라 "힘의 동물"을 나타내는 가면을 만들거나 — 가면을 쓰고 춤을 춘다 — "힘의 동물"의 본질을 묘사하는 걸개그림을 그린다. 그리고 타악기의 리듬과 가면과 동물의 영혼을 가지고 "불의 춤"을 만들어 간다. 그때 나는 참여자들과 함께 하면서 사이드코치[사이드코치는 참여자들이 분명한 초점을 가지고 진행되는 활동에 집중하도록 도움을 주는 짤막한 말이다. 치료사는 함께 참여하는 사람으로서 사이드코치를 통해 참여자의 상상력을 자극하고 새로운 아이디어를 제안하면서 활동에 몰입케 한다: 옮긴이]를 하고, 일종의 연출자로서 춤 동작을 보여 주거나 일러 주면서 참여자들이 움직임을 통해 "힘의 동물"의 특징을 체현하도록 독려한다. "불의 춤"의 목적은 아침 작업에서 접촉한 감정을 표출할 수 있는 신체적이고도 창조적인 형식을 제공하는 데 있다. 일단 춤의 형식을 익히고 나서는, 천천히 "힘의 동물"을 놓아주면서 마무리한다. 느낌을 나누고 촛불을 끄면서 회기를 닫는다.

버림

오후 작업은 대지의 의식을 치렀던 숲에서 진행된다. 이 활동은 미국 인디언의 "버림 의식"에 바탕을 둔다. 참여자들은 "죽은" 나뭇가지를 주워 와 개간지 가운데 작은 무더기를 만들고, 그 "죽은" 나무에 버리고 싶은 자기의 어떤 부분을 연결한다. 심리적인 연관을 형성하는 것이다. 그런 다음에는 말라죽은 나뭇가지를 찾아 또 하나의 작은 묶음을 만들고 거기에 "놓아 주고" 싶은 자신의 구체적인 모습을 부여한다. 이는 두 겹의 구조로 경험을 강화하기 위함이다. 나뭇가지가 모두 모아지면 세 사람씩 한 모둠이 되어 안전한 장소에서 작은 불을 피운다. 그리고 나무가 불타는 모양을 지켜보면서 어떤 의미 있는 그림이 나타나는지 관찰한다. 센터로 돌아와 차를 마시면서 활동을 마무리한다.

불의 의식

오후에는 여러 가지로 저녁 작업을 위한 준비를 했다. 저녁이 되면 "불의 의식"을 위해 나뭇가지 무덤으로 돌아간다. 해가 질 동안 처음으로 불을 피워 바비큐를 하고 음식과 따뜻한 음료를 준비하고 수프와 차를 끓인다. 나뭇가지 무덤에 불을 붙인 다음에는 타악기로 그 불꽃을 키우면서 "힘의 동물"을 불러내어 만든 불의 춤을 한 단계 더 세련되게 발전시킨다.

밤샘

해가 지면 모닥불이나 엷게 계곡을 밝히는 달빛이 유일한 광원이다. 그러므로 다음 활동은 원하는 사람들만 참여한다. 그것은 자리에서 일어나 불이 전혀 보이지 않을 때까지 숲으로 걸어 들어가는 것이다. 그리고 어둠 속에서 가지고 간 재를 숲에 묻는다. 그런 뒤에는 불 쪽으로 돌아갈 준비가 되었다고 느낄 때까지 어둠 속에서 밤에 귀를 기울인다. (참여자마다 회중전등과 비상시에 부는 호루라기를 가지고 있다.) 불가에 남아 있는 사람들이 북소리를 내면 돌아오라는 신호이다. 먼저 도착한 사람들은 나머지 참여자들이 모두 돌아올 때까지 북치는 원을 함께 한다.

이야기의 원

참여자들은 모닥불 주위에 둘러앉아 한 번도 다른 사람에게 말한 적 없는 개인적인 이야기를 나누면서 상처를 드러내고 집단의 지지를 받는다. 이야기의 원은 타다 남은 불 주위에 모여 꺼져 가는 불을 함께 밟은 다음 그 위에 물을 뿌리고 흙을 덮는 것으로 마무리한다.

불에 의지해 걷기

불이 완전히 꺼지기 전에 참여자들은 각자 가는 초에 불을 붙인다. 그리고 촛불과 달빛에 의지해 짐을 챙기고 숲에서 나와 소형 버스에 오른다. 그렇게 센터로 돌아와 밤샘 활동을 마감한다.

다섯째 날: 물

물을 걷기

펀워시 숲으로 가서 물의 체험을 시작한다. 여기서 참여자들은 저수지에서 발원하여 숲을 지나 초원으로 향하는 개울을 따라 걷다가 작은 강물을 만나면 또 그 흐름을 따라 걷는다. 강물로 들어가 이 돌에서 저 돌로 뛰어다닌다. 그저 강물 속을 걷는다. 그러다가 둘씩 짝을 지어 한 사람이 눈을 감은 짝을 안내하면서 강을 따라 걸어간다. 어느 정도 시간이 지나면 역할을 바꾼다.

다음 단계는 더 심화된 경험을 원하는 사람들을 초대한다. 강과 그 사이 바위들을 가로질러 꽤 길게 물 안팎으로 밧줄을 잡아맨다. 참여자들은 한 사람씩 눈을 감고 오직 밧줄에 의지하여 강물을 따라 내려간다. 밧줄을 제외하면 눈을 뜨지 않는 한 강물과 단독으로 만나는 것이다. 한 사람씩 여정을 마치고 강턱에 이를 때(여전히 눈을 감고 있다)마다 나머지 참여자들이 그를 맞아준다. 먼저 담요로 몸을 감싸고 발을 닦아 주며, 따뜻한 차(이때를 위해 보온병을 준비한다)를 마시게 하고, 마지막으로 집단 전체가 허밍을 하면서 다독여 준다. 그런 다음 준비가 되면 눈을 뜨고서 경험한 여정을 성찰한다. 집단은 다시 "물을 걸어온" 다음 사람을 맞을 준비를 한다. 참여를 희망한 사람이 모두 "고된 시련"을 마친 뒤에는 펀워시 저수지로 돌아가 점심을 먹는다.

리드포드 골짜기

오후에는 국립공원으로 지정된 리드포드 골짜기의 자연 경관을 감상하면서 일상 세계로의 점진적인 재진입 과정을 시작한다. 여기서 집단은 수세기 동안 강물이 깎아 만든 깊은 골짜기를 따라 내려가며 자연을 "만날" 뿐 아니라 일반 사람들과 접촉하게 된다. 나흘 동안 일상의 "소음"으로부터 격리되었다가 다시금 사람들과 섞이면서 그 주고받는 것을 지켜보는 것은 그 자체로 조명하는 바가 클 수 있다.

골짜기를 따라가는 트래킹은 침묵 가운데 행해진다. 사람들 사이에서 우리는 하나의 집단이다. 참여자들은 다른 사람들과 접촉하기 위해 집단에서 이탈하지는 않지만, 인사를 받을 때는 경험에 대한 자각을 유지한 채 적절하게 반응한다. 리드포드는 매우 깊은 골짜기로 그 꼭대기에서부터 우거진 나무숲을 거쳐 바위를 넘어드는 강의 흐름을 헤치고 지나는 동안 물의 주제를 끊임없이 상기시킨다. 거기에는 중요한 두 지점이 있다. 한 군데는 화이트 레이디 폭포의 발원지이고, 다른 하나는 악마의 냄비가 끝나는 곳이다. 그사이에 강을 거슬러 거대한 바위들 주변으로 좁은 길이 나 있다. 때로 그 길은 강위로 4~5미터 가량 솟기도 하고, 위험한 돌투성이인가 하면, 돌 표면에 물이 떨어져 미끄럽기도 하다. 흐르는 강물은 매순간 사납게 부서지거나 잦아든다. 우아한 폭포에서 악마의 냄비까지는 한 시간 가량이 걸린다. 악마의 냄비는 깊고 험한 동굴 속에 있는 소용돌이로, 그곳을 보려면 휘돌아가는 물 위에 걸쳐놓은 판자 다리를 지나야 한다. 동굴 속에서 들리는 물소리는 귀가 먹먹할 지경이지만, 그 광경은 참으로 불가사의하다.

물을 두려워하거나 고소공포증이 있는 참여자들에게 이 경험은 지나치게 위협적일 수 있으며, 이런 이들은 골짜기 입구에 있는 찻집에서 스태프와 함께 머무를 수도 있다. 경험을 마치고 참여자들은 센터로 돌아가 저녁 식사를 하고 그날의 마지막 활동을 한다.

정화의 의식

마지막 체험은 해질 무렵 너른 초원에서 진행되며, 치유 과정을 상징하는 물을 사용한다. 그것은 "치유 의식"이 시작될 강가까지 말없이 걸어가는 것으로 시작된다. 이동을 하면서 참여자들은 자기에게서 버리고 싶은 것이 무엇인지 혹은 새로운 방식으로 통합하기를 원하는 것이 무엇인지에 대해 명상한다. 강가에 이르면 그 이미지에 초점을 맞추고 강 건너 작은 섬에 가서 그것을 상징할 만한 돌을 찾아 집단으로 되돌아온다. 참여자 모두가 돌을 가져오면 집단은 스톤 서클 — 힘의 도구 의식에서 했던 — 을 만드는 짧은 여정을 갖는다. 하나의 집단으로서 스톤 서클로 들어가 안쪽에 또 한 겹의 스톤 서클을 만든다. 참여자들은 자기가 가져온 돌을 설명하면서 그 의미를 나눈다. 그런 다음 강으로 가서 새로운 가능성을 나타내는 두 번째 돌을 찾는다. 스톤 서클로 돌아와서는 첫 번째 돌을 두 번째 돌로 바꾼다. 한 사람씩 스톤 서클로 들어가 첫 번째 돌을 초원을 향해 있는 힘껏 멀리 던진다. 그리고 두 번째 돌에 기름을 발라 성스럽게 구별하고 나서, 다른 참여자들에게 그 돌의 상징적 의미를 어떻게 현실화할 것인지 실질적인 방법을 이야기한다.

집단의 소리를 창조하는 소리 다발로 스톤 서클에서의 정화 의식을 마무리한다. "노래"가 끝나면 초원을 떠난다.

여섯째 날: 마지막 날

마지막 날에는 원하는 활동을 선택할 수 있는 구조를 제공함으로써 전날에 시작된 일상 세계로의 재진입 과정을 가속한다. 저녁에는 프로젝트에서 중요한 순간을 되돌아보는 마무리 의식을 준비하겠지만, 낮에 무엇을 하는가는 참여자들에게 달려 있다. 전날 마지막 촛불 의식에서 할 수 있는 일 — 쇼핑, 관광, 수영, 다트무어 다시 찾기 등 — 에 대하여 제안을 받기 시작했다. 그때는 아무것도 결정되지 않았고, 시간을 두고 생각해 봐야 할 단순한 제안들이 나왔다. 아침 촛불 의식에서 결정을 한다.

집단의 제안

대개는 시내로 가서 쇼핑을 하고 다트무어의 다른 관광지나 바다를 둘러본 다음 무어에서 도시락을 먹는 일정으로 진행된다. 때로 참여자들의 의견이 나뉘어 일부는 센터에 머물고, 일부는 다른 지역으로 다녀오기도 한다. 물론 그것은 스태프의 인원이 그런 제안을 충족시킬 만큼 충분한 경우에 가능하다. 하지만 보통은 참여자들이 함께 움직이기를 원하며, 그래서 모든 사람의 욕구를 반영하는 활동으로 결정하게 된다.

마무리 의식

마무리 의식은 마지막 날 저녁 식사 후에 진행된다. 의식의 형식과 내용은 대부분 참여자들이 고안하지만, 참여자들에게는 전체 프로젝트의 진행 과정을 보여 주는 유기적 즉흥을 준비하되 다섯 가지 요소를 작업에 통합하고, 작업에서 얻은 것을 실제 생활에서 어떻게 사용할 것인지에 대한 생각을 표현한다는 일종의 틀을 제시한다. 의식은 센터나 프로젝트 기간 중에 갔던 장소 중 한 군데에서 진행된다. 마무리 의식의 목적은 집단이 함께 한 과정 가운데 중요하고도 핵심적인 순간들을 극적인 언어로 재연하는 데 있다. 의식의 분위기 혹은 양식을 어떻게 가져갈 것인가는 전적으로 참여자들에게 달려 있다. 사람들은 저마다 다른 방식으로 경험에 접근하며, 따라서 그들의 기여는 곧 그들의 특성을 반영할 것이다. 시가 낭송되고 깊은 깨달음과 나눔 그리고 프로젝트가 마침표를 찍은 슬픔의 순간을 따라가면서 간간이 패러디와 희극이 끼어들기도 한다.

의식은 흔히 술자리의 또 다른 여정으로 이어진다! 거기서 우리는 다트무어에서 보낸 한 주를 비공식적으로 마무리한다.

일곱째 날: 집으로

촛불 의식

공식적인 마지막 모임이다. 마무리 의식에서, 한 주 동안 좋고 나빴던 점을 함께 나누지 못했거나 여기서의 경험을 일상생활에 실제로 어떻게 적용할 것인지에 대한 생각을 말하지 않았다면, 초를 전하면서 이야기한다.

이 날의 초점은 센터를 말끔히 정리하고 짐을 꾸려 집으로 돌아가는 데 있다.

결론

끝으로 초연극적 모델을 사용하는 연극치료 집단이 일주일 동안 외부에서 활동을 하기 전에 6개월가량 도심의 실내 공간에서 사전 작업을 한 경우도 있었다는 사실을 덧붙인다. 그런 경우에는 준비 기간 동안 일주일에 한 번씩 만나 내가 다른 데서(Mitchell 1992) 설명한 구조를 가지고 프로그램을 진행한 다음 여기서 소개한 구조와 과정을 따른다. 멀리 가기에 앞서 집단 모임을 가질 때 좋은 점은 참여자들이 떠나기 전에 서로 잘 알게 된다는 점이다. 그런 반면에 일주일에 한 번 하는 모임에 참석할 수 없어 프로젝트에서 제외되는 사람들이 있을 수 있다는 점과 그 때문에 밖에서 함께 작업할 수 있는 시간이 제한될 수 있다는 단점이 있다.

참고 문헌

Eliade, M. (1958) *Rites and Symbols of Initiation*, New York, Harper Torchbooks.
Grotowski, J. (1968) *Towards a Poor Theatre*, New York, Simon & Schuster.
Grotowski, J. (1980) *The Laboratory Theatre: 20 years after: A Working Hypothesis*, Warsaw, Polish Perspectives.
Kumiega, J. (1987) *The Theatre of Grotowski*, London and New York, Methuen.
Mitchell, S. (1992) "Therapeutic theatre: a para-theatrical model of dramatherapy," in S. Jennings (ed.) *Dramatherapy Theory and Practice 2*, London, Routledge.
O'Donnell Fulkerson, M. (1977) *Language of the Axis*, Dartington Theatre Papers, First Series No. 12.
Rebillot, P. (1993) *The Call to Adventure: Bringing the Hero's Journey to Daily Life*, New

York, HarperCollins.

Turner, V. (1982) *From Ritual to Theatre*, New York, Performing Arts Journal Publishing.

10. 연극치료란 무엇인가?

개척자 및 활동가와의 인터뷰

수 제닝스

개관

이 장은 연극치료 분야의 주요 개척자인 고든 와이즈먼, 로버트 랜디, 물리 라하드, 파멜라 몬드와의 인터뷰로, 그들이 연극치료에 입문하게 된 과정과 저마다의 작업 방식 뒤에 어떤 생각과 경험이 있는지를 살핀다. 나는 먼저 매우 오랫동안 연극치료 작업을 해온 고든 와이즈먼을 만났다. 그와 나는 1966년에 처음 만나 임상 드라마 그룹으로 병원, 고아원, 특수학교를 돌아다니면서 함께 작업하였다. 그는 연극인으로서 처음에 연극 경험을 아이들과의 작업에 직접적으로 옮기는 데 관심을 두었고, 그러한 경향은 특히 TIE 작업에서 두드러졌다. 로버트 랜디는 미국 연극치료의 중요한 개척자이다. 그는 연극인이자 교사이기도 하며, 실제 작업과 함께 학문적인 작업을 지속해 오고 있다. 물리 라하드는 심리학자로 출발했지만 놀이 치료와 연극치료에 매우 빠르게 흡수되었다. 그는 동화를 사용한 중요한 사전평가 방식을 개발했다. 파멜라 몬드는 이스라엘에서 연극치료를 전공했고, 심각한 학습 장애 아동의 형제자매들에 대한 혁신적인 연구로 주목을 받았다.

이들은 모두 초창기 연극치료와 새로운 세대의 개혁자들이다.

고든 와이즈먼과의 인터뷰

고든 와이즈먼은 1960년대에 나란히 새로운 지평을 연 연극치료와 TIE 분야의 개척자이다. 그는 특히 TIE와 특수 장애 아동과 연극치료를 연결하는 데 기여했다. 현재 그는 프리랜서 연극치료사로서 병원, 학교, 극단에서 일을 한다. 그리고 연극치료연구원의 교사이자 자문이면서 사우스 맨체스터 대학의 연극치료사 교육 과정 개설을 위한 컨설턴트이기도 하다.

제닝스 연극치료의 개척자 중 한 사람으로서, 어떻게 이 분야에 발을 들여놓게 되었는지를 돌아봐 주시겠어요?

와이즈먼 나는 본래 글래스고 대학에서 법학을 전공하려고 했는데, 창조성의 영역 전반에 대한 흥미를 뒤로 할 수가 없어서 드라마 학교로 방향을 바꿨습니다. 왕립 스코틀랜드 음악 · 드라마 아카데미에 지원하여 합격을 했고, 너무나 기뻤죠. 드라마 학교는 내게 결정적인 경험이었어요. 평소 의기소침하고 통제적인 성향 대신 창조성을 북돋워 주었거든요. 덕분에 나는 내 자신, 내 감정과 생각을 탐험하고 그걸 객관적으로 번역하여 배우이자 행위자로서 다른 사람들에게 제시하고 공유할 수 있는 용기를 얻었습니다.

드라마 학교를 졸업한 후에는 운 좋게도 벨그레이드 레퍼토리 극단에 곧장 들어가게 되었어요. 거기서 한동안 연극 작업에 푹 빠져 지냈답니다. 리허설 과정, "역할"이 주는 흥분, 상황을 파악하고, 상호 작용을 관찰하고, 인간의 행동을 살피고, 그걸 이해하려고 노력하고, 인물로 만들어

내는 그 모든 과정이 너무나 흥미로웠죠. 그 안에는 바로 놀이의 구조가 숨어 있었어요. 그런데 한참 시간이 흐르자 뭔가 중요한 게 빠졌다는 느낌이 들기 시작했어요. 연구 작업과 리허설과 탐험 과정에 대한 사랑에는 변함이 없었는데도, 일단 막이 올라 관객의 박수 속에 첫 공연을 치르고 나면, 그러니까 구조 안에서 역할을 잘해내기 위해 기본적인 기교를 익히고 나서는, 관객과의 아기자기한 교감이 있음에도 불구하고 더 이상 나아가지 못하고 정체되는 것 같았으니까요. 분명히 뭔가 중요한 게 빠졌다고 생각했지만, 그게 뭔지는 알지 못했죠.

그러다가 우연히 TIE 극단 — 코벤트리 TIE 극단 — 을 만나게 되었습니다. 극단이 문을 연 지 6개월쯤 되었을 때라 새로운 연극 형식을 만드는 작업에 열이 올라 있었죠. 지금 생각하면 새롭다기보다 아주 오래된 연극 형식으로 되돌아가는 거였는데 말이죠. 어쨌든 당시 영국에서는 그게 새로운 형식 — 브라이언 웨이와 피터 슬레이드 같은 위대한 선구자에 의해 도입된 연극 형식 — 으로 대접받았어요. TIE 극단은 관객을 극 구조 안으로 끌어들이는 작업 방식을 개발하려 했어요. 관객이 공연의 일부로 참여하는 거죠. 그런 노력의 결과가 지금에 와서 TIE로 알려진 형식이 된 거구요. TIE는 배우가 일정한 줄거리 안에서 역할을 맡는 구조라고 할 수 있어요. 이야기는 제이슨과 황금 양털 같은 전설이나 테이 다리 사고를 다룬 다큐멘터리일 수도 있고, 소음이나 공해 같은 사회적 주제를 다룰 수도 있지요. 아이들은 그 안에서 자기 자신으로 연기하고, 배우들이 역할로 움직이면서 상호 작용을 통해 아이들에게 탐험을 자극하는 거예요.

처음에는 한 번도 접해 보지 못한 방식인데다가 어린아이들과 작업해 본 적도 없는 터라 많이 두려웠죠. 그런데 그 일을 하면서 어느 순간 갑자기 그동안 찾던, 잃어버린 고리가 거기 있다는 걸 알게 되었어요. 공유 과정 혹은 쌍방향 과정이랄까? 그러니까 배우이자 창조적 인간으로서, 내가 뭔가를 창조해서 그걸 관객과 공유할 수 있고 또 그 사람들이 어떤 반응을 되돌려주면 나는 역할 안에서 다시 던져 주는 거죠. 그런 쌍방향의 상호 작용 과정이 연극 안에서 일어난다는 것, 그건 정말이지 흥분되는 경험이었어요.

나는 곧 청소년을 대상으로 워크숍을 시작했고, 드라마 학교에서 배운 걸 모두 동원해 즉흥극과 연극 게임을 두루 탐험했어요. 그러면서 아주 중요한 경험을 했습니다. 당시엔 중증 학습 장애와 정서 장애 학생을 위해 꽤 광범위한 특수학교를 대상으로 몇 가지 프로젝트를 진행했는데, 그 작업에서 우리가 극적인 구조로 들어갈 때 학생들이 "몰입"한다는 걸 발견했던 겁니다. 나는 창조성이 우리의 긍정적인 잠재력을 탐험할 수 있게 해준다는 사실을 온 마음으로 믿습니다. 그것은 우리 안에 있는 나쁜 모습을 들춰내 꼬리표를 붙이는 대신 긍정적인 부분을 찾아 힘을 키워 주지요.

그에 관한 일화가 있어요. 나지막한 벤치에도 못 올라갈 만큼 높은 곳을 두려워하는 아이가 있었어요. 그런데 배에 관한 장면을 만들면서 누군가 말했죠. "와, 저기 섬이 보인다. 돛에 올라가서 확인해 보자." 그러자 갑자기 그 아이가 벽에 있는 기둥을 타고 그 꼭대기까지 곧장 올라가더니 상상의 섬이 있는 쪽을 향해 망원경 보는 시늉을 하고 나서는 "네, 정말로 저 앞에 육지가 있어요"라고 말했답니다. 단 한 번도 1cm 이상 높은 데서 뛰어내려 본 적이 없던 아이가 말이죠.

또 한 번은 특수학교에서의 일인데, 6개월 동안 전혀 말을 하지 않던 아이가 아주 난처한 처지에 놓인 인물을 도와야 하는 장면을 연기하다가 갑자기 말문을 열어 인물에게 충고를 했답니다.

이런 일들은 기적이 아니에요. 뭔가를 이용해 동기를 일깨운 것뿐이죠. 그래서 자발성이 자극되고 또 그 덕에 오랫동안 묶이고 막혀 있던 데서 놓여날 수 있었던 겁니다.

물론 그러기까지는 그 과정을 강화하고 발전시키기 위한 고된 작업이 있었지만 말이죠. 여하튼 맨 처음 그 작은 발걸음이 더할 수 없이 중요했어요. 교사와 집단 지도자들은 특수 교육 프로젝트에서 일어나는 몇몇 사례에 놀라움을 감추지 못했습니다.

그리고 그때 아마도 나의 행보에서 가장 의미심장한 사건이 일어났습니다. 파티에서 당신을 만난 거죠. 내가 기억하기로 우린 우연히 마주쳤어요. 다소 혼잡했던 그곳에서 우린 공통 화제인 드라마와 연극에 대해 수다를 떨기 시작했고, 당신이 독일의 비테킨트쇼프와 같이 큰 병원에서 했던 작업을 이야기해 주었죠. 나는 아주 흥미로웠어요. "나도 비슷한 작업을 해왔는데" 하면서 특수학교와 TIE에서 그간 해온 일들을 설명했고, 거기서 곧바로 아이디어와 작업의 교류가 이루어졌지요.

그렇게 해서 그 뒤에 일어난 일들은 내게 역사가 되었어요. 그 초창기에 우린 함께 일을 했죠. 국내외를 돌아다니면서 중증 장애인과 입원 환자와 교정 집단 등 "불리한 조건이라는 무시무시한 꼬리표를 단" 사람들과 드라마 구조를 사용하는 창조적 작업을 탐험했던 겁니다. 내가 걸어온 길에서 가장 크게 내딛은 걸음이었죠. 나는 그렇게 해서 연극에서 치료로 입문하게 되었습니다.

제닝스 내가 보기에 당신은 이 점에 대해서는 늘 명확했던 것 같아요. 그러니까 아무리 책을 많이 읽고 아무리 많은 생각을 한다 해도, 당신은 논문을 쓰거나 경험을 기록하는 종류의 사람은 아니라는 것 말이에요. 그래서 나는 당신이 지금에 와서 드라마-연극-치료에 대해 어떤 철학을 갖고 있는지가 너무 궁금합니다.

와이즈먼 그래요. 연극치료는 창조성과 자발적인 에너지를 자극하고 또 우리가 누군지, 어디에 있는지, 나아가서는 우리가 왜 여기에 있는지를 분별할 수 있도록 도와줄 뿐 아니라, 우리가 그 모든 성장과 배움과 지식을 잘 쓸 수 있게 도와줍니다. 자기 안에 갇혀 개인주의와 경쟁에 매몰되는 대신 인간으로서 서로 나누고 협동적으로 작업하도록 도와주지요.

제닝스 그런데 그건 연극도 마찬가지 아닌가요?

와이즈먼 물론 연극에서도 사람들이 함께 경험을 하지요. 그 경험에서 모두들 서로 다른 걸 보고 느끼고 생각하지만 적어도 함께 토론하거나 동의하거나 다른 견해를 내놓을 수 있는 공통의 핵을 갖게 됩니다. 그에 비해 연극치료에서 참여자들은 집단적인 공동의 경험을 갖습니다. 그건 사람들이 불가에 둘러앉아 이야기를 나누면서 탄생과 죽음과 결혼을 축하하곤 했던 고대의 시간으로 거슬러 올라가는 경험입니다. 사람들은 생명의 보존을 위해 필요한 행동, 가령 해 뜨는 것이나 우림에서 비가 내리는 걸 예배하기 위해 함께 했을 겁니다. 연극치료는 그처럼 멀리 거슬러 올라가는 경험입니다.

연극치료의 전 영역은 사람들이 실질적으로 함께 작업할 수 있도록 돕는 거라 할 수 있습니다. 창조성과 에너지와 문제와 목표와 기쁨을 함께 탐험하는 거죠. 이야말로 인간으로서 우리에게 절대적으로 필요한 모든 것입니다. 그리고 우리는 여기서 아우구스또 보알[1]의 목소리를 들을 수 있습니다! 수많은 치료 양식들 중에 그걸 잘하는 분야가 딱 하나 있는데 그게 바로 연극치료랍니다. 그래서 연극치료가 시작될 때부터 내가 그 일부로 일해 왔다는 걸 무척 자랑스럽게 생각합니다.

제닝스 지금껏 이야기한 치유 과정이나 경험의 공유와는 별도로 연극치료에는 정치적 차원이 존재합니다. 그리고 앞에서 경쟁과 개인주의를 잠깐 언급하기도 했지요? 그에 관해 조금 더 말씀해 주시겠어요?

와이즈먼 바로 그 지점에서 나는 보알의 정신과 그의 정치적 연극 혹은 정치화된 연극을 존경합니다. 나는 늘 거기에 관심을 기울여 왔어요. 신화

---

1. 아우구스또 보알은 "억압받는 사람들의 연극" 작업을 통해 연극과 사회에 대한 전제에 도전한다.

와 전설과 판타지뿐만 아니라 현실의 구체적인 관심사를 탐험한 TIE 시절부터 쭉 그랬지요. 보알은 연극이 우리가 우리 자신에 대해 배울 수 있게 해주고, 또 세상 속에서 잘 기능할 수 있는 방식을 스스로 선택할 수 있게 도와준다고 말하곤 했지요.

나는 연극치료의 가장 본질적인 요소는 바로 탐험과 창조성과 경험의 공유라고 믿습니다. 하지만 그게 전부는 아니고, 이 세상 속에서 인간으로서 진보하기 위해 그리고 정말로 세상의 변화를 돕기 위해 우리가 배운 걸 사용하는 게 또 다른 축이라고 생각합니다. 나는 평형 상태에 도전한다는 점에서 TIE와 연극치료가 상당히 전복적이라고 봅니다. 억압적이거나 불공정하거나 공평하지 못한 영역에서는 특히 그렇지요. 연극치료는 성 차별이나 인종 차별에 관심을 기울여야 합니다. 보다 나은 세상을 만들려면 정치적 이념의 영역을 무시해선 안 되니까요. 우리는 21세기를 맞아 거대한 문제들에 직면하고 있어요. 소통의 몰락을 목도하면서 동시에 열려지는 세상의 일부를 보기도 하지요. 뿐만 아니라 이 지구별의 한정된 수명을 온전히 자각합니다. 그러므로 우리는 이제 파괴가 아닌 보존을 이뤄내야 합니다. 연극치료는 어떻게 해야 우리가 성장하고 함께 긍정적으로 발전하며 그리하여 이 세상을 보다 나은 곳으로 만드는지, 그리고 우리 자신을 위해 더 훌륭한 삶의 질을 확보하는 법을 배울 수 있는지를 살펴보아야 합니다.

로버트 랜디와의 인터뷰

로버트 랜디 교수는 뉴욕 대학 연극치료 석사 과정의 책임자이자 연극치료의 이론과 실제에 대한 수많은 책의 저자이기도 하다. 그는 『심리 치료에서 예술*Arts in Psychotherapy*』의 새로운 책임 편집인이며, 1992년에 연극치료연구원에서 주는 해외 동료상을 수상하기도 했다.

제닝스 먼저 연극치료에 입문하게 된 계기와 지금까지의 여정을 말씀해 주시겠어요?

랜디 글쎄요, 저는 1960년대 중반에 우연히 시작했던 것 같습니다. 그때는 정서 장애 청소년을 위한 학교에서 영어 교사로 일하고 있었거든요. 낮에는 영어 선생이었고, 밤에는 배우였죠. 그런데 심각하게 과잉 행동적이거나 위축된 아이들에게는 워즈워스의 시를 읽고 쓰고 해석하도록 가르칠 수 없다는 걸 알게 됐죠. 정말이지 할 수 있는 게 아무것도 없었어요. 그래서 전 순수하게 살아남는 방법으로 내가 가장 잘 아는 연기로 방향을 틀었습니다. 주말에 연극 워크숍에 참여하면서 얻은 아이디어를 다음 주 수업에서 시도해 보곤 했죠. 연극은 학생들의 흥미를 일깨워 주었고, 주의가 산만한 아이는 침착하게 하고 위축된 아이에게는 활기를 주었을 뿐 아니라 이제까지와는 다른 방식으로 나의 흥미를 자극하기도 했습니다. 그렇게 학생들은 연극에 관심을 가지고 또 연극을 하기 시작해, 1968년에는 〈고도*Godot*〉를 아주 기괴한 방식으로 공연하게 되었어요. 그때 함께 한 사람들은 기다림이 무얼 뜻하는지 그리고 극에 나오는 아무 일도 일어나지 않는 상황이나 말장난 같은 걸 너무나도 훌륭하게 이해했어요. 그 학교에 약 4년 동안 있으면서 학생들과 아주 깊은 관계를 맺을 수 있었습니다. 나는 실험 연극 형식에도 관심이 있었고, 학생들도 자연스럽게 그런 아이디어를 둘러싼 작품에 흥미를 가졌죠. 나는 의식 연극과 인간 내면의 어둠과 원형적인 악마성을 탐험하는 연극을 했는데, 그게 아이들의 경험과 너무나 공명했던 거죠. 연극치료를 시작하게 된 과정은 대략 이러했습니다.

제닝스 당시에 배우나 극작가로 당신에게 큰 영향을 준 사람이 있다면 누구인가요?

랜디 글쎄요, 당시에는 리빙 시어터와 오픈 시어터 단원들과 작업하고 있었으니까, 아무래도 그들로부터 많은 영향을 받았겠지요. 확실히 1960년대 초반에 오픈 시어터를 시작한 조 차이킨은 내게 아주 중요했고, 여전히 왕성하게 활동 중인 페터 슈만의 빵과 인형 극단도 역시 그랬습니다. 페터 슈만은 일주일 동안 우리 학교에서 심한 정서 장애 학생들과 워크숍을 하기도 했어요. 특별히 정서 장애인과의 작업에 관심을 둔 건 아니었고, 다만 아주 원초적이고 비언어적인 연극을 했지요. 무지하게 큰 인형이 나오는 연극이자 제의였고, 아주 느린 움직임에 암튼 뭔가 범상치 않은 작품이었어요. 그리고 공연과 워크숍이 끝날 때는 언제나 직접 구운 빵을 객석에 있는 사람들에게 나누어 주었죠. 우리 학생들은 그걸 아주 인상 깊게 보았어요. 감각적인 충족뿐 아니라 음식으로 풍족해지기 위해 극장을 찾을 수도 있겠다는 생각. 그 이미지는 나를 줄곧 따라다녔습니다. "당신의 연극이 가능한 모든 방식으로 사람들을 먹일 수 있다면, 이건 나를 위한 거야"라고 생각했죠. 그런데 그렇게 몇 년이 지나면서 내 관심이 좀 더 전통적인 데 있다는 걸 알게 되었고, 지금에 와서는 오직 치료에만 관심을 두게 되었을 정도로 실험적인 연극 형식에 시들해졌어요. 시들해졌다는 건 그냥 관객으로서만 공연을 본다는 뜻이지요. 몇 년 동안 극장에 가는 게 너무나 실망스럽고 공허하며 거짓된 경험임을 느끼면서, 내게는 배우가 하는 일이 충분치 않음을 알게 되었어요. 연극계를 잘 아시죠? 거기서 역할을 얻기 위해서는 어떻게든 자기를 돋보이게 해야 합니다. 배우는 가장 경쟁적이고, 어떤 의미에서는 천박한 영혼을 가진 직업이라 할 수 있습니다. 그리고 그럴 때 연극은 거부와 수용 — 때로는 심한 나르시시즘을 만족시키는 — 의 전쟁터가 되기도 하죠. 그런데 연극치료는 그렇지 않다는 걸 발견했어요. 거기서는 연극이 아무것도 될 필요가 없었고, 특정한 역할에 맞지 않아도 상관없었죠. 내가 하고 싶거나 필요한 인물이 될 수 있는 거죠. 그래서 1960년대부터 1980년대까지 그런 아이디어를 둘러싼 연극을 시작했습니다. 1970년대 말 즈음에는 또 공연 작업에 깊이 빠져 작품을 연출하고 희곡을 쓰기 시작했습니다. 그때 연출 작업을 하면서 내가 베르톨트 브레히트와 서사극 양식에 가장 밀착되어 있음을 알게 되었습니다. 그것이 나중에 투사 기법과 연극치료 작업의 원천이 되었고요. 브레히트의 연극은 성찰의 연극이라서 호소력이 있어요. 빵과 인형 극단처럼 인성 대신 페르소나, 원형이 전면에 나서면서 배우는 그 뒤로 숨는 거죠. 나는 또 고든 크레이그에게서 깊은 인상을 받았습니다. 아시다시피 그는 배우가 없는 연극, 배우의 인성 대신 이미지와 거대한 인형이 지배하는 마리오네트의 연극을 꿈꾸었죠.

제닝스 그것은 아르토 — "태양의 연극"과 "달의 연극"의 놀라운 이미지 — 와도 관련되지요.

랜디 정확합니다. 당신도 알겠지만, 공부할수록 그의 아이디어가 여러 가지 측면에서 에게 문명과 그 선대의 문명에서 유래되었음을 느끼게 됩니다. 아르토의 연극이 고대 그리스의 연극과 아주 닮았다는 걸 깨달았죠. 거대한 가면을 쓰고서 고정된 자세를 취한 배우, 그야말로 누구나 알고 있는 연극의 위대한 이미지이지요. 연극에서 내게 인상적이었던 것도 바로 그거였고, 그래서 나는 정서 장애인, 약물 중독자, 노인, 지체 장애인 등과 작업하면서 그 아이디어를 다양한 장에서 시도하기 시작했습니다. 그 시절, 그러니까 1960년대와 1970년대에는 대부분 치료 교육 시설이나 기관에서 작업을 했지요. 원형과 이미지에 끌린 나머지 텍스트를 떠나 인형과 가면을 가지고 실험을 하기 시작했어요.

제닝스 가면을 어떻게 사용하셨나요?

랜디 음, 그러니까 처음에는… 학생 중에 재능 있는 사람이 있어서 내게 가면 만드는 법과 거푸집 사용법을 알려 주었어요. 처음에 가면을 쓴 건 연극이 아니라 사진에서였죠. 가면을 쓰고 사진을 찍으면서 분명 나를 닮았는데 나는 아닌 사람과 마주치게 되었어요. 그러면서 내가 다른 사람들에게 입혀진다면, 내 얼굴을 다른 사람에게 옮기면 무슨 일이 일어날지 궁금했습니다. 내가 여자로 보일지, 노인처럼 보일지, 어린아이같이 보일지, 심한 지체 장애인으로 보일지 알고 싶었던 거죠.

그래서 — 여기 몇 장을 가지고 오긴 했는데 — 식구들, 친구들, 거리에서 만난 사람들에게 부탁을 했어요. "혹시 이 가면을 쓰고 포즈를 취해 주실 수 있을까요?" 라고 말이죠. 그 결과 범상치 않은 일이 일어났습니다. 너무나 다중화된 이미지 앞에서 "과연 핵심적인 로버트 랜디가 있는 걸까, 아니면 내가 만난 모든 사람들에게서 발견할 수 있는 나의 확장판이 존재하는 걸까?" 라는 질문을 하지 않을 수 없었죠. 그러다 초기 사회학자 중 한 사람인 찰스 쿨리의 "거울을 보는 자아" 라는 개념을 떠올렸습니다. 그는 "나는 하나의 자아이고, 거울을 보기 때문에 내가 나임을 안다" 고 말했지요. 그러니까 내가 속한 사회의 다른 모든 사람들 그리고 그들이 되비쳐 주는 상이 결국 나의 존재인 셈이지요. 그렇게 해서 저는 다른 사람들이 나를 위한 거울이 되어 주는 상징적 상호 작용의 세계로 이끌려 들어갔습니다. 그건 사진에서 연극으로의 비약이었고, 연극에서 그 아이디어를 가지고 놀기 시작해서 결국엔 연극치료에까지 이르게 되었지요.

어느 날 저는 함께 작업하는 사람들에게 말했어요. "자기 가면을 만들어 이름을 붙인 다음 다른 사람들에게 씌워 보면 어떨까요? 그리고 그걸 집으로 가져가서 아버지, 어머니, 여동생에게도 씌워 보세요." 그리고 사람들은 저와 똑같은 경험을 하게 되었죠.

1970년대 후반에 뉴욕 대학에서 일하게 되었어요. 저를 고용한 데는 연극치료 프로그램을 개발하라는 뜻도 있었죠. 당시에는 체계화된 직업으로서 그런 직종이 없었고, 연극치료를 교육하는 기관도 전무했으니까요. 전 야블롱스키라는 모레노의 제자와 캘리포니아에서 심리극을 공부했죠. 그건 아주 흥미로운 경험이었지만, 어떤 면에서는 너무 두렵기도 했어요. 가면 작업과는 판이하게, 지나치게 강력했거든요. 너무나 직접적이어서 충분히 안전하지도 않은데다가, 거리를 두지도 않았고, 성찰을 할 수 있을 만큼의 여백도 없었습니다. 당시에 쓴 희곡이 한 편 있는데, 제목이 〈학과장을 죽여라〉였어요. 대학에서 가르치고 있으면서도 안정된 일자리를 보장받지 못했던 내 상황을 표현한 거였죠. 연극학과 강사인 주인공이 자신의 고용 가치를 입증하기 위해 모종의 공연을 해야만 한다는 내용인데, 강사는 심리극을 공연하기로 결정하고 거기서 연극학과 학과장을 주인공으로 선택하죠. 작품의 아이디어는 그렇게 해서 그가 학과장을 사회적으로 매장시키고, 학과장은 그에 분개하여 해고함으로써 그를 죽인다는 거였어요. 일종의 극중극인 셈이죠.

제닝스 그러니까, 당신 자신을 위한 치유의 연극 한 편을 올린 셈이군요?

랜디 네, 그렇습니다.

제닝스 효과가 있었나요? 치유가 되던가요?

랜디 결과적으론 그랬습니다. 실직과 관련해 해결하지 못한 감정들이 날 너무나 힘들게 했었는데, 가장假裝 속에서 그게 축복으로 바뀌었죠. 또 하나의 아이러니는 캘리포니아 연극학과는 내가 연극치료를 발전시키길 전혀 원하지 않았다는 거예요. 그들은 오히려 그 아이디어를 두려워했고, 당연히 발전시킬 방법을 찾을 수도 없었죠. 그래서 학과장을 죽임으로써 — 아마도 그는 내 머릿속에 있는 학과장이겠지만 — 좀 더 푸른 풀밭으로 옮겨갈 수 있도록 내게 기회를 주었던 것 같습니다. 그리고 더 푸른 풀밭은 결국 뉴욕 대학이 되었죠. 거기서는 미국에서 인정받는 전문직으로 연극치료를 발전시킬 목적으로 저를 고용했고, 그게 미국에서 최초의 일이었답니다.

1979년 NYU에 갔을 때, 미술 치료와 무용 치료와 음악 치료는 이미 상당한 발전 과정을 지나 온 시점이었습니다. 저는 연극치료에 몰두하여 서둘러 교과 과정을 개발하기 시작했지요. 그러면서 동료들이 아주 예민해지고 아주 두려워한다는 걸 느꼈어요. 그들은 내가 연기와 연출과 극작을 가르치길 원했지만, 연극치료는 정말로 뒤처져 있었거든요. 그래서 멈출 수 없을 만큼 작업에 박차를 가했고, 그렇게 몇 년을 보냈더니 교과 과정이 더 이상 확대할 수 없을 정도로 꽉 차버렸죠. 가면과 인형을 비롯해 다른 투사 기법 — 비디오, 분장, 이야기 작업 등 — 을 가지고 실험을 하는데 몰두하다 보니 어느새 연극에서 멀어져 있는 나를 발견하게 되었어요. 그럼에도 불구하고 나는 오히려 연극치료가 페터 슈만, 조 차이킨, 베르톨트 브레히트, 피터 브룩의 아이디어는 물론 어느 만큼은 아르토까지 끌어안고 있다고 믿고 있습니다.

지금은 어떤 측면에서 그때와는 또 다른 상황이라고 할 수 있습니다. 연극치료 분야는 일종의 포화 상태에 달했다고 보입니다. 특히 미국에서는 말이지요. 왜냐하면 성장세가 거의 눈에 띄지 않거든요. NYU를 중심으로 한 뉴욕과 캘리포니아 통합 학문 연구원이라고 불리는 샌프란시스코의 또 다른 훌륭한 프로그램 이외에는 어느 곳에서도 연극치료가 성장하지 못하고 있는 실정입니다. 확실한 정체 현상입니다.

제닝스 그 원인이 어디에 있다고 생각하십니까?

랜디 저로선 잘 모르겠습니다. 지난 10년 동안 미국의 대학은 재정난을 겪어 왔고, 그래서 예술에서 예산을 삭감할 수밖에 없었지요. 연극치료는 그런 면에서 볼 때 "주변부의 주변부"입니다. 하지만 진짜 이유는 이미 몇 세대를 지나왔음에도 불구하고, 연극치료를 정확하게 대변할 수 있는 사람들이 충분히 많지 않아서라고 생각합니다. 이 분야에 많은 인력이 있어서 주장을 펼 힘이 있다면 어떨까요? 절망스러운 점 중 한 가지는 함께

하는 동료들이 너무나 적고, 게다가 서로 멀리 떨어져 있다는 겁니다. 나와 아주 가까운 데이비드 존슨과 르네 에무나를 비롯해 두세 명을 더 거론할 수도 있겠지만, 아시다시피 쉽지 않은 일이지요. 저로선 다섯 명이나 여섯 명을 꼽기도 어렵거든요. 나는 당신과 알리다 거시와 유럽의 또 다른 몇 사람과의 접촉에서 정말로 작업을 지속할 힘을 얻습니다. 자주 만나지는 못하지만, 당신의 글이 나오면 모두 찾아 읽고 있지요.

제닝스 내가 이곳에서 문을 두드리는 동안, 당신은 미국에서 맨 앞에 서서 새로운 지반을 만들어 냈군요. 그런 점에서 당신이 느끼는 감정은 내가 개척자의 외로움이라 말하는 것과 크게 다르지 않을 듯한데, 그런가요? 그리고 이제 당신 뒤에 배출된 학생들은 연극치료의 1세대와 2세대가 되는 셈인데, 내가 보기에 연극치료가 외로운 분야라 느끼는 건 그다지 놀랄 일이 아니지만, 더 이상 성장하지 않는다는 대목은 마음에 걸리는군요.

랜디 네, 저도 그렇게 느낍니다. 저는 『심리 치료에서 예술』이라는 잡지의 편집자로서 여러 논문을 읽는데, 연극치료와 관련된 논문이 제출되는 경우가 너무 드물어서 충격적일 지경입니다. 더구나 제출된 논문들도 당신이나 데이비드 존슨과 같은 이들에게 직접적으로 영감을 받아 작성되거나 그렇지 않으면 출간할 만한 논문으로서 가치가 부족한 경우가 태반이지요. 새로운 아이디어가 나타나지 않는다는 사실이 저를 낙담하게 만듭니다. 그 이유가 뭔지 모르겠어요.

제닝스 당신이 그리는 이상적인 세상은 어떤 모습인가요?

랜디 글쎄요, 저는 극적 세계관은 여러 측면에서 매우 강력하다고 느낍니다. 그걸 우리처럼 연극치료라 하든, 연극 혹은 교육 연극이나 즉흥극이라 부르든 상관없이 말이지요. 극적 세계관의 그 이례적인 풍부함에도 불구하고, 대다수 사람들은 가장 순응적인 단계인 사춘기에 접어들어 다른 사람들에게 자기가 어떻게 비치는지에 관심을 기울이면서 그걸 쉽게 버리곤 합니다.

극적 세계관이라는 걸 좀 더 명확하게 말하면, 아주 단순합니다. 그건 두 가지 현실이 있다는 걸 인식하는 거죠. 한 가지는 일상의 현실이고, 다른 하나는 상상의 현실인데, 그 둘이 서로 충돌하기도 하고 교차하기도 하지요. 드라마에서 우리는 역할 안팎으로 끊임없이 이동하게 되는데, 그건 하나의 현실에서 또 다른 현실, 그러니까 가장 거대한 가능성이 발현될 수 있는 잠재적 공간으로의 넘나듦을 의미합니다. 그리고 그건 희곡을 포함하여 드라마의 모든 차원에 그대로 적용되지요. 나를 절망케 하는 건 드라마에 관계된 사람들조차 드라마를 이해하지 못한다는 사실입니다. 드라마가 무엇이고, 무엇을 할 수 있고, 어떤 가능성을 갖고 있는지를 말입니다. 저는 그 같은 현상이 연극에서도 똑같이 일어나고 있다고 생각합니다. 가령 당신이 뉴욕에서 공연을 본다면 거대한 자본을 투자한 브로드웨이를 만나게 될 겁니다. 하지만 저는 20년 전의 상업적인 브로드웨이를 말하는 게 아닙니다. 뮤지컬이 아닌 공연은 대부분 고사 위기에 놓인 상황을 이야기하는 겁니다. 오프브로드웨이 운동도 브로드웨이와 동일한 경제적 배경에 영향을 받고 있죠. 그 결과… 극적 세계관이 의미하는 바에 대해서는 아무런 인식도 성장도 없게 되었습니다. 교육 연극과 연극치료에서도 별반 다르지 않죠. 그런 생각을 할 때면 마음이 여간 무겁지 않습니다.

제가 바라는 건 사람들이 가정과 학교와 지역 사회에서 허구의 가치, 가장假裝의 가치, 현실의 서로 다른 국면으로 들어가고 나오는 것의 가치, 선택의 가치, 상징의 가치, 은유의 가치, 양으로 환산되지 않는 현상의 가치, 실증적이지 않은 현상의 가치, 비과학적인 현상의 가치를 배우는 겁니다. 물론 그러자면 우리 문화 전반에 혁명이 일어나야겠지요. 하지만 다른 사람들에게서 반 발짝 거리를 두고 싶어 하는 비전을 가진 사람들 사이에서 작은 혁명이 일어날 거라고 생각합니다. 부모이면서 선생인 사람들 그리고 치유자들 말입니다.

제닝스 역할 유형 분류와 관련한 연구에 대한 언급으로 인터뷰를 마칠까 합니다. 연극치료 분야의 개척과는 별도로, 당신은 독창적인 업적으로 연극치료에 커다란 공헌을 하셨습니다.

랜디 저는 거리 조절과 그 과정이 밀착과 분리 및 감정과 사고의 관계에 어떤 영향을 미치는지에 대한 생각에서 옮겨 갔습니다. 한동안 연기도 연출도 극작도 하지 않았음에도 불구하고, 연극으로 돌아가 그것이 인류에게 본질적으로 무엇을 제공해 왔는지를 역사적으로 이해하려고 했죠. 연극치료를 설명하는 이론이라면 연극이 무엇이며, 수세기 동안 어떻게 작용해 왔고 또 예술 형식으로서 어떻게 해서 살아남을 수 있었는지에 대한 깊은 이해를 바탕으로 삼아야 한다고 믿습니다.

그래서 한 가지 질문을 하기 시작했지요. 모든 연극적 활동의 본질은 무엇인가? 거기에는 두 개의 본질적 매체인 역할과 이야기가 있습니다. 역할과 이야기가 없는 연극은 불가능합니다. 무대나 조명이나 주제나 심지어 갈등이 없다 해도 여전히 연극은 건재할 겁니다. 하지만 역할과 이야기를 소거한다면, 연극은 더 이상 존재하지 않습니다. 물론 포스트모던적인 형식이 연극에서 이야기를 제거하긴 했지만 역할까지 없애지는 못했지요.

저의 본질적인 관심사는 역할이고, 그래서 고대 그리스의 작품부터 포스트모던 형식의 작품까지 광범한 독서를 시작했습니다. 동시에 상당히 "정상적인" 신경증 환자들과 작업하면서 연극치료 과정에서 반복되는 역할 유형이 있다는 걸 알게 되었어요. 그중에서 가장 눈에 띄는 역할은 피해자와 생존자입니다. 제가 임상적으로 확인하고 있는 역할과 연극에서 몇 백 년에 걸쳐 반복되어 온 역할 사이엔 어떤 연계가 있을까요? 모든 광대를 보고, 모든 피해자를 보고, 모든 영웅을 보고, 모든 악당을 보면서 희곡에 대한 광범한 분석을 통해 반복되는 역할을 뽑아 나갔고, 그 결과 세계의 드라마에서 계속해서 되풀이되는 84가지 역할을 찾을 수 있었습니다. 만일 어떤 역할이 장르와 역사를 두루 거치면서 반복적으로 등장한다면 그게 원형적 역할일 거라고 생각했고, 거기서 출발해서 유형 분류 체계까지 오게 되었지요. 그건 역사를 통해 반복되는 역할 유형을 체계화하는 하나의 방식이면서 어떤 측면에서는 융의 원형적 체계와도 통합니다. 저는 그걸 연극적 원형 체계라고 부릅니다. 그리고 그 역할 유형을 임상 작업에서 만난 역할과 함께 가져가면서, 진단과 처치와 평가의 측면에서 연극적인 모델을 사용해서 연극치료를 더 잘 이해할 수 있는 방식이 있을 수 있겠다고 생각했지요.

그래서 또 물었습니다. 이걸 어떻게 할까, 어떻게 연계를 지을까? 저는 극작가가 희곡을 쓰려면 역할에 대해 무엇을 알아야 할까 하는 것에서 시작했습니다. 역할엔 독특한 특징이 있지요. 배우는 가장 먼저 역할의 신체적 특징을 묻습니다. 역할에 들어가기 위해 몸을 어떻게 사용할 것인가의 문제죠. 이 사람은 체구가 큰가, 뚱뚱한가, 키가 큰가, 말랐나? 어떻게 움직이고, 몸에 대해 어떻게 느끼고, 옷을 입을 때는 어떻게 입고 등등? 거기서 역할의 신체적 특징이 나옵니다.

그런가 하면 인물은 어떻게 생각하는가? 역할에는 정신적인 특징도 있습니다. 인물은 이 순간을 어떻게 느끼는가? 이 인물에게는 어떤 종류의 영적 특성이 깃들어 있는가? 그런 특징은 아주 중요해 보였습니다. 그리고 그게 연극치료를 이해하는 데에도 역시 중요할 거라고 생각했지요.

스타일도 물론 중요합니다. 어떤 스타일로 인물을 창조하는가? 그건 거리의 다른 표현 방식이라는 점에서 거리 조절 모델이 다시 등장합니다. 스타일은 현실에 충실한 재현적 방식으로 나타날 수도 있고, 비현실을 바탕으로 한 제시적인 방식을 취할 수도 있지요. 제시적인 스타일은 역할의 중요성과 관련이 많습니다.

그건 매우 감정적이죠. 그리스 문화는 상당히 "감정적인" 문화입니다. 그런데 그리스 드라마는 매우 양식화된 방식으로 공연되고, 배우들 역시 제시적인 스타일로 등장합니다. 이 흥미로운 역설로 인해 여러 가지 생각을 하게 되었지요. 기본적인 감정을 이끌어내는 스타일은 무엇인가, 사고에 대해서, 감정과 사고의 역설적 관계에 대해서 말이죠. 그런 의미에서 스타일은 매우 중요합니다.

역할의 특질 역시 스타일만큼 매우 중요하지요. 그래서 또 질문. 해당 장면에서, 작품에서, 그리고 일상 현실의 삶에서 역할의 기능은 무엇인가?

배우는 인물의 동기, 장면에서 움직이는 이유를 이해하고 있어야만 합니다. 일상의 삶에서 사람들이 그러하듯이 해당 장면에서 인물이 원하는 바를 알아야 한다는 거죠.

이게 기본적인 저의 역할 모델입니다. 역할 유형을 살피고, 특질과 기능과 스타일을 결정하고, 그걸 일상의 삶으로 되돌리는 거죠. 우리는 일상생활에서 여러 가지 역할을 매우 빠르게 연기합니다. 역할은 스치듯 왔다가기 때문에, 그에 대해 성찰하거나 이해하거나 혹은 어떤 방식으로 수정할 수 있는 기회가 거의 없지요. 만일 치료 과정에서 우리가 일상생활의 이러한 과정을 늦출 수 있다면 그리고 "우리의 피해자 역할을 살펴봅시다"라고 말할 수 있다면 어떨까요? "그걸 좀 더 깊이 있게 탐험해 봅시다. 그 특질을 살펴봅시다. 삶이라는 시나리오에서 무엇이 요구되는지를 찾아봅시다. 우리가 피해자를 양식화하는 방식을 찾아봅시다. 우리가 그 역할 안에 있을 때 감정의 자각을 어떻게 차단하는지를 탐험해 봅시다. 그리고 피해자의 반대 혹은 순교자 — 어머니나 세상의 죄를 위해 기꺼이 소리 없이 고통당하겠노라고 말하는 역할 — 처럼 피해자의 연장(혹은 하위 특질)일 수 있는 다른 역할을 창조할 때 어떤 일이 일어나는지 봅시다"라고 하는 거죠.

연극을 기반으로 이 거대한 체계를 세우고, 그것이 예술 형식을 바탕으로 한 연극치료 과정 — 그건 융의 원형 모델과 같은 심리학적 모델에도 적용됩니다 — 을 이해하는 하나의 방식이라고 전제한다면, 우리는 우리의 행동을 세 가지 차원에서 이해할 수 있습니다. 연극과 일상생활과 개인이 자신의 역할을 성찰하는 연극치료의 치유 과정에서요. 결론적으로 제가 여러 해 동안 작업해 온 체계는 『영웅과 광대, 피해자와 생존자: 일상생활과 연극과 치료에서의 역할에 관한 연구』에 집약되어 있습니다.

제닝스 역할 모델을 구하기 위해 심리학이 아닌 연극으로 돌아갔다는 점이 매우 흥미롭군요. 저는 개인적으로 당신 같은 사람들이 연극치료에 가장 크게 기여하는 방법은 아마도 예술 형식 안에 머무는 것이 아닐까라고 생각합니다. 이 말은 물론 다른 학문 분야들이 연극치료사에게 쓸모없다는 뜻은 아닙니다. 하지만 드라마와 연극이 진정으로 치료적인 형식이라면, 예술 자체가 치유 과정으로서 스스로 성립할 수 있어야 할 겁니다. 우리는 심리학이나 정신분석을 통해 정보를 얻을 수 있습니다. 연극치료의 성장 과정은 미국에서나 영국에서나 공히 병원의 문 안으로 들어갔다가 다시 나오는 과정을 겪어야 했습니다. 우리는 정신분석을 취해야 했지만, 이제는 용기 있게 그것을 놓아버리고 "연극치료는 정신분석적인 역할연기가 아니다"라고 말합니다.

랜디 그 말씀이 꼭 맞습니다. 제가 보기에 영국에서 연극치료 분야가 충분히 성장하지 못한 이유 중 한 가지는 일부 뛰어난 치료사들이 정신분석적으로 훈련받았고, 그래서 자기를 무엇보다 정신분석가로 규정하기 때문인 듯합니다. 엘레노어 어윈과 그녀의 동료인 일레인 포터가 바로 그런 예죠. 저는 엘레노어 어윈을 정말 존경합니다. 그녀는 흥미로운 논문뿐 아니라 어린이를 대상으로 놀라운 작업을 펼치고 있지요. 그런데 제가 보기에 그녀는 정신분석적 모델을 넘어서기 위해 필요한 단계로 나아가지 않는다는 점에서, 또 그로 인해 연극 예술의 핵심에 근접하지 못한다는 점에서 한계가 있다고 생각됩니다.

마지막으로 당신과 내가 셰익스피어에 대해, 그가 드라마 전반과 특히 연극치료에 어떤 의미를 갖는지에 대해 한참 동안 의견을 나누었다는 말을 하고 싶습니다. 그중에 햄릿의 유명한 딜레마가 있었죠. "죽느냐, 사느냐?" 그 대사는 연극에서 보통 일반적인 진술문으로 표현되지만, 사실은 의문형이지요. 죽느냐, 사느냐? 그것이 문제로다.

질문에는 당연히 마땅한 대답이 있어야겠지요. 죽느냐 사느냐? 그 물음에 대한 답은 이렇습니다. 살기도 하고 죽기도 하고. 그게 답입니다. 역할 안에 있거나 역할 안에 있지 않거나, 살아 있거나 죽었거나, 엄마이거나 딸이거나, 이것 아니면 저것이 아니라는 말이지요. 극적인 대답은 그와 다릅니다. 엄마이면서 동시에 딸이며, 살아 있으면서 동시에 죽어 있고, 역할 밖에 있으면서 동시에 역할 안에 있는 것. 두 개의 현실 사이에, 우리의 두 가지 역할 사이에 근원적인 연계가 존재한다는 말이지요. 그것들은 서로 공존하며, 그 상태가 바로 우리가 도달해야 할 궁극적인 탐험지이기도 합니다.

물리 라하드와의 인터뷰

물리 라하드 박사는 텔하이 대학 연극치료 교육 과정의 책임자이자 위기관리 프로그램의 리더이기도 하다. 평가 방법론에 대한 연구와 아이들을 대상으로 한 BASIC Ph의 활용(이 책 11장 참고)으로 외상후 스트레스 증후군 분야에서 잘 알려져 있다. 1992년에 연극치료 연구원이 주는 해외 동료상을 수상했다.

물리 라하드와의 이 인터뷰는 다소 어려운 상황에서 진행되었다. 내가 영국에서 직접 그를 만나야 했지만, 물리가 치명적인 사고를 당해서, 나 대신 텔하이 대학 대학원생인 파멜라 몬드가 인터뷰를 해주었다.

몬드 연극치료를 어떻게 정의할 수 있을까요?

라하드 연극치료는 예술의 다중 양식성의 조합으로, 극적 행동이 그 본질을 집약합니다. 그러니까 연극치료는 다른 예술 치료 분야와 달리 치료사와 참여자가 모두 다양한 매체와 여러 영역을 탐험하면서 클라이맥스 혹은 일종의 전환점으로서 "극적 요소"를 사용할 수 있게 해준다는 뜻입니다. 내가 보기에 연극치료적 과정은 이미 다른 (예술) 치료들이 다루었던 주제나 완결되지 않은 문제나 내적 갈등을 해결해 줍니다. 부연 설명을 하자면, 다른 예술 치료 분야를 과소평가하는 게 아니라, 연극치료는 다른 예술을 웜업이나 뭔가가 발생할 수 있고 치료가 일어날 수 있는 일종의 "역驛"으로 쓴다고 할 수 있습니다. 그리고 상연, 더 구체적으로는 역할을 맡아 다른 사람들과 협상하고 역할 연기를 하는 신체적인 극화가 그걸 한 걸음 더 나아가게 하지요. 나는 인간 존재의 다중 양식성을 믿습니다. 그리고 내가 이해하기로는 여러 예술 치료 가운데 연극치료가 유일하게 다중 양식성을 갖고 있다는 측면에서 그 가치를 높이 평가합니다. 물론 다른 예술 분야들도 몇 가지 모델을 가질 수는 있지만, 다중 양식성은 연극치료가 유일하지요. 연극치료만이 다중 양식성의 전 과정을 사용하기 때문입니다.

드라마, 다른 말로 해서 상연 또는 행동은 과정의 축적이라 할 수 있습니다. 따라서 좀 더 깊이 들어가 보다 많은 에너지를 역동화함으로써 심층의 과정을 일깨우려 한다면, 아마도 극적인 기법을 사용하게 될 겁니다. 내면의 드라마는 어떤 치료에서나 일어나지만, 실제 드라마는 연극치료에만 있지요. 내가 보는 차이는 바로 거기에 있습니다.

좀 더 분명하게 말해 볼까요? 수 제닝스는 처음부터 움직임, 체현을 사용합니다. 저는 치료의 말미로 갈수록 움직임과 드라마 상연을 많이 쓰지요. 체현이 비언어적 움직임이라면, 상연은 말이 있는 움직임이지요. 그 점에서 우리가 크게 다르지는 않다고 생각합니다. 다만 어른들과 함께 할 때는 그림 그리기, 쓰기, 말하기, 놀기와 같이 상대적으로 수동적인 접근법을 쓰는 편이 덜 위협적이면서 더 많은 걸 끌어낸다고 느낍니다. 그런 다음에 극적 행동이 일어날 때 좀 더 많은 것들이 사람들의 마음을 움직여 자신의 문제를 기꺼이 들여다볼 수 있게 해준다고 봅니다.

여기서 심리극과 연극치료의 차이에 대한 생각을 한 가지 덧붙이고 싶네요. 나는 현실에서 먼 이야기, 은유적인 이야기, 꼭 이야기가 아니더라도 은유를 사용할 수 있는 연극치료의 힘이 사람들에게 좀 더 많은 길을 열어 준다고 생각합니다. 심리극 역시 연극치료 못지않게 유용하지만, 참여자가 인물 혹은 역할에 동일시해야 하는가, 아니면 은유에 머물 것인가는 치료사가 선택할 문제입니다. 저는 동일시하지 않고서도 거리두기를 통해 치유할 수 있다는 점이 연극치료의 장점 중 하나라고 믿습니다. "그게 당신의 삶에서 어떤 의미인가요?"라고 굳이 묻지 않아도 된다는 말이지요. 하지만 심리극은 결국 여러 가지 방식으로 참여자의 실제 삶을 극화하는 것이기 때문에 "그게 당신의 삶에서 어떤 의미인가요?"를 묻지 않을 수 없습니다. 그리고 끝에 가서는 현실에서의 역할과 경험을 확인하고 재연하게 되지요. 한편, 드라마는 많은 사람들이 들어갈 수 있는 문과 창과 통로가 되어 주며, 그것이 바로 연극치료의 고유함입니다.

그런 의미에서, 요약을 하면, 연극치료는 별반 드러난 재능이 없는 다양한 사람들을 초대하여 창조적 예술 치료 과정으로 들어가게 하고, 그럼으로써 스스로 치유할 수 있게 하는 힘이라고 할 수 있을 겁니다. 나는 개인적으로 창조성이 삶의 근원이라고 생각합니다. 놀 수 있는 힘, 유머와 색깔과 이야기를 사용할 수 있는 능력, 그게 바로 삶의 불꽃이지요. 일단 그것과 접촉하게 되면, 그로써 사람이 치유될 수 있게 도울 수 있습니다.

몬드 그렇다면 특히 고통 받는 어린이를 대상으로 할 때 연극치료가 갖는 장점은 무엇일까요?

라하드 고통 받는 아이들은 자신의 감각을 믿지 않습니다. 우리에겐 적어도 다섯 가지 감각(어떤 사람들은 여섯 혹은 일곱 가지 감각이 있다고들 하지만, 전 잘 모르겠어요)이 있습니다. 그런데 고통 받는 아이들은 감각을 사용할 수 있다는 사실을 부인하곤 합니다. 눈에 보이는 걸 믿지 않는 편이 이롭기 때문이죠. 그래서 그 아이들은 세상에 눈을 감아버리고 자기 자신에 대해 끔찍한 것들, 부모나 다른 사람들에게서 들은 흉측한 말을 믿기 시작합니다. 그리고 그 믿음을 내면화하여 자기는 사랑받을 만하지 못하며 어리석고 또 나쁘고 악하고 꼴사납고 무가치한 존재라고 느끼는 거죠.

본래 질문으로 돌아가서, 만일 연극치료가 실제로 다중 양식적이라면, 아동에게 많은 경로를 열어줌으로써 자기 감각을 신뢰할 수 있고, 놀 수 있으며, 모래 속에서 작은 모형을 가지고 놀기도 하고, 북을 치며 놀거나 바닥에서 구르면서 놀 수도 있다 — 이 모든 활동은 심리적이고 생리적인 현상이나 경험입니다 — 는 믿음을 천천히 가지게 할 겁니다. 그리고 치료의 수용적인 분위기, 바꿔 말해 서로 존중하고 배려하는 태도에 힘입어 아이들은 다시 한 번 다양한 경로로 열리게 됩니다. 어른들과 마찬가지로, 아이들의 주된 문제 중 한 가지는 문제에 대해 한 가지 해결 방식만이 가능하다거나 혹은 삶에서 선택할 수 있는 길이 오직 하나뿐이라고 생각하는 거죠. 다시 한 번 강조하지만, 연극치료는 다중 양식적 접근으로서 〈수만 갈래 길〉이라는 노래처럼 — 혹시 그 영화를 보셨나요? 어린 소년과 나이든 여자에 관한 이야기인데, 거기서 여자가 소년을 위해 노래를 불러주는 장면이 나오지요. 높아지고 싶다면 높은 길로 가고, 낮아지고 싶으면 낮은 길로 가렴, 왜냐하면 길은 수만 갈래로 뻗어 있으니까, 너도 알다시피 말이다 — 우리 앞에는 수많은 길이 존재함을 볼 수 있게 해줍니다. 고통 받는 사람은 이런 신념을 갖고 있지 않죠. 자살을 시도한 청소년들과 작업해 온 제 경험에 비추어 보면, 그 아이들은 한 가지 길이 있다는 사실조차 믿지 않는다고 할 수 있습니다. 그 아이들이 선택한 유일한 방법이 바로 스스로 목숨을 끊는 것이지요.

연극치료의 과정은 또한 생각하는 방식이기도 합니다. 우리가 역할을 말할 때는 극중에 나오는 인물을 뜻하기도 하고, 개인이 발달 과정에서 취하는 정상적이거나 비정상적인 역할을 의미하기도 하지요. 그럼 또 비유란 무엇입니까? 아니무스나 아니마 얘긴가요? 정신분석가들이 정신분석적으로 사고하듯이, 연극치료사는 연극치료적으로 생각할 필요가 있습니다.

몬드 혹시 연극치료에서 간과되고 있는 영역이 있다고 보시나요?

라하드 저는 대부분 아이들과 청소년 그리고 사회적으로 심한 지탄을 받고 있는 아동 학대를 주제로 작업하고 있습니다. 그래서 그런 가정과 아동을 대상으로 한 작업이 더 필요하다고 봅니다. 저는 연극치료가 새로운 역할, 새로운 만남, 새로운 접촉의 능력을 은유 — 이야기나 드라마 등 — 를 통해 학습하게 하는 도구라고 생각합니다.

또 다른 분야가 있다면 노인이겠지요. 최근 들어 수명이 많이 연장되면서 노인과 함께 하는 작업에 대한 요구가 급증하고 있습니다. 삶이 쓸모없다는 생각을 줄이고 보다 가치 있는 존재감을 서서히 증진시키는 것? 노인과의 작업을 이렇게 말할 수 있을까요? 나는 회상을 통한 접근이 매우 창조적일 뿐 아니라 유용한 방식이라고 생각합니다. 그동안 슈퍼바이저이자 치료사로서 짧지 않은 작업을 해오면서 노인 집단만큼 성공적인 집단을 만나 본 적이 없습니다. 노인 집단은 언제나 성공적이죠. 제가 한 작업이나 제가 감독한 작업을 통틀어 단 한 번도 실패가 없었으니까요.

몬드 실패가 없었다는 말을 좀 더 풀어서 설명해 주신다면?

라하드 일단 노인과의 작업은 성과가 아주 큽니다. 제가 "성공적"이라는 말을 쓰는데, 그건 집단의 분위기가 수동성, 회색, 공허, 둔감함에서 시작되지만 시간이 지날수록 점차 눈에 빛이 나면서 리듬과 움직임이 나타나고, 열정, 춤, 노래, 공중을 나는 손, 생명감으로 너무나 극적인 변화를 나타내기 때문입니다. 참으로 뚜렷한 변화이지요. 아마도 수 제닝스는 중증의 학습 장애인과 함께 한 작업을 전해 주겠지만, 저는 그 집단에 대해서는 경험이 없어요. 그리고 당신이 작업하고 있는 집단도 역시 매우 간과되고 있습니다. 그 아이들은 문제의 "두 번째 원"에 속한다고 말할 수 있겠지요. 어떤 문제로 인해 고통 받는 당사자가 아니라 가족처럼 그를 둘러싸고 있는 사람들 역시 아직은 손이 미치지 못한 영역입니다.

몬드 감사합니다. 인터뷰를 마치기 전에 덧붙일 말씀이 있으신가요?

라하드 네, 제가 생각하기에 연극치료는 아직 이론적으로 부족합니다. 반짝이는 개념과 광범한 경험을 토대로 좀 더 이론적인 체계를 향해 나아가고 있지요. 수 제닝스의 접근법과 로버트 랜디의 접근법 그리고 제 접근법이 있고, 이제는 여기서 한 발 더 나아가 연극치료가 무엇인가를 말해 주는 이론이나 통합적인 접근법이 요구됩니다. 우리는 개념과 예술가와 연행을 모두 갖고 있지만, 기본적으로 이론이 아닌 하나의 모델, 접근법에 멈춰 있습니다. 그래서 저는 연극치료사들이 좀 더 열심히 슈퍼비전을 받아가면서 자기-정의를 수립할 필요가 있다고 봅니다. 물론 다른 치료사들과 밀접한 관계를 유지하면서 말이지요.

그리고 또 한 가지 연극치료 전반에 관한 자료를 꼭 책으로 펴내야 한다고 생각합니다. 연극치료가 무엇인지 사람들은 너무나 궁금해 하는데도 그게 뭔지 전혀 알 길이 없으며 — 연극치료는 마치 주술처럼 들리기도 합니다 — 심리극과 크리에이티브 드라마와 연극치료가 어떻게 다른지를 구분하지 못하는 형편이니까요. 그것부터가 이론의 출발일 수 있을 겁니다.

파멜라 몬드와의 인터뷰

파멜라 몬드는 이스라엘에 정착하기 전에 영국에서 드라마를 공부했다. 그녀는 이스라엘에서 배출된 첫 번째 연극치료사 가운데 한 사람으로, 학습 장애인의 건강한 형제자매를 대상으로 한 작업을 연구하였다. 현재는 세이프드 병원에서 정신 장애 환자들과 작업하면서 연극치료 교육 프로그램의 교사로 일하고 있다. 다음은 그녀의 남편, 피터가 그녀를 인터뷰한 내용이다.

Q 연극치료사가 무엇인가요?

몬드 연극치료사에 대해 개인적인 정의를 내리기 전에(그렇게 할 때마다 다른 대답이 나온다!), 먼저 "나는, 연극치료사, 입니다!" 라고 말할 수 있으면 좋겠어요.

그에 대해 좀 더 설명하자면, 일단 저는 몇 년 동안 "태중에 있는" 연극치료사였다고 할 수 있습니다. 수태뿐 아니라 출생 과정 역시 쉽지 않았지요.

저는 1971년 런던에 있는 스피치 앤드 드라마 스쿨을 졸업하자마자 이스라엘로 옮겨 왔어요. 연극치료 과정을 시작하기 전 7년 동안, 소통을 위한 "치료적" 수단으로 드라마와 움직임을 사용하는 다양한 작업을 했고요. 학교 공연을 올리기도 하고, 드라마와 움직임 이야기 수업을 운영하기도 하면서 "일반" 아동들과 만났을 뿐 아니라, 특수 유치원과 세이프드 아동 발달 센터에서 일하면서 정신 지체나 정서 장애나 지체 장애를 가진 특수 아동과도 작업을 했습니다.

나름의 스타일로 진행한 그 작업들은 한때는 “움직임 작업”으로 표현되기도 했고, 또 어느 때는 “극적인” 접근으로 인식되기도 했어요. “놀이” 목적을 위해 활용할 수 있는 모든 자료를 사용했거든요. 아이들이 “단서”를 주면, 저는 그 아이디어를 뭔가 “놀 만한” 것으로 발전시켜 아이들이 “작업을 하도록” 돌려주었지요. 결과는 성공적으로 보였습니다. 아이들은 활동을 좋아했고, 점점 더 많은 일들이 주어졌지요. 그런데 이상하게도, 저는 점점 더 자신이 없어지면서 내가 하고 있는 게 뭔가, 또 이걸 할 만한 자격이 있는가에 관한 질문과 회의가 고개를 들기 시작했어요. 뿐만 아니라 나 자신을 뭐라 불러야 좋을지도 알 수가 없었죠. 나는 더 이상 “교사”도 아니고 배우도 아닌데다가 치료사로서 훈련을 받은 적도 없는데 종종 그렇게 소개될 때마다 두렵고 당황스러웠습니다. 그럼 나는 뭐지?

당시의 제 삶과 일은 복잡하기 이를 데 없는 퍼즐에 비할 수 있을 겁니다. 모든 조각이 제자리를 찾아 하나의 그림으로 완성되기를 기다리는 어떤 상태. 하지만 완성된 모습을 보여 주는 상자 앞면의 그림이 알아볼 수 있을 만큼 충분히 선명하지 않은 상태. 몇 조각은 별로 어렵지 않게 자리를 찾아갔어요. 사실 이미 연결된 채 상자 속에 들어 있는 조각들도 있었고요. 하지만 종국에는 하나로 연결되리란 사실을 믿고 있었음에도 불구하고, 퍼즐은 시간이 갈수록 급격하게 어려워져만 갔고, 그래서 저는 자신감을 잃기 시작했습니다.

바로 그 즈음, 수 제닝스 박사와 물리 라하드 박사의 도움으로 텔하이 대학에 3년제 연극치료 교육 과정이 생겼고, 내겐 그곳이 마치 “퍼즐 맞추기 교본”으로 보였지요. 그래서 “기꺼이 저를 던졌습니다.” 그건 결코 간단한 결정이 아니었어요. 아무런 청사진이 제시되지 않았으니까요!

저는 거기서 나를 위한 교본을 쓰고 또 고쳐 써야만 했습니다. 하지만 스태프가 든든한 안내자로 함께 해주었고, 매우 지지적인 동료 집단과 함께 그 어둠과 혼돈의 시기를 더듬거리며 지나올 수 있었습니다.

그리하여 저의 퍼즐은 비로소 형태를 갖추기 시작했고, 그 상당 부분은 교육 기간 동안에 이루어졌지요. 이젠 "상자 앞면의 그림"이 없어도 상관없답니다. 사실 그런 그림 없이 맞춰 가는 게 훨씬 더 재미있지요! 새로운 그림 조각이 나타날 때면 — 그건 참여자와 작업하거나 슈퍼비전 회기에서도 일어날 수 있고 혹은 동료 치료사나 학생들과 회기를 돌아보는 동안에 나타날 수도 있지요 — 그 스릴은 아주 대단해서 흥미롭고 창조적이기 이를 데가 없습니다. 논쟁을 벌인 다음이나, 아이들이 놀거나 싸우는 걸 지켜보는 동안, 또 나의 분석 심리치료사와 만나기 전후에 그리고 삶의 다른 여러 순간들 속에서 퍼즐과 씨름하고 싶은 동기를 얻곤 한답니다. 퍼즐이 쉼 없이 작동하고 있는 셈이죠. 그래서 아직 완성되지 않았고, 앞으로도 그런 일이 없을 수 있음에도 불구하고, 나는 한 가지 중요한 사실, 곧 이 퍼즐의 제목이 "파멜라-연극치료사"임을 잊지 않고 기억합니다.

그럼 이제 좀 더 "명확한 정의"로 넘어가 볼까요? "연극치료사"란 드라마의 힘과 위력을 믿고 작업에서 그 모든 형식을 사용하는 사람이라고 할 수 있을 겁니다. 연극치료사는 참여자로부터 "프롬프트"를 받아 그걸 가지고 "연기"한 뒤에 다시 참여자의 "행동"을 위해 되돌려줍니다. 양질의 연극치료사 교육 과정은 연극치료사에게 언제가 "놓아 줄" 때이고 언제가 "머물" 때인지를 알 수 있게 도와주지요. 연극치료사는 배우고 감독받기를 멈춰선 안 되며, 그러므로 연극치료사라는 이름을 매우 즐기면서 기꺼이 받아들이는 이가 있다면 그 사람은 오히려 의심받아 마땅하다고 할 수 있을 겁니다.

Q 연극치료란 무엇입니까?

몬드 그에 관해서는 저와 작업하는 참여자들이 말한 내용을 나누고 싶습니다. 먼저 치명적인 교통사고로 병원에 입원한 12살 소년이 있었는데,

저는 그 아이와 5주 동안 세이프드 종합 병원 내에 있는 정형외과 병동에서 작업을 했어요. 그 아이는 이렇게 말했답니다.

"연극치료는 물건을 만지고 또 가지고 노는 것, 그림을 그리고 이야기를 꾸미고 그걸 바탕으로 장면을 만드는 거예요. 그렇게 하다 보면 마음속에 있는 무서운 감정들을 모아 꺼낼 수 있고, 그렇게 하면서 고요해져요."

아이는 또 덧붙였어요. "그리고 또 뭔가가 있는데, 잘 설명을 못하겠지만, 여기 어딘가에서 일어나요"라고 하면서 가슴 부근을 토닥였죠. (이건 마치 수 제닝스의 EPR 패러다임 같지 않은가!)

아기를 입원시킨 한 "엄마"는 입원이라는 주제로 콜라주 작업을 한 뒤에 이렇게 말했습니다.

"그 작업을 하고 나서 저는 보기 싫은 것들에 직면하게 되었어요. 그것들을 밖으로 꺼내 놓고 이런저런 질서를 부여하면서 멈춰 있는 것 같던 내 삶을 돌아보고 나니까 훨씬 덜 두려워졌답니다."

저는 개인적으로 연극치료는 여정과 만남을 함께하는 거라고 보고 싶습니다. 익숙한 것과 낯선 것으로의 여정, 이미 알고 있는 것과 알지 못하는 것과의 만남, 우리의 의식과 잠재의식과 영혼 안에 있는 무시무시하고도 신비로운 장소들 말입니다. 그런 의미에서 연극치료는 "건강을 향해 가는 창조적 여행자들의 안내자"라고 말할 수 있을 겁니다.

Q 어떤 영역이 가장 소외되어 있나요?

몬드 병이 있거나 장애가 있는 사람들과 작업을 해오면서, 저는 그들로 인해 무거운 짐을 져야 하는 건강한 형제와 부모를 만날 수 있었습니다. 그래서 "건강한 형제자매들"을 위한 연극치료 집단을 꾸려 분노, 두려움, 죄책감, 과도한 동일시와 책임감, 사회적 어려움 등의 주제와 관련된 개인적인 문제를 다룰 수 있었지요. 그런데 그 작업은 주변 사람들의 이해와 정보의 부족 그리고 지역 사회의 전반적인 몰이해라는 장벽에 맞닥뜨렸습니다. 장애인과 그 가족에 대한 섬세한 배려의 부족은 나머지 가족 구성원들에게 수치심, 죄책감, 외로움 등의 부가적인 문제를 끝도 없이 양산합니다. 뚫어지게 쳐다보거나 수군거리거나 손가락으로 가리키거나 많지는 않지만 소리 내어 흉보거나 하는 게 모두 그들에게는 감당하기 힘든 고통이지요.

그래서 저는 학교와 지역 사회 센터와 "비장애" 인구를 대상으로 하는 교육 기관에서 시행하는 연극치료 작업을 검토하고, 장애라는 주제에 다각적으로 접근하고 싶었습니다.

작년에는 교육부의 지원과 지방 종합병원의 어린이 병동 스태프의 격려와 자극에 힘입어 위기관리 프로그램을 운영하는 병원 연극치료사라는 새로운 일을 개척했습니다. 그래서 지금은 입원한 아동이나 부모를 대상으로, 입원을 둘러싼 두려움과 부담감과 퇴행에 대처할 수 있도록 돕는 연극치료 작업을 하고 있지요. 그동안의 작업이 성공적이었고, 그래서 더욱 발전된 형태로 개발하고 있어요. 하지만 여전히 널리 알려지지는 않았어요. 제 생각에는 사례 연구를 정리해서 출판하게 되면, 연극치료가 환자와 그 가족을 어떻게 도울 수 있는지 그리고 그로 인해 간호사와 다른 스태프의 업무가 어떻게 덜어지는지를 잘 알림으로써 좀 더 많은 연극치료사들이 고용될 수 있으리라 봅니다.

결론

이상의 인터뷰에서 그 내용이 어떤 지점에서는 서로 판이함에도 불구하고 또 다른 측면에서는 유사한 주제로 만나지는 것은 매우 흥미롭다. 인터뷰에 응한 사람들은 모두 연극치료가 개인뿐만 아니라 사회 자체에 영향을 미치는 것으로 간주한다. 그리고 연극치료가 "밝혀진 환자"만이 아니라 그 가족과 지역 사회 집단에게 모두 활용되어야 한다는 점에서도 마찬가지다. 또한 "치유의 연극"이 그들 삶의 강력한 부분으로 등장하기 전에 여러 직업에 종사한 경력을 갖고 있다는 점에서도 모두 일치한다.

물리 라하드의 말이 옳다. 지금 우리에게는 강고한 이론 체계가 절실히 필요하며, 아마도 로버트 랜디의 새로운 책이 그 첫 번째 단계가 될 것이다. 나 역시 이론 정비를 위해 연구 중이며, 그러므로 조만간 연극치료의 여정에 대한 좀 더 많은 이정표를 세울 수 있을 것이다.

참고 문헌

Boal, A. (1979) *Theatre of the Oppressed*, London, Pluto Press.

Boal, A. (1992) *Games for Actors and Non-Actors*, trans. A. Jackson, London, Routledge.

Lahad, M. (1988) (ed.) *Community Stress Prevention*, Kiriat Shmona, CSPC.

Lahad, M. (1992) "Storymaking: an assessment method for coping with stress. Six-piece storymaking and the BASIC Ph," in S. Jennings (ed.) *Dramatherapy Theory and Practice 2*, London, Routledge.

Landy, R. (1983) "The use of distancing in dramatherapy," in *The Arts in Psychotherapy*, 10.

Landy, R. (1986) *Drama Therapy: Concepts and Practices*, Springfield, IL, Charles C. Thomas.

Landy, R. (1992) "One-on-one: the role of the dramatherapist working with individuals," in S. Jennings (ed.) *Dramatherapy Theory and Practice 2*, London, Routledge.

Landy, R. (1993) *Heroes and Fools, Victims and Survivors: a Study of Role in Theatre, Everyday Life and Therapy*, New York, Guilford Press.

Mond, P. (forthcoming) *Dramatherapy with Healthy Sibling of Children with Learning Disabilities.*

11. 연극치료에서의 평가와 사전평가

브렌더 멜드럼

개관

연극치료 분야에서 연구 조사 및 평가와 관련해서는 아직까지 많은 자료가 축적되지 않은 형편이다. 예술치료연구위원회가 매년 회의를 열어 왕성한 활동을 하고 있고, 영국연극치료사협회에서도 그 회의에 대표를 파견하여 논문을 제출하지만, 내가 보기에는 연극치료사들이 실제 작업을 연구 조사하여 평가하고 그 결과를 공개적으로 출간하는 작업에 그다지 열심인 것은 아닌 듯하다. 예를 들어, 교육 과정에서는 개인 작업이나 집단 작업을 불문하고 사전평가가 중요하다고 힘주어 가르치고 있음에도 불구하고 연구 방법론을 구체적으로 다루는 모듈은 없는 실정이다. 이는 아마도 연극치료를 위한 인지도 있는 연구 조사 방법론이 없는데다가, 영국연극치료사협회에서 발간하는 간행물인 『연극치료』에서도 연구 조사 방법론을 평가하거나 설명하는 논문이나 이론 또는 작업 사례를 찾아보기가 어렵기 때문일 것이다. 이 장에서는 영국에서 출간된 논문과 단행본에서 사용된 경험적인 연구 조사 방법론 중 일부를 소개하려고 한다.

사업 계획과 회계 감사와 예산안의 시대를 살면서 사전평가와 평가에 대한 점증하는 요구를 무시할 수는 없다. 또한 전체 구성원의 40%가 국립보건원에서 일하고 있다는 측면에서도 연극치료사들이 자기 작업을 객관적으로 고찰하는 것은 매우 중요한 부분임에 틀림없다. 이 글을 쓰기 위해 나는 국립보건원에서 일하는 연극치료사들에게 실제 작업에서 사용하는 사전평가와 평가 방법을 알려달라고 부탁했다. 그 결과 여러 가지 도구들을 접하면서 많은 생각을 하게 되었다.

영국연극치료사협회는 연극치료사들이 작업을 하는 동안 계속해서 슈퍼비전을 받도록 권고하고 있으며, 실제로 대다수 치료사들이 그렇게 한다. 그리고 보통은 참여자를 공식적으로 퇴원시키기 전에 피드백을 얻기 위해 재평가를 한다. 일부 연극치료사는 소위 "과학적"인 사전평가에 저항하면서 그렇게 "정치적으로 동기화된" 도구를 못마땅해 하지만, 다른 한편에는 보건원의 작업 진행 방식이 그러함을 인식하고 공식적인 평가 도구를 기꺼이 받아들이는 이들도 있다.

그에 대해 연극치료사이자 작업치료사로 일하는 한 사람은 이렇게 쓰고 있다.

> 평가와 사전평가라는 주제 전체가 너무나 어렵기 때문에 어떤 부분에서는 내가 화가 나(그리고 방어적이기도 함) 있다는 사실을 인정할 수밖에 없다. 그건 정말로 너무나 과학적이고 경험적이고 환원적이다. 나와 함께 일하거나 이야기를 한 적이 있는 프리랜서 치료사들은 대부분 참여자가 애초에 원했던 목표가 이루어졌는지를 스스로 평가한다는 전제 하에 끝을 열어둔 접근법을 사용하고 있다. 내가 줄곧 일해 온 국립보건원에서는, 아직까지 여러 전문직과 서비스 사이에 편차가 있긴 하지만, "비용"에 준하는 "결과물"이라는 관념과 함께 사전평가와 평가를 강조하는 현상이 점차 현실화되고 있다. 그러한 경향은 한편으로 새로운 "소비자" 윤리의 일부이기도 하다. 다시 말해 참여자가 가장 적절한 치료를 제공받을 수 있도록 충분히 사전평가되어야 한다는 점을 확증하려는 것이다. 하지

> 만 개인적으로 여기에는 아주 중요한 입장 차이가 있다고 생각한다. 치료가 참여자에게 "행해지는" 것인지(그런 경우에는 접근법을 사전평가하고 평가할 수 있다), 아니면 치료란 그렇게 단순 명료하게 정의되거나 계량화되지 않는 것인지에 대한 관점을 말한다. 나는 후자에 가깝지만, 내가 일하는 곳에서는 사전평가와 평가를 요구한다.

검사와 평가의 문제는 치료와 나란히 생각하기 어렵다(사람에 따라서는 아예 불가능하다고 믿기도 한다)는 점이다. 좋은 치료사가 되기 위해서는 참여자에게 무조건 긍정적 관심을 쏟고 또 그렇게 하려고 노력하는 것이 중요한 반면, 냉철한 판단이 요구되기도 한다. 치료사에게 도움을 청하는 참여자 가운데 상당수는 현실에서 줄곧 판단당하고 통제되며 부당한 대접을 받아왔다. 사고思考 장애 환자를 대상으로 연구 조사를 실시한 로저 그레인저는 "우리와 그들" 식의 마음가짐으로는 연극치료가 될 수 없다고 주장한다. 연극치료 자체를 사전평가 도구로 열심히 사용하면 할수록, 더 많은 평가가 치료 과정을 방해했다. 그러므로 어떤 의미에서는 참여자와 치료사가 연극치료와 별개라고 볼 수 있는 권위 있는 경험적 검사를 사용하는 편이 오히려 나았다. 그런 경우에는, 참여자가 "우리는 검사받고 있는 건가요?"라고 물을 때, 치료사가 분명한 양심을 가지고 "네"라고 대답할 수 있다.

그러나 딜레마는 여전히 남아 있다. 만일 치료사가 "회기 전"과 "회기 후" 검사를 실시하거나 참여자의 마음 상태를 측정하거나 일정한 응답 양식에 기입하게 한다면, 설사 작업 과정을 녹화하거나 관찰하고 기록하지 않는다 해도 연극치료는 사전평가 과정의 일부가 된다. 따라서 심리학에서 그러하듯이 연극치료에서도 참여자에게 사전평가와 평가에 대한 사전 동의를 받을 필요가 있다. 그것을 수용하여 작업을 시작하기 전에 자기의 상태에 대한 질문에 응답한 참여자들은, 과정이 끝난 뒤에 다시 질문을 받을 때 연극치료의 효과가 측정될 거라는 점을 잘 알고 있으며,

그들 자신도 평가된다고 느끼기가 쉽다. 그것은 실로 매우 까다로운 문제이기 때문에, 사전평가와 평가라는 주제 전반에 대한 연극치료사들의 저항을 충분히 이해할 수 있다. 그리고 바로 그렇기 때문에 그 논란을 공론화하여 연극치료적인 사전평가와 평가 방식을 찾아내는 것이 중요하다.

이 장에서는 출판물과 간행되지 않은 자료를 모두 살피되 유럽과 호주와 미국에서 진행된 연구는 대상에 포함하지 않았다. 먼저 기존의 몇 가지 사전평가 방식을 살펴보고, 현재 진행 중인 작업에서의 평가와 사전평가를 고찰한 다음, 계획 단계에 있는 연구 프로그램을 언급하려 한다. 그리고 연극치료사와 미술치료사들이 흥미롭고 유용하다고 보고한 몇 가지 연구 도구를 소개할 것이다.

연극치료에서의 사전평가

여기서는 집단이나 개인 작업에서 쓰이는 사전평가 방식과 일부 기법을 살펴볼 것이다. 물리 라하드와 알리다 거시와 앤 캐터넉은 스토리 메이킹 기법을 사용하여 참여자의 문제 영역을 사전평가한다. 사전평가 회기에서 참여자가 말하는 이야기를 통해, 그가 스트레스와 정서적 외상에 어떻게 대처하는지 그리고 더 중요하게는 그가 어떤 언어를 사용하는지를 파악한다.

그 다음에는 국립보건원에서 일하는 연극치료사들이 참여자에게 연극치료가 적합한가를 어떤 방식으로 사전평가하는지 검토하려고 한다. 스티브 미첼과 스티브 내쉬와 마틴 길은 작업 의뢰에 반응하는 다양한 방식을 고안해 왔다. 미첼의 경우를 간략하게 논하고 나서, 내쉬와 길이 상세하게 제시한 구조화된 사전평가 절차를 소개할 것이다.

스토리-메이킹을 통한 사전평가

스트레스에 대처하는 방식을 평가하기 위한 물리 라하드의 스토리 메이킹 기법

이스라엘의 심리학자이자 연극치료사인 물리 라하드(Lahad 1992)는 스토리 메이킹을 사용하여 개인이 스트레스에 대처하는 방식을 사전평가한다. 그의 연구에 따르면, 사람마다 스트레스에 대한 대응 양식이 달라서 일부는 정보를 찾아 그에 근거하여 행동하는 인지적-행동적 접근을 사용하고, 또 다른 사람들은 반응을 표출하거나 창조적 활동으로 바꿈으로써 자기를 표현하는 정서적이고 감정적인 접근법을 쓴다. 또 사회적 역할을 취함으로써 집단의 지지를 얻고자 하는 사람들이 있는가 하면, 네 번째 유형은 창조적 상상을 사용하여 충격적인 경험을 모호하게 한다. 다섯 번째 유형은 신념 — 종교적, 정치적, 윤리적 — 과 자기를 인도해 줄 가치에 의존한다. 여섯 번째는 신체적 표현, 곧 몸을 쓰는 움직임과 활동으로 스트레스에 반응하고 대처하는 유형이다.

이들 여섯 가지 서로 다른 스트레스 대응 양식에 착안하여, 라하드는 각 유형의 머리글자를 딴 BASIC Ph기법을 개발했다.

그것은 참여자의 대응 양식의 기저를 형성하는 여섯 가지 영역을 말한다.

B는 신념과 가치에 대한 의존,
A는 정서의 표현,
S는 사회적 양식,
I는 상상적 방식,
C는 인지적 반응,
Ph는 신체적이고 행동적인 대처 전략이다.

라하드가 말하듯이, 참여자와 공유하는 언어를 찾아내는 것이 관건이다.

라하드는 치료에서 참여자가 자기 것이 아닌 치료사의 언어로 말하는 경우가 태반임을 관찰했다. 그것은 치료사가 그렇게 하길 원한다고 생각하기 때문이다. 그런 식의 치료가 백 년이 넘도록 지속되어 왔지만, 이제는 각 사람마다 다른 언어를 사용해야 한다고 라하드는 주장한다. 그가 개발한 사전평가 도구는 독서 치료의 기법으로서, 참여자가 자각을 성취하고 내적이고 외적인 소통을 향상시킬 수 있게끔 이야기와 스토리텔링을 사용한다. 여섯 조각 이야기 만들기(6-PSM)(Lahad 1992 참고)라고 불리는 그 기법은 치료사가 참여자의 "내면적 언어"를 이해할 수 있게 도울 뿐 아니라 참여자의 대응 양식을 신속하게 사전평가할 수 있게 해준다. 라하드는 BASIC Ph를 도구로 어떻게 스토리 메이킹 기법을 쓸 것인지를 학생들과 치료사들에게 가르친다. 라하드의 독서 치료적 접근법의 핵심은 동화 속에서 오히려 우리가 내면의 독특한 구조에 가장 잘 접근할 수 있을지도 모른다는 융적인 개념에 있다. 라하드는 참여자에게 특정한 구조를 주고 그 안에서 이야기를 만들게 한다.

참여자들은 받은 종이를 여섯 칸으로 나눈다. 첫 번째 칸에는 주인공과 그 인물이 사는 곳을 그린다. 두 번째 칸에는 주인공이 수행해야 하는 과제 혹은 사명을 그린다. 세 번째 칸에는 주인공을 도와줄 사람이나 사물을 그린다. 네 번째 칸에는 주인공이 과제나 사명을 수행하는 데 방해가 되는 장애물을 그린다. 다섯 번째 칸에는 주인공이 그 장애에 어떻게 대처하는지를 그리고, 마지막 칸에는 그래서 무슨 일이 일어났는지, 이야기가 끝났는지 아니면 계속되는지를 그린다.

이 여섯 가지 요소는 모두 동화에서 추출된 것으로, 라하드는 그에 대해 이렇게 말한다.

> 동화나 신화의 요소에 바탕을 둔 투사된 이야기를 통해, 자아가 세상과 만나기 위해 조직화된 현실에 자기를 투사하는 방식을 볼 수 있을 것이다.
>
> (Lahad 1992: 157)

각 그림은 치료사에게 참여자의 대응 양식에 대한 통찰을 제공한다. 전체 이야기는 BASIC Ph에 근거하여 서로 다른 대처 양식으로 분석된다. 이 흥미로운 방법론에 관심이 있는 독자들이라면 제닝스(1992)의 책에 라하드가 쓴 장이 도움이 될 것이다. 이 구조화된 스토리 메이킹 기법을 사용하여, 치료사는 참여자의 대처 자원과 갈등 영역을 파악할 수 있고 그에 맞게 위기관리 프로그램을 계획할 수 있다.

알리다 거시의 이야기 구조를 통한 사전평가

거시(Gersie 1990, 1991)는 신화와 전통 설화가 인종과 문화와 시대를 초월하여 인간의 본질적인 경험을 구현한다고 주장한다. 그러므로 이 이야기들이 개인적인 경험과 공명하도록 허락한다면, 우리는 인류의 경험과 접촉하게 된다. 수세기를 건너 살아남은 신화는 그 주제의 보편성에 대한 무수한 증인을 거느리고 있다. 책에서 그녀는 여러 문화권과 시대에서 발췌한 사랑스럽고 특별한 이야기와 함께 각 이야기마다 치료사와 상담자가 따를 수 있는 작업 구조를 제시하고 있다. 하지만 작업자나 치료사가 전통 설화에 더할 수 없이 친숙한 경우에만 참여자에게 이야기의 이미지가 옮겨져 거시가 제공한 구조에 따라 작업할 수 있을 것이다.

한편 직접 이야기를 만들게 하는 것도 참여자와 그들이 직면한 어려움을 사전평가하는 유력한 방식이다. 거시는 여섯 부분으로 구조화된 이야기를 그림으로 그리거나 말하거나 극화하게 하는 라하드와 유사한 방법론을 제안한다. 그 구조는 다음과 같다.

1. 배경
2. 인물
3. 거주지
4. 장애물
5. 조력자

6. 결말

거시의 구조는 BASIC Ph보다 유연한 편이다. 참여자에 따라 배경에서 시작해서 인물로 넘어갈 수도 있다. 이야기를 만들다 보면 어느 대목에서 저항이나 막힘이 있을 수 있는데, 치료사는 그때 참여자가 저항의 원인을 찾을 수 있게 돕는 역할을 한다. 조력자는 가장 치유적인 요소로서, 참여자의 이야기에 조력자가 나타나지 않는다면 치료사는 거기가 바로 작업되어야 하는 영역임을 알아야 한다. 마찬가지로 장애물이 지나치게 인물을 압도하는 경우 역시 치료의 좋은 출발점이 된다. 치료사의 목적은 참여자가 스스로 문제를 풀 수 있도록 돕는 데 있다. 이야기 작업 과정은 우선 참여자가 자기를 위로할 수 있는 능력을 찾고, 다른 사람을 신뢰할 수 있는 자신감을 갖도록 도우며, 놀이와 미지의 세계와 조우하는 경험을 생산하는 것이다.

놀이 치료에서 온 앤 캐터넉의 사전평가

신체적으로나 정서적으로 혹은 성적으로 학대받은 아동 및 청소년과의 작업에서, 캐터넉(Cattanach 1992, 이 책 8장 참고)은 놀이의 기능을 강조한다. 그녀의 작업에서 놀이는 치유 과정이고, 참여자가 놀 수 있도록 돕는 것이 치료사의 몫이다. 놀이는 체현에서 투사를 지나 역할에 이르는 발달단계를 거친다. 따라서 참여자가 그 순간에 어떤 발달 단계에 있는지를 파악하는 것이 중요하다. 만일 아동이 감각적 체현 양식에서만 기능한다면, 치료사도 거기에 함께 머무른다. 치료사가 맨 먼저 할 일은 그 아동에게 무엇이 의미 있는지를 사전평가하는 것이다. 사전평가의 일환으로 캐터넉은 방패 이야기라는 기법을 사용하는데, 그것은 어떤 유형의 참여자에게도 유용하게 쓸 수 있는 도구이다.

맨 처음이나 두 번째 면담에서, 치료사는 아동에게 몇 가지 묻고 싶은 게 있는데 그 질문을 빌려 너를 좀 더 잘 알고 싶다고 말한다. 그런 다음,

종이에 방패 모양을 그리고 그것을 여섯 칸으로 나눈 다음 아이가 그대로 따라하게 한다. 치료사가 한 가지씩 질문을 하면 아동은 해당 칸에 그림을 그려 답을 하면 된다. 답을 그릴 때는 마음속에 가장 먼저 떠오르는 걸 표현하라고 말한다. 그 이유는 바로 그때의 느낌을 반영해야 하기 때문이다. 그렇게 방패 모양의 그림을 완성하고 그를 바탕으로 아동과 이야기를 나눈다.

첫 번째 칸 지금까지 살면서 가장 좋았던 일은 무엇인가요?

두 번째 칸 지금까지 살면서 가족 — 어떤 가족도 상관없다 — 에게 가장 좋았던 일은 무엇인가요?
(여러 가족에 속했던 경험이 있는 아이들도 있다.)

세 번째 칸 지금까지 살면서 가장 나빴던 일은 무엇인가요?

네 번째 칸 가족이 아닌 또래 친구들에게 가장 바라는 것은 무엇인가요?
(캐터넉은 사랑, 섹스, 돈, 장난감, 우정, 도움 등 몇 가지 가능한 예를 들어 보인다. 그리고 특히 "사랑"과 "섹스"를 구분할 것을 강조한다.)

다섯 번째 칸 병이 나서 앞으로 딱 1년을 더 살 수 있다면 그동안 무엇을 하겠습니까? 단 돈은 원하는 만큼 있습니다.

여섯 번째 칸 당신이 죽었습니다. 장례식에 온 사람들이 당신을 어떻게 기억하기를 원하나요? 당신에 관해 듣고 싶은 말 세 가지를 꼽아 보세요. 그 내용이 반드시 진실해야 할 필요는 없습니다. (아이가 글을 쓰지 못할 때는 캐터넉이 대신 써준다.)

치료사는 그림에 관해 대화를 나누면서 아동에게 지속적인 강화를 제공한다. 아이가 자기에겐 한 번도 좋은 일이 없었다고 한다면(첫 번째 칸), 치료사는 뭔가 좋은 경험이 떠오를 때까지 기억을 자극할 수 있다. 가족에 대한 질문은(두 번째 칸) 아동의 경험에 대한 단서를 제공하고 조명해 준다. 세 번째 칸의 가장 나쁜 일은 학대 경험이 아닐 수 있으며, 오히려 "선생님한테 꾸중 들었던 것"처럼 겉보기에는 아주 사소한 일일 수 있다. 캐터넉의 경험에 의하면, 학대 정도가 심각할수록 오히려 이 질문에 사소한 일을 얘기하는 경향이 있다. 그런 경우, 치료사는 매우 조심스럽게 확인해야 한다. 네 번째 질문에 대해서는 많은 아이들이 다른 사람에 대한 애착을 경험하지 못했기 때문에 돈을 꼽는다. 그럴 때 아동을 강화할 필요가 있으며, 그렇지 않으면 판단적으로 보이기 쉽다. 아이들은 대부분 죽음(다섯 번째 칸)에 대해 어른만큼 민감하지 않다. 그래도 "딱 일 년이 남아 있다"는 표현이 불편하다면 방식을 바꿀 수도 있다. 흥미로운 점 한 가지는 이 질문에 대한 반응이 죽음에 맞서 싸우기를 선택하거나 도망가는 것으로 양분된다는 사실이다. 집에 머물면서 건강을 돌보겠다는 사람들이 있는가 하면, 할 수 있는 만큼 돌아다니면서 세상을 더 보겠다는 사람들이 있다. 여섯 번째 칸은 아이가 다른 사람들에게 어떻게 보이기를 원하는지를 말해 준다. 사랑스럽게 혹은 명석하게 또는 재미있게 등등. 방패 이야기는 어색하고 낯선 분위기를 깨뜨리는 데 도움이 되고 치료사에게 정보를 제공해 준다. 특히 아동과 작업할 때 치료사는 지속적으로 그것이 아동의 방패임을, 그만의 것이며 직접 그렸기 때문에 아주 중요하다는 걸 일깨워 주고, 그림이 아주 훌륭하고 마음에 든다고 강화함으로써 아동의 자존감을 고취시키는 출발점으로 쓸 수 있다.

국립보건원에서 일하는 연극치료사들의 사례

국립보건원 작업 치료 부문에서 연극치료사로 일하는 스티브 미첼(이 책 3장과 9장 참고)은 심리치료사나 의사에게서 참여자를 위탁받아 왔다. 작업 의뢰가 들어오면, 미첼은 위탁 서류를 주의 깊게 읽고, 참여자와 면담할 때 서류를 읽었음을 솔직하게 밝히고 나서 참여자가 직접 하고 싶은 이야기를 하라고 청한다. 그런 다음에는 위탁자에게 다음과 같은 공개서한을 쓴다.

> X는 연극치료를 위해 자기를 소개하고, 담당 심리치료사/의사인 당신의 이름을 알려 주었습니다. 나는 이 참여자를 대상으로 작업의 가능성 측면에서 사전평가를 실시하려고 합니다. 참여자에 관한 것 중 저와 공유하길 원하는 정보가 있으시면 서면으로 알려 주시기 바랍니다. 별다른 연락이 없으면, 참여자와 약속한 날짜에 만나겠습니다.

미첼은 인생 지도와 같은 다양한 연극치료 기법을 사용하여 참여자를 사전평가한다. 지금까지 살아오면서 중요한 이정표들을 지도의 형식으로 나타내는 인생 지도는 참여자에게 중요한 것이 무엇인지 보여 주며, 상호 관심 영역을 검토하기에 앞서 논의의 바탕이 되어 준다.

미들랜드에서 작업하는 스티브 내쉬는 간단히 삶의 역사를 기술하는 것으로 사전평가를 대신한다. 치료사는 참여자와 파트너십을 형성하는 방향으로 작업하거나 행동 치료 전문가와 함께 문제 중심의 접근 방식을 취할 수도 있다.

후자의 방식을 택할 경우에는 최초의 사전평가가 좀 더 구조화된다. 참여자는 사회적이고 가족적인 역사가 완전히 소거된 심층적인 개인 면담을 한다. 참여자는 면담을 하면서 두 가지(혹은 그 이상)의 구체적인 문제를 진술하되, 그와 관련된 경험뿐 아니라 문제가 어떤 방식으로 자기에게 영향을 미치는지를 얘기한다. 그런 다음에는 문제가 가정 관리, 직업, 가족 관계 등 다섯 가지 "생활 영역"에 영향을 미치는 정도를 표기한다. 이때 친척이나 친구가 또 하나의 항목이 될 수도 있다. 개인 면담을 한 뒤에 참여자는 2주에 걸친 집단과 개인 회기에 참여하고 나서 좀 더 심층적인 사전평가를 받는다. 거기서 구체적인 작업 목표와 측정 가능한 행동이나 활동이 정해지면, 참여자는 그 목표를 성취할 가능성이 얼마나 된다고 생각하는지를 표시한다. 그리고 후속 작업에서 다시 한 번 생활 영역과 목표를 평가한다.

마틴 길은 웨일스에서 다른 연극치료사 한 명과 음악치료사 두 사람과 공동 작업을 하고 있으며, 전국적으로 천 명에 달하는 잠재적 참여자 집단을 보유하고 있다. 최근에 그는 새로운 참여자와 만나기 전에 작업의 출발점으로서 치료/예산 감독과 함께 참여자 욕구 데이터베이스의 첫 단계를 설계하기 시작했다. 욕구 데이터베이스는 연령대, 섹스, 관심사, 정신 건강, 가족 상황의 범주로 구성되고, "욕구 중심 접근법"을 바탕으로 서비스를 디자인하기 위해 참여자들을 여러 집단으로 분류한다. 가령 특정 지역에서 생활하는 데 관심을 가진 특정 연령대의 여성 집단을 구성하는 식이다.

치료 감독이 욕구 분석의 초기 단계에 함께 하기 때문에, 담당 사례에서 적당한 참여자 집단이 형성되기만 하면 복잡한 절차를 생략할 수 있다. 하지만 이 체계는 아직 초기 단계에 있으며, 실제 작업에서 어떻게 적용되는지는 시간을 두고 관찰할 필요가 있다.

길과 예술 치료팀은 아래와 같이 "욕구 영역 분류안"을 정리하였고 이는 참여자에 따라 적절할 수도 있고 그렇지 않을 수도 있다.

1. 창의적이고 표현적인 드라마/움직임 프로젝트: 전문적인 예술가나 무용 교사를 방문함으로써 참여자들에게 창조적인 출구를 제공할 수 있다.
2. 의사소통 프로젝트: 좀 더 효과적으로 소통할 수 있도록 드라마/움직임 치료와 언어 치료의 공동 작업을 통해 참여자 개인의 욕구에 복무하는 치료 프로그램이다.
3. 역할 계발: 참여자가 새로운 역할을 계발하고 탐험하도록 도움으로써 새로운 상황에 좀 더 효율적으로 반응할 수 있는 능력을 고양시킨다.
4. 치료에 저항하는 사람들: 참여자가 집단 상호 작용 기술을 개선함으로

써 신뢰감을 형성하고 나중에는 일반적인 생활에 필요한 역할을 익히도록 돕는다.

5. 치료/상담: 참여자가 자기 자신이나 다른 사람을 새롭게 인식할 수 있게 하는 일련의 치료적 개입이다. 그를 통해 사회적 참여를 높이거나 지금 여기에서의 삶의 문제나 상실 또는 과거의 상처나 학대 등의 경험을 다루고자 한다.
6. 가족 지지 작업: 정신 장애인과 관련하여 어려움을 경험하는 가족 구성원이나 보호자를 위해 부모 지지 집단이나 회기를 제공하는 통합적인 지지 작업이다.
7. 특수하고 복합적인 요구: 이 서비스는 약시나 청각 장애처럼 특수하고 복합적인 요구를 갖고 있는 사람들의 필요에 맞게끔 팀 접근으로 창의적으로 기여한다. 그러한 작업에는 개인을 위한 치료 설계를 돕는 것도 포함된다.
8. 교육: 연극치료 기술의 상당수는 다른 전문가와 집단 리더들에게도 활용될 수 있다. 이 과정은 서로 다른 욕구를 충족시키도록 설계된다.

1단계 이 욕구 영역을 분류안을 가지고 치료 감독과 이야기를 나눈다.

2단계 참여자와 면담을 한 뒤에 분류표를 근거로 특정한 참여자에게 적용할 수 있는 욕구가 몇 가지인지를 확인한다. 매주 열리는 매체 통합 회의를 거친 뒤에 참여자의 욕구 영역을 치료 감독에게 서면으로 전한다. 예를 들어, 한 참여자에게 치료/상담(분류표에서 5번)과 역할 계발(3번)이 필요할 수 있다.

3단계 참여자가 연극치료사에게 위탁된다. 연극치료사는 치료 감독에게 참여자의 행동과 소통과 상호 작용 수준을 보고하고, 그가 가진 기술과 능력을 분석한다. 그 보고서를 근거로 치료 감독팀은 치료 계획을 위한 제안서와 해당 참여자가 소속될 집단을 추천한다. 그렇지 않을 경우 참여자는 다른 서비스나 심리 치료사에게 위탁될 수도 있다.

연극치료에서의 연구와 평가

여기서는 먼저 네 개의 연구 논문을 살펴보려 한다. 연극치료사의 태도와 작업 양상을 연구한 폰타나와 밸런트의 논문(Valente 1989; Valente and Fontana 1990)은 참여자를 대상으로 한 작업은 아니지만 연극치료의 본질적인 관심사를 다룬다는 점에서 포함시켰다. 그레인저(Grainger 1990, 1992)는 켈리의 개인적 구성 개념 이론(Kelly 1955)을 사용하여 사고 장애 성인과의 작업을 연구함으로써, 드라마는 그 본질상 일상 현실을 떠나 극적 현실로 들어가게 한다는 측면에서 연극치료가 정신증 환자에게 위험하다는 지배적인 견해의 오류를 입증했다. 존스(Jones 1993)는 자폐 성인과 작업하면서 참여자를 적극적 목격자로 보는 관점에서 연극치료에서의 의미 습득 과정을 이론적으로 광범하게 연구함으로써 심리학과 연극치료의 상상적인 종합을 시도하였다. 그 다음에는 연극치료에서 새로운 틀거리의 연구 방식(Reason 1988)을 실험한(Meldrum 1993) 예비 연구를 살펴볼 것이다. 새로운 틀거리의 연구 방식은 모든 것을 아는 "연구자"의 과학적 손바닥 위에 놓인 "유기체" 혹은 "주체"로서의 인간 개념을 전제로 하는 기계적이고 낡은 패러다임을 거부한다. 많은 사람들이 그것을 심리 치료 연구가 나아갈 방향이라고 말하며, 나 역시 그렇게 확신한다. 하지만 실제에서 그 방법론을 적용하기가 쉽지 않음을 경험했기 때문에 나의 연구를 여기에 소개한다. 마지막으로 예술 치료 전반은 물론 특히 연극치료에서 적절한 도구로 쓰일 수 있는 질문지의 유용성에 대한 미라 커스너(Kersner 1990)의 연구를 보고한다. 이 건전하고 유익한 논문은 참여자를 위한 질문지를 작성하기 전에 연극치료사가 어떤 절차를 거쳐야 하는지를 알려 준다.

"현재의 연구와 평가"에서는 이제 시작 단계에 있는 연구와 평가 프로젝트를 살펴볼 것이다. 연극치료사들에게 보낸 질의서를 통해 개인과 집단을 상대로 어떤 작업을 하고 있는지를 알아보고 또 진행 중인 작업을 어떻게 평가하고 사전평가하는가에 대한 답을 찾을 수 있기를 바랐다. 치료사들의 응답은 개인 작업과 집단 작업에 대한 평가로 나누어 정리했으며, 그 내용은 진행 중인 작업에 대한 요약일 뿐임을 일러둔다. 비록 완결된 연구 논문은 아니지만, 그 상당 부분은 변화하는 작업 환경에 대한 반응으로서 매우 성찰적이며 혁신적이다.

간행된 연구 논문들

데이비드 폰타나와 루실리아 밸런트의 조사 자료

밸런트와 폰타나(1990)는 웨일스 대학 교육학과와 함께 스무 명의 손꼽히는 연극치료사들과의 인터뷰를 기록하여 연극치료의 실제와 본질에 대한 연구 논문을 발표하였다.

반半-구조화된 인터뷰 내용을 354개의 진술문으로 풀어낸 뒤에 다시 관심사에 따라 12개의 범주, 곧 5개의 이론과 7개의 실제 작업 관련 분야로 분류하였다. 그리고 이를 바탕으로 연극치료의 이론과 분석에 대한 상세한 질문지를 작성하여, 협회에 등록된 연극치료사와 연극치료사 교육과정에 있는 학생들에게 배포하였다. 이 조사 작업은 치료에서의 드라마 사용에 대한 포괄적인 연구를 목적으로 했다.

그런데 그보다 더 관심을 끄는 것은 「발전의 지침으로서 참여자 행동 모니터하기」 — 일종의 행동적 연극치료 모델 — 라는 제목의 보고서(1989)이다. 밸런트와 폰타나는 그 모델이 대체로 설명적이기보다 서술적이라고 말하며, 실제로도 주된 개념적 가설 없이 연극치료사들에게서 얻은 인터뷰 자료를 바탕으로 논지를 전개하는 반反이론적인 양상을 보인다. 밸런트와 폰타나는 인터뷰에 응한 연극치료사 스무 명이 한결같이 "연극치료를 확고하게 행동에 기반한 것으로" 간주한다는 사실로부터 그 모델이 "형성되기 시작"했다고 말한다. 그들은 그것이 연극치료와 다른 심리 치료 분야를 가르는 주된 차이라고 보지만, 드라마 자체가 행동적 요소인지에 대해서는 별다른 언급이 없다. 치료는 행동을 통해 진행되며,

> 때때로 내적 관찰과 참여자의 자발적인 언어적 설명이 포함되기도 하지만, 참여자가 핵심적인 국면에서 행동하기를 멈춘다면 그것은 더 이상 본격적인 연극치료라 할 수 없을 것이다.
>
> (Valente and Fontana 1989)

밸런트와 폰타나에게 행동은 연극치료뿐 아니라 진단, 치료 목표 설정, 과정, 결과의 평가의 네 단계로 구성된다고 한 그 모델의 핵심이다.

그들은 "연극치료가 하고자 하는 바에 대한 '과학적' 개연성을 회의론자들에게" 설명하는 데 행동적 모델을 활용할 수 있다고 제안한다. 그리고 "행동적 모델"이라는 명칭에서 드러나듯이, 명시적으로 인정하지는 않지만 "행동주의"와 이론적으로 연관될 수 있음을 알고 있다. 그들은 행동주의에 대해 이렇게 말한다.

> 그것은 말하자면 유용한 도구이다. 그리고 우리가 행동주의를 인간 심리학의 마지막 단어로 간주하거나 그로써 심리 역동적이거나 인지적이거나 인본주의적인 접근의 통찰을 부인하는 실수를 범하지만 않는다면, 틀림없이 우리에게 도움이 될 것이다. 우리는 여기서 행동주의라는 용어의 의미를 이와 같이 엄격하게 제한한다.
>
> (Valente and Fontana 1989)

그러나 불행하게도 행동주의는 두 사람이 염려한 바를 그대로 실현한다. 그리하여 많은 심리학자와 심리치료사(Pilgrim 1990의 예를 참고)들이 기계적인데다가 심리학과 심리 치료의 인간적 본질을 부인한다는 점에서 행동주의를 거부한다. 그러한 사정으로 미루어 볼 때, 밸런트와 폰타나는 행동 수정의 임상 작업에서 사용된 일부 기법이 연극치료와 상관성이 있음을 시사한다고 이해한다. 한편 새로운 틀거리의 연구 방식[기존의 사회과학, 그중에서도 특히 심리학 분야가 본격적인 과학으로 인정받기 위해 객관성에 지나치게 역점을 두면서 인간을 객체 혹은 사물로 대하는 연구 방식을 고수해 온 데 대한 반발로서, 인본주의 심리학이 내놓은 대안적 연구 방법론이다. 그것은 피험자를 사물이 아닌 인간으로 대할 때에만 타당하고도 유용한 연구 결과를 기대할 수 있다고 전제한다. "협동적 탐사," "참여적 연구," "해석적 연구," "자연주의적 탐사" 등의 명칭으로도 불린다: 옮긴이]의 방법론에 대한 검증(Reason and Rowan 1981; Reason 1988)은 많은 연구자들에게 행동주의에서 가장 악명 높은 기계적이고 실증주의적인 낡은 연구 방식을 떨쳐내고, 인본주의적이고 통합적인 새로운 패러다임을 끌어안을 수 있는 용기를 제공한다. 나는 개인적으로 제아무리 설득력 있어 보인다 해도 연극치료가 행동주의처럼 불편한 협력자를 곁에 둘 필요는 없다고 생각한다!

그러나 연극치료사의 태도와 실제 작업에 관한 밸런트와 폰타나의 포괄적인 연구 결과는 매우 흥미로우며, 그들은 유럽 전역과 이스라엘과 미국에까지 그 범위가 확장되기를 바란다.

로저 그레인저의 사고 장애 성인을 대상으로 한 연구

그레인저(1990, 1992)는 심리학자인 조지 켈리의 개인적 구성 개념(Kelly 1955)을 사용하여 정신병원 낮 병동에 다니는 열두 명의 참여자를 대상으로 실시한 10회기의 연구 프로젝트를 보고한다.

켈리는 마음과 몸이 분리되어 있다는 데카르트적 이원성을 믿지 않았다. 이론적으로 사람은 불가분의 통합된 존재이지만, 사람들이 언제나 자신을 그렇게 보고 느끼지는 않는다. 심리적 장애에 의학적 모델을 적용하는 데 대한 강력한 대립항으로서, 켈리는 그보다 훨씬 더 도움이 되는 기능화의 개념을 제시한다. 충분히 잘 기능하는 사람은 자기가 예상한 바를 정당화하는 방식으로 세상을 해석할 수 있다. 켈리는 우리 모두가 "마치" 과학자인 "듯이" 세상과 만난다고 말한다. 다시 말해 사건이 왜 일어나는지 그 원인에 대한 이론을 갖고 있으며, 그에 근거하여 앞으로 일어날 일에 대한 가설을 세우고, 그 예측이 옳은지 그른지 확인하기 위해 검증을 한다는 것이다. "모든 행동을 '만일' 그게 실험 '이라면' 이라는 틀로 보는 것은 켈리가 인간에 대한 이해에 독특하게 기여한 바 중 하나이다" (Fransella 1990: 128).

개인적 구성 개념에 따르면, 우리는 자기 자신과 다른 사람들을 심리학적 용어로 이해하며, 사적인 세계 속에서 일어나는 사건을 예측하기 위해 우리 각자가 발달시켜 온 구성 개념을 연구할 수 있다. 그러므로 우리가 참여자의 개인적 구성 개념을 찾아낸다면, 현실 경험에 대한 참여자의 반응을 좀 더 잘 이해할 수 있을 것이다. 한편 개인이 세운 가설 곧 구성 개념 혹은 예측이 경험에 의해 지속적으로 타당성을 입증 받지 못한다면, 그 사람은 "난 문제가 있어"라고 느끼거나 자기 예언이 정당화될 만한 방식으로 일이 "벌어지게끔" 노력하게 될 것이다.

그레인저에게서 높이 살 만한 점은 그가 개인적 구성 개념을 사고 장애 환자들에게 사용했다는 것, "마치 다른 사람인 듯이" 연기하게 되고 더 근본적으로는 다른 사람의 역할을 취하는 능력뿐 아니라 자기 자신과 자신의 행동을 주관적이면서 객관적으로 볼 수 있는 능력과 관련된 연극치료 기법을 적용했다는 사실이다.

정신분열증으로 낙인찍힌 사고 장애 환자들은 차이와 관련해 어려움을 겪는다고 그레인저는 말한다. "내가 나인 걸 어떻게 알지?" 그리고 "넌 누구니/뭐니?"라는 질문은 유아기 초기에 형성되는 "나/나 아닌 것"의 분별을 확립하는 바탕이다.

> 다른 사람들은 현실이라는 주어진 구조의 일부로 당연하게 받아들이는 정체성에 대한 실존적 결론이 정신분열증 환자들에게는 영구적으로 검토 중에 있으며 따라서 안정되거나 신뢰할 만한 바탕이나 배경 혹은 틀거리가 존재하지 않기 때문에 어느 때건 실제로 일어나고 있는 바에 대한 결론을 정리하고 재배열하는 자연스런 과정을 경험할 수 없다.
>
> (Grainger 1992: 168)

사고 장애 환자는 주변에서 일어나는 일들에 대해 다른 사람과 동일한 의미를 공유하지 못 하는 것 같다. 무엇이 현실이고 무엇이 상상인지를 구별하는 체계가 고장 나 잡음을 일으킨 듯 와해된 소통 양상을 나타낸다. 그러나 그레인저는 드라마의 치료적 본질과 연극치료의 효능을 온 마음으로 의지하며, 그리하여

> 극적 경험을 통해 인지적 명료성이 소통 가능해진다고 믿는다. 관계 맺기는 사고 장애로 고통 받는 정신 분열 환자들에게 기대하기 힘든 현상이다. 그런데 연극치료는 개인이 처한 현실에 대한 특정한 사고방식을 세우거나 정당화함으로써 관계 맺기에 본질적으로 공헌한다.
>
> (Grainger 1992: 169)

개인적 구성 개념 이론은 사람들이 자기에 대해 어떤 생각을 갖는지가 중요하다고 전제한다는 점에서 가치 있다. 켈리는 자기 작업을 딱 한마디로 알려야 한다면, "누군가에게 어떤 문제가 있는지 모르겠거든 그에게 물어보시오, 그러면 그가 말해 줄 겁니다"라는 말로 기억되고 싶다고 했다. 개인적 구성 개념 이론은 참여자의 직접적 경험의 지금 여기를 다룬다.

그레인저는 배니스터와 프란젤라의 정신 분열적 사고 장애 정도 검사(1966)를 사용했고, 사후 평가에서는 애초에 점수가 가장 낮았던 사람들의

인지적 명료성이 의미 있게 향상되었음을 발견했다. 10회기의 작업 모두 "다른 사람의 입장에 처해 보기"에 초점을 맞추었고, 다른 사람의 경험을 탐험하는 수단으로 역할 바꾸기 기법을 사용하였다. 그 결과 그레인저는 통찰과 자각에서의 향상을 보고한다. 그러나 가장 중요한 것은

> 치료 과정에서의 의미 있는 변화의 경험이었다. 그것은 작업이 점점 어려워지면서 — 감정적으로 또 인지적으로 도전받음에 따라 — 집단 내에서 상상적 자각이 확장되고 심화되는 데서 나타났다. 치료 과정 자체에 관한 한 이는 공유된 사건의 본질을 경험하는 "새로운 틀거리의 연구 방식" — 즉, 파고드는 연구가 아니라 함께 하는 연구 — 이었다. 그 속에서 결과물을 측정하려는 시도는 언제나 변화에 대한 기념의 뒷자리를 차지했다.
>
> (Grainger 1992: 177)

필 존스의 자폐 성인을 대상으로 한 연구

「적극적 증인: 연극치료에서 의미의 획득」(Jones 1993)에서, 필 존스는 적극적 증인이란 연극치료에서 다른 사람과 자기 자신에 대한 관객이라고 정의한다. 그는 그 두 측면이 모두 똑같이 중요하다고 본다. 그는 동료 실험 심리학자 로즈마리 생츄어리와 함께 자폐로 진단받은 세 명의 청년과 작업을 했다. 작업의 목표는 인형극과 즉흥극을 사용하여 상호 작용의 빈도와 범주를 증가시키는 것이었다. 인형을 매체로 사용한 데는 "참여자들이 그들이 만든 '작은 배우들'에 몰입하여 자기에 대한 적극적 증인 혹은 관객-참여자가 될 수 있게 하려는" 의도가 있었다.

치료사들은 투사 기법으로 인형을 사용했다. 그것은 참여자들이 인형의 표현에 동일시하면서도 거리를 둠으로써 극적 거리를 활용하게 하고, 그렇게 해서 자기가 표현한 바에 대해 관객이 될 수 있다면, 현실에서는 기대하기 힘들었던 대인적 상호 작용이 가능할지도 모른다는 바람에서였다. 이 흥미롭고 상상력 넘치는 연구는 생츄어리(Sanctuary 1984)가 파튼

의 아동 대상 연구(Parten 1927, Irwin and Bushwell 1980에서 인용)에서 개발한 도구와 함께 연극치료 구조를 활용했다. 참여자들을 여러 상황에서 비디오로 녹화하여 거기서 얻은 필름을 전형적인, 위축된, 고립된, 반응적인, 공격적인, 주도적인, 배려하는, 병행적 활동의 범주로 분류하였다. 마지막 세 영역은 작업 이전에는 관찰되지 않았다. 작업 시작 2주 전, 작업 도중, 연극치료 작업 직후, 2주 후의 후속 작업에서 각각 측정했을 때 "위축된"에서 "적극적이고 친사회적인 행동과 상호 작용"에 이르는 연속체가 관찰되었다.

연극치료 집단은 9주 동안 일주일에 한 번씩 만나 인형을 만들었고, 그 다음에는 2주에 걸쳐 아홉 번을 만나는 집중 과정을 가지면서 자유로운 놀이, 구조화된 활동, 비디오 되돌려보기, 인형을 사용한 역할 연기를 했다. 존스는 인형을 만드는 도입 단계에서는 참여자들이 자기 인형을 분명히 구분할 수 있었고, 다른 인형도 만든 사람의 이름을 사용해서 부를 수 있었다고 보고한다. 집중 과정에서 참여자들은 인형들끼리 인사를 시키면서 서로에게 다가가고 또 인형들 사이의 관계를 발전시키는 모습으로써, 자기를 인형 배우에게 투사할 수 있는 능력을 입증했다. 치료사들은 회기 밖에서 관찰하는 시기에는 별 변화가 없었는데 비해, 회기 동안에는 상당한 변화가 일어남을 발견했다.

존스의 연구는 적극적 증인이 된 동안에는 모델이 예견한 행동의 변화가 실제로 나타났다는 사실을 보여줌으로써 프로젝트가 연극과 치료적 언어의 종합을 가능케 했음을 입증했다.

브렌다 멜드럼의 새로운 틀거리의 연구 방식을 사용한 실험 연구

「"나됨"에 대하여: 셰익스피어의 〈뜻대로 하세요〉의 치료적 양상에 대한 연구」(1993)라는 글에서 나는 드라마와 연극치료 기법을 사용한 텍스트 작업의 치료적 특성을 탐험하기 위해 새로운 틀거리의 연구 방식(Reason 1993)을 시도한 실험 연구를 보고하였다. 그 연구 계획의 저변에는 수 제닝스의 EPR(1991)과 로버트 랜디의 역할 모델(1986)이 있다.

새로운 틀거리의 연구 방식은 참여자 모두가 연구 방향에 기여하는 협동적 모험을 위해 비지시적 접근을 요구하며, 다음과 같은 최소한의 요건을 제시한다.

1. 모든 참여자들의 참여가 공개적으로 논의될 것,
2. 모든 참여자들이 창조적 사고에 기여할 것, 그리고
3. 반드시 진정으로 협동적인 관계를 목표로 할 것.

집단은 한 번에 2시간씩 8회에 걸쳐 만나면서 〈뜻대로 하세요〉라는 텍스트를 사용하여 "연극 과정의 특성이 본질적으로 치료적인가?"라는 전반적인 물음을 탐험하였다.

이것은 실험 연구였고, 연극과 연극치료 기법이 각 회기에서 효율적으로 함께 사용되었다는 점에서 일단 성공적이었다. 각 회기는 제닝스의 EPR 모델을 활용하였고, 작업의 특성이 그 모델의 효율성을 지지하였다. 랜디의 역할 모델은 정서적인 것을 텍스트의 사회적 역할로 충분히 내실 있게 확장하였다. 그러나 나는 새로운 틀거리의 연구 방식을 사용하는 데서 어려움을 발견했다.

연극치료의 공연 모델은 치료사를 감정이입적 연출자로 간주한다(Mitchell 1990). 그러나 새로운 틀거리의 연구 방식은 "만일 촉진자가 촉진자로서의 역할에 고착되어 있다면, 그는 더 이상 탐사 집단의 참여자가 아닐 것이다"(Reason 1988: 31)라고 말한다. 나는 촉진자의 역할 안에 갇혀 있었다. 하지만 그것은 내가 아니라 집단이 원했기 때문이었다. 이런 생각조차 나의 투사이며 실은 내가 통제력을 포기할 수 없었던 거라 말할 수도 있지만, 그건 정말이지 집단 내에서 지치도록 논의된 문제였다! 나는 촉진 작용을 집단 성원들에게 넘겨주고 정말 평범한 참여자가 되려고 했지만, 리즌이 동의한 대로, 그것은 말보다 훨씬 어려웠다. 이미 말했다

시피, 그 문제를 놓고 내 경험에 비추어 이례적으로 많은 토론과 분석이 행해졌다는 점에서 새로운 틀거리의 연구 방식이 유용했다.

나는 이 실험 모델이 심화된 연구로 확장되지 않았음을 인정한다. 왜냐하면 새로운 틀거리의 연구 방식이 연극치료의 공연 모델과 관련하여 내가 하고 싶은 작업과는 어울리지 않음을 알게 되었기 때문이다. 그 작업을 위해서는 촉진자나 감정이입적 연출자가 필요하다. 하지만 실현 가능한 것이 무엇이고, 어떤 방법론이 해당 연구에 적절하지 않은가를 보이는 데 실험 연구의 의미가 있다는 점에서 소기의 목적은 달성되었다고 할 수 있다.

미라 커스너의 예술 치료 연구에서 질문지의 유용성에 관한 조사

커스너(Kersner 1990)는 사회학, 마케팅, 심리학 분야에서 질문지 사용에 대한 찬반 저작들을 검토하고 예술 치료와 연극치료 연구에서 그 유용성을 살펴본다. 질문지는 자신의 기능 수준에 대한 참여자의 인식을 알아보고 치료 환경, 치료사, 치료 자체, 작업의 방향에 대한 견해와 느낌을 표현하는 경우에 매우 유용하다. 또한 질문지를 완성하는 것 자체가 치료에서 특정한 주제를 성찰하고 거기 참여할 수 있게 한다는 점에서 하나의 학습 경험(Cohen and Manion 1980)이기도 하다.

어떤 연구 작업이든 문제와 도전이 따르기 마련이므로 이 프로그램에 앞서 예비 연구를 실시하면 설계상의 부적합성을 찾아낼 수 있다. 연구를 설계함에 있어, 연구자는 "내가 알고자 하는 것 혹은 필요한 것이 무엇인가? 그 질문이 내가 필요로 하는 응답을 줄 수 있을까?" 등을 스스로 묻고 답함으로써 연구의 일차적인 목적과 부차적인 목표를 명확히 해야 한다. 커스너는 질문지를 작성할 때는 "잘"이나 "보다 나은"과 같은 상대적 개념과 "곧잘"이나 "규칙적으로" 등의 명확하게 규정되지 않은 개념의 사용을 삼가야 하고, 참여자를 짜증나게 하거나 당황케 하거나 겁주거나 도발하는 표현 대신 참여자의 흥미를 사로잡을 수 있도록 쓰여야 한다고 도움말을 제시한다.

뿐만 아니라 선입견을 자극하지 않도록 질문을 제시하는 방식에 주의를 기울여야 하며, 응답 요령에 대한 명확한 지시와 함께 질문지 자체의 형식과 디자인이 호감이 가도록 해야 한다. 커스너는 다음과 같이 결론을 짓는다.

> 질문지는 비교적 전통적인 연구 방식에 속하지만, 예술 치료 연구에서는 어떤 입지를 가질 수도 있는 중요한 정보 수집원을 제공한다. 그 한계를 잘 알아 대처하기만 한다면 언제나 적절하게 사용될 수 있다. 질문지를 효과적으로 사용하는 새로운 방식을 찾아내는 것은 우리에게 달려 있다.
>
> (1990: 95)

현재의 연구와 평가

스티브 내쉬(북동부에 있는 국립보건원에서 일하는 연극치료사)는 개인 작업을 할 때 참여자/치료사의 상호 작용에 따라 회기의 지속 시간과 진행 속도를 결정하며, 참여자의 변화를 관찰하고 또 참여자가 스스로 평가하게 함으로써 작업의 진전을 평가한다. 집단 작업에서는 심리학의 측정 도구를 활용하여 참여자와 치료사가 연극치료 회기에 대한 인식을 평가하고 상호 연관시킬 수 있게 한다.

실비아 위든(남서부에 있는 노인을 위한 낮 병원에서 일하는 연극치료사)은 몇 가지 구조화된 평가 방법을 사용한다. 하지만 거기서 측정되는 결과가 연극치료 과정이 아닌 다른 중요한 변인에 기인할 수도 있다는 측면에서 임상 심리학자와 함께 연극치료 이외의 변인을 통제하는 도구를 설계하고 있다.

브렌다 멜드럼은 매우 빠른 시간 안에 참여자의 정서 상태와 참여 정도와 정서적 노출 및 외관상의 변화를 거칠게 측정할 수 있는 척도(표

11.2)를 제시한다.

개인 작업

스티브 내쉬는 개인 작업을 할 때 참여자가 현재에는 없지만 생기기를 바라는 아주 기본적인 욕구를 찾을 수 있도록 돕는다. 또 같은 방식으로 현재 일어나고 있지만 멈추고 싶은 모종의 패턴을 밝힐 수 있도록 돕는다. 이를 다르게 말하면, "일 년 안에 나와 함께 한 연극치료 작업을 돌아본다면 어떤 영역에서의 변화가 치료가 성공적이었음을 말해 줄 수 있을까요?" 라고 묻는 것이다. 내쉬는 참여자가 자기의 욕구를 정확하게 찾을 수 있는 경우에는 이 방법이 매우 단도직입적이라고 말한다. 물론 항상 그렇지는 않지만 말이다. 작업을 진행해 나가면서 그가 주도하거나 혹은 참여자의 필요에 따라 작업의 진행 방향과 욕구의 향방에 대해 대화를 나눈다.

쌍방의 선택이나 외부의 압력에 의해 작업이 종결되면, 참여자와 치료사는 치료사가 관찰한 기본적인 변화와 참여자로부터의 정보에 근거하여 작업의 진전 상황을 함께 평가한다. 개선된 수면 패턴이나 증가된 사회 활동과 같은 변인을 고려하되, 단순히 "증상" 을 검토하는 데서 감정의 자각과 통찰에 대한 평가로 초점을 옮겨간다. 그러고 나서 일 년 뒤에 참여자를 다시 만나 작업이 성공적이었다고 느끼는지를 확인하고, 삶에서 어떤 변화가 있었는지 이야기한다.

집단 작업

스티브 내쉬는 집단 작업에서 두 가지 측정 도구를 사용한다. 한 가지는 블로흐(Bloch et al 1979)가 윤곽을 잡은 치료적 요인 일부를 활용한 연극치료 집단 평가 형식(표 11.1)이고, 다른 한 가지는 생활 영역 프로파일이다.

내쉬는 연극치료 집단 평가 형식이 가능성이 많다고 생각한다. 그 과정은 다음과 같다.

1. 참여자들은 집단 내에서 핵심되는 사건을 찾아낸다.
2. 참여자들은 집단의 이점을 표현하는 네 가지 문장을 체크한다. 진술문의 내용은 얄롬(1985)이 집단 심리 치료에서 치료적 요인으로 꼽은 범주에 상응한다. 예를 들어, 대리 학습: "다른 사람의 작업을 지켜보면서 배운다," 보편성: "나만 그런 것이 아님을 깨닫는다" 등.
3. 그동안 촉진자들은 각 참여자가 평가 형식에 가장 중요한 사건으로 무엇을 선택할 것인지를 추측한다.
4. 참여자의 평가와 촉진자의 평가를 비교하여 차이점과 유사점을 기록한다.

생활 영역 프로파일은 내쉬가 낮 병동 환자를 위해 설계한 2주간의 사전 평가 프로그램으로, 개인 및 집단 작업과 간간이 연극치료 회기가 포함되어 있다.

공식적인 작성은 앞에서 언급된 대로 맨 처음 면담 후에 시행된다. 참여자(그리고 아마도 중요한 "타인들")는 특정 생활 영역에서 구체적인 문제들이 얼마나 심각하게 영향을 미치는지를 0부터 4까지의 척도로 진술하면 된다. 생활 영역은 직업, 가정 관리, 사회적 여가, 개인적 여가, 자기 관리, 가족과 관계로 나눠지며, 그러한 분류는 심리 치료에서 상당히 표준적이다. 물론 "가족과 관계"는 하나의 숫자로 표기하기에 너무 까다로운 영역이긴 하지만 말이다. 생활 영역 프로파일은 치료가 시작된 이후에 그리고 후속 작업 단계에서도 반복 시행할 수 있다. 생활 영역 프로파일을 작성한 후에는 참여자가 느끼는 고통과 증상을 측정 가능하도록 객관화하기 위해 문제 정의 검사지를 사용한다. 그러고 나서 첫 번째 작업 직후에 목표를 설정하면 된다. 내쉬는 이 접근법이 일부 참여자에게는 유용하지만, 자기의 고통을 숫자로 표시하는 과정을 위협적인 것으로 느끼는 사람들에게는 오히려 문제를 유발하기도 한다고 보고한다. 또 참여자에 따라서는 그 절차를 완수하는 데 지나치게 긴 시간이 소요되기도 하다.

1부: 집단에서 얻은 것

다음 문장을 주의 깊게 읽으십시오. 가장 중요하다고 생각되는 문장에 5점으로 표기하십시오. 5점보다 낮은 점수를 주어도 좋습니다. 하지만 5점 이상은 안 됩니다.

(1) 감정을 표출하여 집단에게 공개적으로 보여 줄 수 있다.
(2) 개인적인 문제와 집단에 대한 사적인 두려움을 공유할 수 있다.
(3) 다른 사람들과 관계 맺는 새로운 방식을 탐험했다.
(4) 내 문제가 나만의 것이 아님을 깨달았다.
(5) 다른 사람들에게 수용되고 지지받는 느낌을 받았다.
(6) 내가 다른 사람에게 도움과 지지를 줄 수 있음을 알았다.
(7) 치료사나 다른 참여자로부터 유용한 정보나 조언을 얻었다.
(8) 나의 행동을 새롭거나 다른 방식으로 이해하게 되었다.
(9) 다른 사람의 행동을 보면서 도움을 얻었다.
(10) 집단이 나와 다른 사람들을 도울 수 있다는 희망을 느꼈다.

2부: 핵심사건

집단 과정 전반에 걸쳐 가장 의미심장한 사건이라면 무엇을 선택하겠는지 아래에 써 주십시오. 무슨 일이 있었나요? 누가 관련되었나요? 당신은 어떤 반응을 보였나요? 그 일이 왜 중요한가요?

3부: 집단을 어떻게 바꾸고 싶은가요?

(1) 집단에서 마음에 든 점은?
(2) 집단에서 별로 마음에 들지 않은 점은?
(3) 집단에 대해서 동일하게 유지하고 싶은 것이 있다면?

4부: 다른 사람들에 대한 조언

집단에서 함께 한 누군가에게 해주고 싶은 조언이 있다면 무엇인가요? 어떤 점에서 그러한가요?

5부: 장소와 환경

얼마나 만족하십니까?
(1) 장소
(2) 시간
(3) 작업의 횟수

6부
또 다른 하실 말씀이 있다면?

표 11.1 연극치료 집단 평가 형식
(자료 제공: 스티브 내쉬, 연극치료사)

낮 병원의 정신 장애 노인 환자를 대상으로 일하는 임상 감독이자 수석 연극치료사인 실비아 위든은 토론과 조각상 만들기를 통해 출석을 확인하고, 회기 전과 후의 분위기를 측정함으로써 집단을 구조화한다. 하지만 참여자의 변화가 연극치료 작업에서 기인한 것인지를 확신할 수 없기에 평가가 쉽지 않음을 고백한다. 그녀는 작업 시간과 같이 참여자의 변화에 영향을 미칠 수 있는 변인들을 찾아냈다. 바꿔 말해 특정한 시간대가 다른 때에 비해 더 치료적일 수도 있다는 말이다. 그것은 참여자들이 낮 병원에 오기 때문일 수도 있고, 병원 버스 기사가 예의 바르고 친절해서일 수도 있으며, 병원에 오는 게 다른 환경을 접할 수 있는 외출 기회이기 때문일 수도 있고, 비슷한 문제를 가진 다른 참여자들과 접할 수 있기 때문일 수도 있다. 혹은 연극치료 자체나 여러 다양한 변인의 조합 때문일지도 모른다. 그것을 명확하게 밝혀내기 위해 위든은 임상 심리학자와 함께 회기 전후에 참여자의 상태를 측정하는 도구를 만드는 작업을 진행하고 있다.

브렌더 멜드럼은 예측 목적이 아니라 변화의 측정 도구로서 어떤 참여자에게나 사용할 수 있는 매우 거친 평가 척도를 만들었다. 폐쇄 법정 정신 병동에서 작업할 당시, 나는 몇 주간에 걸친 수정과 변화를 잘 관찰할 수 있는 방식이 필요했고, 그래서 콕스(Cox 1986)의 정서적 노출 척도를 바탕으로 기본적 평가 척도를 개발하였다. 이 척도 역시 다른 많은 평가 척도와 마찬가지로 일련의 주관적인 판단 목록이므로, 이상적으로는 두 사람이 동일한 참여자를 관찰 기록하여 두 사람의 동의와 불일치 여부를 반드시 기록하여 토론해야 한다. 그러나 나는 혼자 할 수밖에 없었고, 그 척도를 참여자의 변화뿐 아니라 치료사인 나의 작업 과정을 평가하는 데도 사용했다. 다른 사람들에게도 유용하기를 바라는 마음으로 그 내용을 싣는다.

연극치료 회기가 끝난 직후에 참여자 한 사람 한 사람을 네 가지 차원에서 평가하여, 보고서를 쓸 때 그 결과를 보충 자료로 사용했다. 이 척도

차원 1: 정서 상태 척도

1. 침체되고 아주 의기소침해 보인다. 소리 없이 무력하게 흐느낀다.
2. 우울감을 표현하지만 회기에 참여할 수 있다. 다른 데 정신을 팔기도 한다.
3. 우울하지도 의기양양하지도 않다.
4. 적당히 활기차고 적극적이다.
5. "고조된" : 과다 행동적이고 들떠 있고 과장된 반응을 보인다.

차원 2: 참여 정도 측정

1. 거의 참여하지 않는다. 그냥 따라 움직인다. 위축되어 있다.
2. 아주 간혹 자발적으로 참여한다.
3. 조용히 참여한다.
4. 드라마에 적극적으로 참여하고 몰입한다.
5. 과다 행동적: 자기를 드라마에 내던진다.

차원 3: 정서적/감정적 노출

1. 전혀 드러내지 않는다. 외견상으로도 그렇고 실제로도 부인한다.
2. 매우 피상적으로 노출한다.
3. 개인적인 특성을 보이긴 하지만 감정을 드러내지는 않는다.
4. 적절한 맥락에서 감정적이고 정서적인 특성을 드러낸다.
5. 감정을 쏟아낸다.

차원 4: 외모

1. 용모가 매우 단정치 못하다. 위생 상태가 엉망이다.
2. 빗질을 하지 않는다. 의복이 깨끗하지 않고 외모를 돌보지 않는다.
3. "보통의" 옷차림. 깨끗하다. 특별한 노력을 기울이지는 않는다.
4. 깨끗하고 적절하게 외모를 잘 가꾼다.
5. 강박적으로 외모에 신경을 쓴다.

표 11.2 기본적 평가 척도

(자료 제공: 브렌더 멜드럼, 연극치료사)

상의 숫자는 쉽게 그래프 형식으로 옮겨지며, 그래프를 단순히 겹쳐놓는 방법만으로 한 차원이 다른 차원에 어떻게 영향을 줄 수 있는지를 파악할 수 있다. 예를 들어, 나는 어떤 참여자에게서 참여 수준과 정서적 노출 수위가 정서 상태 수위보다 상호 연관관계가 높다는 사실을 발견했다. 이는 다시 말해 그 참여자가 드라마에 참여하기를 원하고 또 그 감정이 무엇이든 자기 느낌을 표현하려 한다는 사실을 말해 준다. 회기에 대한 기록 역시 이러한 판단을 반영했다. 나는 이 도구를 개인에게도 적용하며, 그것이 치료 과정을 명료화하는 데 도움이 된다고 본다.

계획 단계에 있는 연극치료 연구

여기서는 시작 단계에 있는 세 가지 연구 프로젝트의 개요를 소개하면서 연극치료 작업의 진행 방향과 범위에 대한 몇 가지 아이디어를 제공하고자 한다.

작업 치료사이자 연극치료사인 매기 영은 폭식증 여성 집단과의 작업을 바탕으로 석사 학위 졸업 논문을 쓸 계획이다. 그를 위해 섭식 장애 일람표, 조절 근거 질문지, 가족 환경 척도, 폭식증을 위한 자기 평가 척도 등의 심리학 도구를 평가 과정의 일부로 사용하여 20주에 걸친 작업 전후에 검사를 실시함으로써 참여자의 변화를 측정할 것이다. 목적은 최초의 사전평가에서 공유된 치료 목표와 함께 치료사와 참여자가 공유하지 않은 목표를 밝히는 데 있다. 그리고 마지막에는 참여자와 치료사가 함께 변화 혹은 변화의 결여에 대해 평가할 것이다.

연극치료연구위원회 위원장인 디티 독터는 「예술 치료 치유에서의 문화적이고 의식儀式적인 과정」에 대한 고찰로 박사 학위를 신청하였다. 그 연구의 첫 단계는 다양한 예술 치료에 대한 비교 연구이며, 두 번째는 서로 다른 문화적 배경을 가진 참여자들에게 그를 활용하는 과정에 대한 고찰이다.

스코틀랜드 국립보건원에서 일하는 로레인 폭스는 평가 도구에 대한 연구에 들어갔다. 그녀는 그 연구가 회계 감사 및 사전평가와 평가 그리고 예산안이 요구되는 치료팀에 소속되어 작업하는 국립보건원 연극치료사들에게 도움이 되길 바란다.

결론

나는 연극치료사들이 연극치료 작업이 "과학적"임을 입증해야 한다거나 혹은 그러함에 동의해야 한다고 믿지 않는다. 왜냐하면 연극치료는 과학적이지 않으며, 앞으로도 절대 그렇지 않을 것이며, 또 그래서도 안 되기 때문이다. 그러나 우리는 시장, 소비자 주도의 서비스, 비용, 평가, 사전평가, 예산, 회계 감사 등이 지배하는 "현실" 세계에서 작업을 한다. 그러므로 국립보건원에서 주변으로 밀려나지 않으려면, 연극치료사들은 이러한 주제와 직장의 요구 조건에 진정으로 연극치료적인 방식으로 직면할 필요가 있다. 다시 말해 우리의 치료 작업에 가장 적합한 도구와 척도를 찾아냄으로써 최선의 객관성을 담보한 창의적이고 현실적인 연구와 평가와 사전평가를 시도해야 한다. 이 장에서 소개한 사례를 볼 때, 현재까지는 심리학자들과 효율적으로 협력하거나 심리학과 심리 치료의 도구를 독특한 방식으로 응용하는 흐름이 주를 이룬다. 앞으로는 연극치료 석사 과정이 설립됨에 따라 좀 더 많은 학생들이 이 까다로운 영역에 도전하게 될 것이며, 교육 과정에서도 그 방법적 관심사를 반영해야 할 것이다. 『구리 여인의 딸』에서 앤 캐머론(Cameron 1981)은 무시무시하고 끔찍한 바다 괴물 시시우틀의 이야기를 들려준다. "무시무시한 시시우틀을 보고, 설사 겁에 질렸다 해도, 단단히 서 있으시오. 겁에 질리는 건 부끄러운 게 아닙니다"(p. 36).

마지막으로 이 글을 쓰는 데 많은 시간을 들여 자세히 응답하고 도움을 준 모든 분들에게 감사를 전한다.

참고 문헌

Bannister, D. and Fransella, F. (1966) "A grid test of schizophrenic thought disorder," *British Journal of Social and Clinical Psychology*, 5, 95-102.

Bloch, S., Reibstein, J., Crouch, E., Holroyd, P. and Thement, J. (1979) "A method for the study of therapeutic factors in group psychotherapy," *British Journal of Psychology*, 134, 257-63.

Cameron, A. (1981) *Daughter of Copper Woman*, London, The Women's Press.

Cattanach, A. (1992) *Play Therapy with Abused Children*, London, Jessica Kingsley.

Cohen, L. and Manion, L. (1980) *Research Methods in Education*, London, Routledge & Kegan Paul.

Cox, M. (1986) *Coding the Therapeutic Process: Emblems of Encounter*, London, Pergamon Press.

Fontana, D. and Valente, L. (1989) "Monitoring client behaviour as a guide to Progress," *Dramatherapy*, 12(1).

Fransella, F. (1990) "Personal construct therapy," in Windy Dryden (ed.) *Individual Therapy: a Handbook*, Milton Keynes, Open University Press.

Gersie, A. (1991) *Storymaking in Bereavement: Drangons Fight in the Meadow*, London, Jessica Kingsley.

Gersie, A. and King, N. (1990) *Storymaking in Education and Therapy*, London, Jessica Kingsley.

Grainger, R. (1990) *Drama and Healing: the Roots of Dramatherapy*, London, Jessica Kingsley.

Grainger, R. (1992) "Dramatherapy and thought disorder," in S. Jennings (ed.) *Dramatherapy Theory and Practice 2*, London, Routledge.

Irwin, D. and Bushwell, M. (1980) *Observational Strategies for Child Study*, New York, Holt, Rinehart & Winston.

Jennings, S. (1991) "Theatre art: the heart of dramatherapy," *Dramatherapy*, 14(1), 4-7.

Jones, P. (1993) "The active witness: the acquisition of meaning in dramatherapy," in H. Payne (ed.) *One River, Many Currents*, London, Jessica Kingsley.

Kelly, G. (1955) *The Psychology of Personal Constructs*, New York, Norton.

Kersner, M. (1990) "Are questionnaires a useful tool for arts therapies research?," in M. Kersner (ed.) *The Art of Research*, Proceedings of the Second Arts Therapies Research Conference, City University, London (April).

Lahad, M. (1992) "Storymaking: an assessment method for coping with stress. Six-piece storymaking and the BASIC Ph," in S. Jennings (ed.) *Dramatherapy Theory and Practice 2*, London, Routledge.

Landy, R. (1986) *Drama Therapy: Concepts and Practices*, Springfield, IL, Charles C. Thomas.

Meldrum, B. (1993) "On 'being the thing I am': an enquiry into the therapeutic aspects of Shakespeare's As You Like It," in H. Payne (ed.) *One River, Many Currents*, London, Jessica Kingsley.

Mitchell, S. (1990) "The theatre of Peter Brook as a model for dramatherapy," *Drama therapy*, 13(1).

Pilgrim, D. (1990) "British psychotherapy in context," in Windy Dryden (ed.) *Individual Therapy*, Milton Keynes, Open University Press.

Reason, P. (ed.) (1988) *Human Enquiry in Action: Developments in New Paradigm Research*, London, Sage.

Reason, P. and Rowan, J. (1981) *Human Enquiry: a Sourcebook of New Paradigm Research*, Chichester, John Wiley.

Sanctuary, R. (1984) "Role play with puppets for social skills training," unpublished report for London University.

Valente, L. and Fontana, D. (1990) "Research on the use of drama in therapy," in. M. Kersner (ed.) *The Art of Research*, Proceedings of the Second Arts Therapies Research Conference (April).

Yalom, I. (1985) *The Theory and Practice of Group Psychotherapy* (3rd edn), New York, Basic Books.

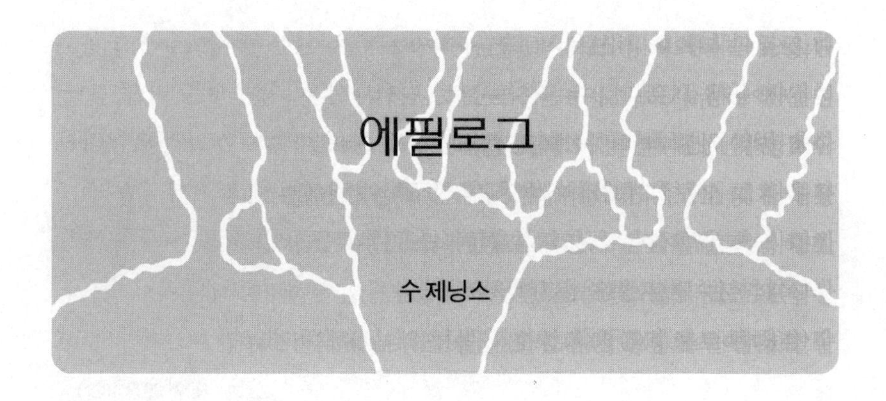

에필로그

수 제닝스

이 책은 연극치료의 흥미진진한 세계를 통해 독자를 풍성하고도 다채로운 여정으로 이끌어 주었다. 연극치료의 역사와 독자적인 전문 분야로의 성립 과정, 교육 프로그램, 역할의 본질에 대한 핵심적 관심사와 더불어 평가와 연구의 중요성을 두루 다루었다. 또한 극적 발달과 놀이를 통해 우리를 아이들의 세계로 데려다 주었고, 학습 장애인뿐 아니라 정신 건강상의 문제로 고통 받는 사람들에게 다양한 맥락에서 연극치료를 적용하는 보기를 제공하였다. 이 책을 구성한 많은 장들은 서로 다른 것들 "사이의 공간" 혹은 접점을 다루고 있다. 놀이 치료와 연극치료, 심리극과 연극치료, 의식 연극과 치유, 또 현실 규모와 현실보다 큰 규모를 함께 이야기한다. 연극치료사들은 이렇듯 사이에서 작업한다. 자기와 참여자 사이의 공간, 그것은 극적 현실의 공간이며, 가면과 분장을 통해 변화와 전이가 일어날 수 있는 상징적이고 의식화된 공간이다.

연극치료사는 작업에 일로매진하기를 멈추지 않으면서 동시에 신비에 싸이지 않고 기꺼이 참여자와 감독과 가족과 비전문가들에게 쉽게 이해될 수 있는 연극치료의 언어를 개발하기 위해 노력할 필요가 있다. 그리고 현장에서의 작업을 연구와 평가와 자료의 출간을 통해 검증하고 그 결과를 축적하면서 계속해서 새로운 형식과 구조와 의식과 게임을 찾아내는 것이 중요하다. 연극치료는 사회가 예기치 않은 방식으로 성장하고 발전할 때에도 그 요구에 지속적으로 반응해야 한다. 우리는 미술, 음악, 무용 동작 치료 등 다른 예술 치료 분야 및 놀이 치료와 끊임없이 대화하면서 창조적으로 21세기를 맞을 수 있도록 노력해야 할 것이다.

> 묵시가 없으면 백성이 방자히 행하거니와 율법을 지키는 자는 복이 있느니라.
>
> (잠언 29장 18절)

> 여흥은 다 끝났어. 아까도 얘기했네만 이 배우들은 모두 요정들일세.
> 이젠 대기 속으로, 그렇지, 엷은 대기 속으로 사라져버렸지.
>
> (〈템페스트〉 4막 1장 147-9)

옮긴이의 글

이 책은 1994년에 출간되었다. 그러니까 십오 년이 꼬박 지난 해묵은 자료인 셈이다. 하지만 그 내용의 면면을 살펴보면 지금 우리에게 필요한 상당한 정보를 담고 있으며, 연극치료를 다룬 최신작과 비교해도 별반 뒤처지거나 낡은 느낌을 주지 않는다. 물론 이 점은 지역을 불문하고 연극치료에 몸담고 있는 사람들 모두가 유념해야 할 대목이다. 10장에서 로버트 랜디는 미국의 연극치료가 뚜렷한 정체 현상을 보이고 있으며, 그 이유는 이 분야를 정확하게 대변할 수 있는 사람들이 충분히 많지 않아서라고 설명한다. 그런데 그로부터 십여 년이 훌쩍 지난 지금까지도 그 부동 상태에 움직임을 촉발할 만한 개념적 충돌이나 비약이 미진하다는 데 이르면, 정체 현상의 원인이 단순히 인력 부족이 아니라 뭔가 더 근본적인 데 있지 않을까 의심케 된다. 하지만 뿌리가 어디에 있든 그로부터 멀어지는 힘은 지금 여기를 온전히 사는 데서 얻어지므로, 다시 이 책으로 돌아온다.

이 책은 울력 연극치료 총서의 여섯 번째 기획물이다. 연극치료 핸드북이라는 제목에 걸맞게 수 제닝스, 브렌더 멜드럼, 앤 캐터넉, 스티브 미첼, 애너 체스너, 다섯 명의 필자가 각자의 배경과 작업 방식을 매우 솔직하게 드러내면서 구체적이고 유용한 정보를 제공한다. 특히 여기서 우리는 연극이 다양한 참여자 집단과 치료 철학을 만나 어떤 양상의 연극치료로 결과될 수 있는지를 확인한다. 발달 모델, 치료적 공연 모델, 통합 모델, 역할 모델, 의식 연극 모델, 초연극적 모델이 그것이다. 우리도 실제 작업에서 이들 모델의 핵심 단서를 경험하고 적용하고 있긴 하지만, 일반적으로 아직은 치료사의 배경과 해당 참여자 집단의 욕구나 특성에 따라 특정 모델을 선택적으로 사용하기보다는 명확하게 분리되지 않은 상태에서 정확한 의도와 상관없이 몇 가지 모델을 혼용하는 경향이 짙다고 할 수 있을 것이다. 그런 의미에서 각 모델을 즐겨 사용하는 필자가 특정 참여자 집단을 대상으로 한 작업 경험을 나누고 있는 이 책이 매우 귀하다. 특히 수 제닝스가 쓴 의식 연극 모델은 의식과 연극치료가 구체적으로 어떤 의미에서 연관되며 왜 중요한지를 충분한 분량으로 말하고 있으며, EPR 패러다임을 현실 규모와 축소 규모 그리고 현실보다 큰 규모로 나누어 적용하는 새로운 틀거리를 제시한다. 또한 스티브 미첼의 초연극적 모델 역시 그로토프스키에게서 영감을 받은 연극치료 작업을 매우 생생하게 예시하는 드문 자료이다.

한편 이 책은 연극치료의 명확한 경계 세우기에도 관심을 기울인다. 놀이 치료와 연극치료가 어떻게 관련되는지, 심리극과 연극치료가 어디서 겹치고 어디서 갈라지는지를 설명하는 7장과 8장이 그렇다. 이는 연극치료뿐 아니라 놀이 치료와 심리극의 초심자들에게도 분명히 도움이 될 것이다.

여기에는 또 고든 와이즈먼, 로버트 랜디, 물리 라하드, 파멜라 몬드, 네 사람의 인터뷰가 실려 있다. 영국과 미국과 이스라엘의 연극치료를 개척하고 일구어 온 사람들의 이야기. 우리도 머지않아 우리의 이야기를 기록할 때가 올 것이다. 그 이야기가 흥미진진하고 아름답기를 기대한다.

얼마 전 이 책의 편집자인 수 제닝스가 우리나라에 다녀갔다. 그녀는 이 책에서 이렇게 말했다. "나는 이 장에서 연극치료 전반과 특히 형이상학적 치유의 연극이 갖는 생물학적 영향을 논하지 않았다. 그것은 장차 작업의 주제가 될 것이다." 그리고 나는 지난 해 EPR을 주제로 한 워크숍에서 특히 출생 직후부터 6개월 동안 이루어지는 체현 놀이가 유아의 두뇌에 어떤 영향을 미치는지, 극적 놀이를 통해 유아의 뇌 구조에 어떤 물리적 변화가 생기는지를 힘주어 설명하는 그녀를 보았다. 그녀는 그렇게 약속을 지키고 있었다.

그동안 누구와 어떤 약속을 했는지 그리고 올해 나는 또 어떤 약속을 해야 하는지 생각해 본다.

강동호, 성휘찬, 박미리, 김수자, 숙대와 용인대 학생들, 그리고 그 밖의 등장인물 모두에게 고개 숙여 감사드린다.

2010년 1월

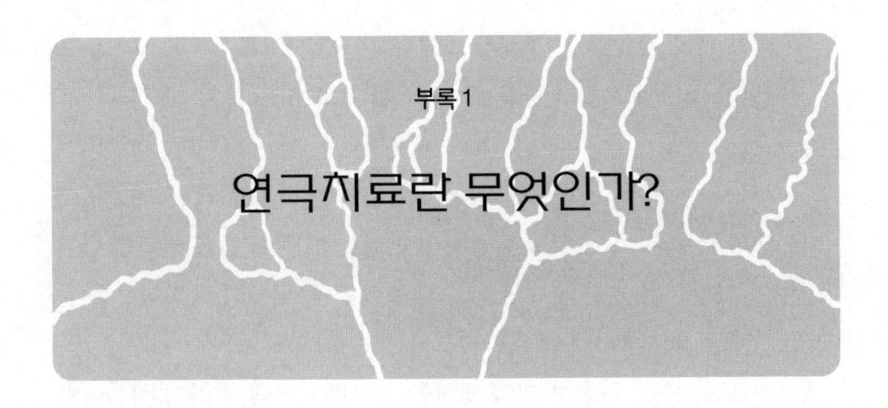

연극치료는 연극 예술에 바탕을 둔 예술 치료이며, 임상 기관과 사회 기관에서 개인과 집단을 대상으로 활용된다.

연극치료는 발달 과정상 인간이 본질적으로 "극적"이라고 전제한다. 극적 본능은 출생 직후 석 달 동안에도 관찰된다.

연극치료 접근법에는 움직임, 마임, 목소리 작업, 극적 놀이, 연극 게임, 역할 연기, 대본, 가면, 신화, 이야기가 포함된다.

연극치료 이론은 일차적으로 연극 이론과 놀이와 역할 이론 그리고 발달적 드라마(EPR)에 바탕을 둔다. 또한 발달 심리학, 원형 심리학, 대상관계 심리학, 집단 역동과 과정을 참고한다.

연극치료는 다음을 목표로 한다.

- 연극 예술에 내재한 치유를 촉진한다
- 참여자의 건강한 측면에 초점을 맞춘다
- 잠재된 창조적 드라마를 발전시킨다
- 직관과 은유와 극적 상상을 독려한다
- 극화를 통해 자조 기술과 사회적 기술을 익힌다
- 목소리와 드라마를 통해 소통을 자극한다

- "극적 거리"를 가지고 주제를 작업할 수 있게 한다
- 개인적 성장과 사회적 발달의 드라마를 극대화한다

연극치료사는 대학원에서 3년 내지 4년 동안 연극치료 이론, 접근법과 실제, 연극 예술과 기술, 임상 이론과 병리학을 배운다. 교육 과정에 있는 연극치료사들은 장기간의 개인 치료를 경험할 뿐 아니라 슈퍼비전을 받으면서 임상 실습을 하게 된다.

연극치료는 다른 치료적 개입 형식을 보완하며, 예술적이고 치료적인 학습 과정을 강화한다. 연극치료 과정은 일상 현실에서 극적 현실로의 이동이며, "의식과 위험"을 모두 포함한다. 연극치료 과정은 자기 자신과 세상과 그 필수적인 한계에 대한 개인의 경험을 환원하지 않고 확장한다.

연극치료는 예방과 성장과 치료와 풍부화에 활용되는 예술이자 기술이다. 연극치료는 심리적이고 사회적인 모델 안에서도 활용될 수 있지만, 신비하고 의식적인 세계로 진입할 수 있는 고유한 능력을 갖고 있다는 점에서 형이상학적이다.

1993년 7월 30일 연극치료연구원

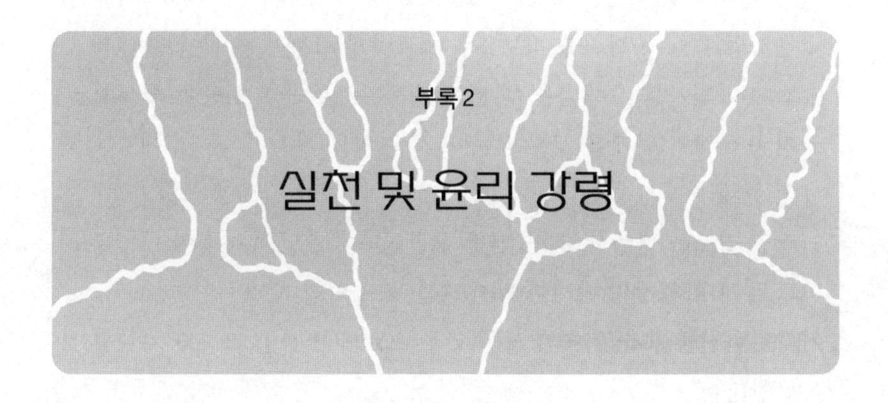

연극치료연구원은 다음의 실천과 윤리 강령을 그 교육 과정과 연극치료와 놀이 치료 부문에서 협회에 등록된 학생들, 치료 스태프, 그리고 방문 스태프에게 적용한다.

실천 강령

등록된 연극치료사는 다음에 동의한다.

- 연극치료연구원의 윤리 강령을 준수한다.
- 치료비용과 자격증에 관련된 공개된 정보를 바탕으로 참여자/환자와 명확한 계약을 맺는다. 이 계약은 반드시 명문화하도록 한다.
- 참여자/환자가 연극치료의 특성 혹은 놀이 치료의 특성(예를 들어, 접촉할 수 있고 시끄러울 수 있다는 점)을 충분히 이해하도록 보장한다.
- 참여자/환자가 적절한 의료적 도움을 받도록 격려하며, 참여자/환자가 연극치료 혹은 놀이 치료(개인적으로나 집단으로)를 받고 있다는 사실을 의사에게 알린다.
- 참여자/환자의 연령, 성별, 한계를 고려하여 그에 적합한 접근법을 사

용하며, 참여자/환자를 바보스럽게 보이게 해서는 절대 안 된다.

- 참여자/환자를 오해받을 수 있는 행동으로부터 보호하며, 참여자/환자와 성적인 관계를 맺지 않는다. 혹은 치료 이전이나 이후에도 사회적 관계를 맺지 않는다.
- 작업 장소는 편안함, 조명, 난방과 관련하여 작업의 특성에 알맞은 곳으로 하며, 외부의 방해를 받지 않는 곳으로 한다.
- 슈퍼비전에 제출할 수 있도록 임상 치료의 적절한 기록과 자료를 보관한다.
- 자기 작업과 교수를 모니터하고, 필요할 때는 전문적/개인적 지지를 받는다.
- 정기적으로 슈퍼비전과 상담을 받는다. 그리고 워크숍과 공연 관람을 통해 창조적 발전을 지속한다. 그 실천을 위해 직업적 보장을 취한다.
- 비슷한 직종에 종사하는 동료를 존중하고 이론과 작업에 대한 열린 대화를 격려한다.
- 소송에 걸리거나 유죄 판결을 받을 시에는 연구원에 알린다.

윤리 강령

등록된 연극치료사는 다음 사항에 동의한다.

- 참여자/환자의 관심이 우선이다.
- 참여자/환자는 취해질 치료의 특성에 대해 충분한 정보를 제공받아야 하고, 그럼으로써 그를 근거로 결정을 내릴 수 있어야 한다.
- 참여자/환자는 재정적으로나 성적으로 혹은 사회적으로 어떤 식으로도 학대당해서는 안 된다. 연극치료 혹은 놀이 치료는 참여자에게 특정한 가치나 신념 혹은 이념을 강제해서는 안 된다.

- 치료사 한 사람과 진행하는 개인 치료든 여러 사람이 관계된 집단 치료든, 치료 상황의 비밀 보장이 분명하게 이해되어야 한다. 단 참여자/환자나 다른 사람들의 안전이 위협받을 경우에는 예외일 수 있다. 참여자/환자에게 이러한 상황에서는 비밀 보장의 규약이 지켜지지 않을 수도 있음을 알릴 수 있다.
- 연구원의 작업에 참여할 때는 그 형식이 교수教授든 치료든 자신의 직업적 능력을 모니터하고, 필요한 경우에는 재교육과 개인 치료를 받도록 한다.
- 교수 및 치료 작업과 관련하여 정기적으로 슈퍼비전과 상담을 받는다.
- 학생이나 참여자/환자를 대상으로 연구를 할 때는 반드시 1975년의 도쿄 협정을 준수한다.
- 연극치료연구원에 불명예를 끼칠 만한 행동을 하지 않는다.

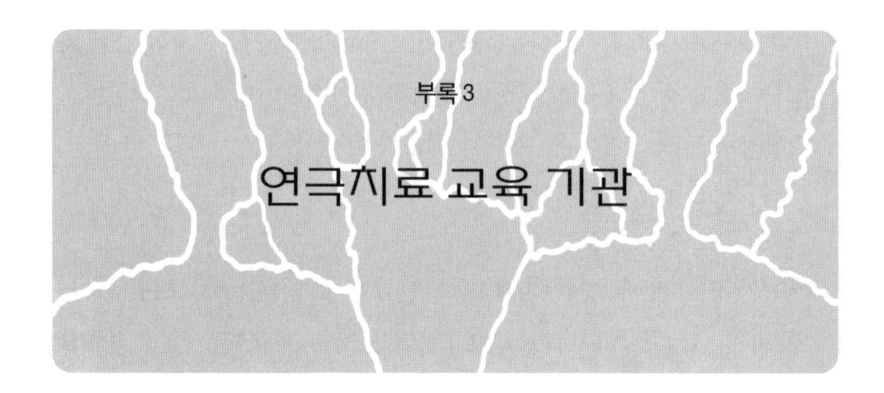

영국연극치료사협회는 대학원 수준에서 이루어지는 연극치료 교육 과정을 합당하게 인증하고 있고, 거기서 수학하고 나면 협회의 전문 회원이 될 수 있다.

The Institute of Dramatherapy at Roehampton
The Roehampton Institute
The School of Art and Design
The University of Ripon and York St John
South Devon College
City College, Manchester
St Margaret's College, Edinburgh
The Institute of Dramatherapy and University of Hertfordshire 또한 연극치료에서 석사학위를 부여한다. 모든 칼리지들은 다양한 단기 과정과 서머스쿨을 제공하고 있다.
위의 과정에 대한 연락처는 아래의 Dramatherapy Information Pack에서 이용 가능하다(가격 3파운드).

The British Association for Dramatherapists
5 Sunnydale Villas
Durlston Road
Swanage

Dorset BH19 2HY

해외의 연극치료 훈련 기관

The Greek Institute of Dramatherapy
Arradou 55A
Ilissia 15772
Athens
Greece

Dramatherapy Diploma Course
Tel Hai Regional College
Upper Galilee 12210
Israel

Drama Therapy Programme
New York University
35 West 4th Street, Suite 675B
New York 10012-1172
USA

Drama Therapy Programme
California Institute of Integral Studies
765 Ashbury Street
San Francisco
CA 94117
USA

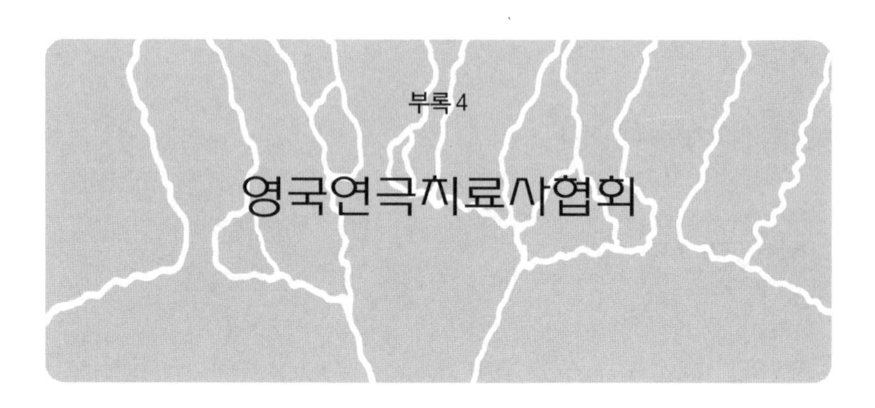

부록 4

영국연극치료사협회

영국연극치료사협회는 연극치료와 연극치료사의 직업적 실천을 대표하는 직업 기구이다. 협회는 공식적으로 감독위원회와 집행위원회로 구성된다. 협회는 비영리 단체이며, 현재는 기부금을 받을 수 있는 자격을 얻기 위해 노력 중이다. 집행 감독과 소위원회와 개인 회원의 작업을 통해, 협회는 연극치료사의 권익을 고용 기관, 정부 부처, 직업 기구 등의 매체에 다양한 방식으로 대표한다. 최근 몇 년 동안 협회는 아래 명기한 조직과의 연합과 교류를 모색해 오고 있다.

- 영국심리치료협회(UKSCP)
- 예술치료협회(SCATP)
- 보건부(DoH)
- 교육과학부(DES)
- 지방 단체를 위한 국립 연합 회의(NJCLA)
- 의학 보조 직종을 위한 회의(CPSM)
- 다양한 무역 기구
- 영국심리극협회
- 연극치료 교육 과정을 제공하는 대학들

집행위원회는 또한 예술치료연구위원회와 교도소의 예술치료사들을 위한 조직에 파견한 연극치료사 대표들로부터 정기적으로 피드백을 받는다. 최근의 주목할 만한 성과에는 위틀리 회의의 공식적인 인증(국립보건원에 고용된 연극치료사를 위해 고정된 급료와 작업 여건을 제공할 것)을 받은 것, 작업 강령을 세운 것, 연극치료사 자격증을 새로 발급받은 사람들을 위해 의무적인 슈퍼비전에 동의한 것, CPSM에 등록하기 위한 첫 번째 단계를 성공적으로 완수한 것을 들 수 있다.

협회는 일 년에 세 번 『연극치료』를 간행하고, 회원들에게 새로운 소식과 함께 논쟁과 토론의 장을 제공하기 위해 일 년에 네 번 소식지를 내고 있다. 연례 회의와 정기 총회를 통해 연극치료사와 관련 작업자 및 영국과 유럽과 미국을 포함한 전 세계로부터 그 밖의 다른 참여자를 끌어들이고 있다.

이런 방식으로 협회는 집행위원회를 통해 영국에서의 연극치료 전반의 직업적 발전과 체계적인 성장을 촉진한다.

참고 문헌

Andersen-Warren, M. (1992) Private Correspondence with S. Mitchell for "Therapeutic Theatre Project."

Antinucci-Mark, G. (1986) "Some thoughts on the similarities between psychotherapy and theatre scenarios," *British Journal of Psychotherapy*, 3(1).

Arieti, S. (1976) *Creativity: the Magic Synthesis*, New York, Basic Books.

Artaud, A. (1964) *Oeuvres Completes IV-V*, Paris, Gallimard.

Artaud, A. (1970) *The Theatre and its Double*, London, John Calder.

Bannister, D. and Fransella, F. (1966) "A grid test of schizophrenic thought disorder," *British Journal of Social and Clinical Psychology*, 5, 95-102.

Barker, C. (1977) *Theatre Games*, London, Methuen.

Bettelheim, B. (1978) *The Uses of Enchantment*, Harmondsworth, Penguin.

Bloch, S. (1982) *What is Psychotherapy?*, Oxford, Oxford University Press.

Bloch, S., Reibstein, J., Crouch, E., Holroyd, P. and Thement, J. (1979) "A method for the study of therapeutic factors in group psychotherapy," *British Journal of Psychology*, 134, 257-63.

Boal, A. (1992) *Games for Actors and Non-Actors* (trans. A. Jackson), London, Routledge.

Bowlby, J. (1988) *A Secure Base: Clinical Applications of Attachment Theory*, London, Routledge.

British Association for Dramatherapists (1991) Membership List and Code of Practice, London, BADth.

Brook, P. (1988) *The Shifting Point*, London, Methuen.

Cameron, A. (1981) *Daughter of Copper Woman*, London, The Women's Press.

Campbell, J. (1973) *Myths to Live By*, New York, Bantam.

Campbell, J. (1990) *The Power of Myth*, New York, Doubleday.

Castellani, V. (1990) "Drama and Aristotle," in J. Redmond (ed.) *Themes in Drama 12: Drama and Philosophy*, Cambridge, Cambridge University Press.

Cattanach, A. (1992) *Play Therapy with Abused Children*, London, Jessica Kingsley.

Cattanach, A. (1992) *Drama for People with Special Needs*, London, A. & C. Black.

Chesner, A. (forthcoming) *Dramatherapy and Learning Disabilities*, London, Jessica Kingsley.

Cohen, L. and Manion, L. (1980) *Research Methods in Education*, London, Routledge & Kegan Paul.

Courtney, R. (1985) "The dramatic metaphor and learning," in J. Kase-Polisini (ed.) *Creative Drama in a Developmental Context*, Lanham, University Press of America.

Cox, M. (1986) *Coding the Therapeutic Process: Emblems of Encounter*, London, Pergamon Press.

Cox, M. (ed.) (1992) *Shakespeare Comes to Broadmoor*, London, Jessica Kingsley.

Cox, M. and Theilgaard, A. (1987) *Mutative Metaphors in Psychotherapy*, London, Tavistock.

Doktor, D. (1992) "Dramatherapy a psychotherapy?," *Dramatherapy*, 14(2): 9-11.

Dunn, J. (1988) *The Beginnings of Social Understanding*, Oxford, Basil Blackwell.

Eliade, M. (1958) *Rites and Symbols of Initiation*, New York, Harper Torchbooks.

Ellis, N. (trans.) (1988) *Awakening Osiris*, Grand Rapids, Phanes Press.

Erikson, E. (1965) *Childhood and Society*, Harmondsworth, Penguin.

Fontana, D. and Valente, L. (1989) "Monitoring client behaviour as a guide to Progress," *Dramatherapy*, 12(1).

Foulkes, S. H. (1990) *Selected Papers*, London, Karnac.

Fox, J. (1987) *The Essential Moreno*, New Yock, Springer.

Fransella, F. (1990) "Personal construct therapy," in Windy Dryden (ed.) *Individual Therapy: a Handbook*, Milton Keynes, Open University Press.

Fransella, F. and Dalton, P. (1990) *Personal Construct Counselling in Action*, London, Sage.

Gersie, A. (1987) "Dramatherapy and play," in S. Jennings (ed.) *Dramatherapy Theory and Practice 1*, London, Routledge.

Gersie, A. (1991) *Storymaking in Bereavement: Drangons Fight in the Meadow*, London, Jessica Kingsley.

Gersie, A. (1992) *Earthtales: Storytelling in Times of Change*, London, Green Print.

Gersie, A. and King, N. (1990) *Storymaking in Education and Therapy*, London, Jessica

Kingsley.

Goffman, E. (1959) *The Presentation of the Self in Everyday Life*, New York, Doubleday.

Goffman, E. (1972) *Encounters*, Harmondsworth, Penguin.

Goffman, E. (1974) *Frame Analysis*, Cambridge, MA, Harvard University Press.

Goldman, E. E. and Morrison, D. S. (1984) *Psychodrama: Experience and Process*, Dubuque, IO, Kendall/Hunt.

Grainger, R. (1990) *Drama and Healing: the Roots of Dramatherapy*, London, Jessica Kingsley.

Grainger, R. (1992) "Dramatherapy and thought disorder," in S. Jennings (ed.) *Dramatherapy Theory and Practice 2*, London, Routledge.

Grotowski, J. (1968) *Towards a Poor Theatre*, New York, Simon & Schuster.

Halprin, A. (1976) "Theatre and therapy workshop," *The Drama Review* (March).

Hampson, S. (1986) "Sex roles and personality," in D. Hargreaves and A. M. Colley (eds) *The Psychology of Sex Roles*, London, Harper & Row.

Hampson, S. (1988) *The Construction of Personality: an Introduction*, London, Routledge.

Hillman, J. (1983) *Healing Fiction*, New York, Station Hill.

Holmes, J. and Lindley, R. (1991) *The Values of Psychotherapy*, Oxford, Oxford University Press.

Holmes, P. (1992) *The Inner World Outside*, London, Routledge.

Horwood, T. "BADTh and the humanistic and integrative group of the UKSCP," *Dramatherapy Newsletter* (Summer), p. 6.

Huizinga, J. (1955) *Homo Ludens*, Boston, Beacon Press.

Irwin, E. C. (1979) "Drama therapy with handicapped," in A. Shaw and C. J. Stevens (eds) *Drama, Theatre and the Handicapped*, Washington, DC, American Theatre Association.

Jenkyns, M. (1992) "The warm up," Teaching notes, Dramatherapy Course, St Albans.

Jenkyns, M. and Barham, M. (1991) *BADth Application to Join the Council for Professions Supplementary to Medicine, on Behalf of the Profession of Dramatherapy*, London, BADth.

Jennings, S. (1973) *Remedial Drama*, London, Pitman.

Jennings, S. (1986) *Creative Drama in Groupwork*, Winslow Press.

Jennings, S. (1986) "The loneliness of the long distance therapist," Paper from *The Annual Forum*, Axbridge, The Champernowne Trust.

Jennings, S. (ed.) (1987) *Dramatherapy Theory and Practice 1*, London, Routledge.

Jennings, S. (1990) *Dramatherapy with Families, Groups and Individuals* (also trans, into

Danish), London and New York, Jessica Kingsley.

Jennings, S. (1991) "Theatre art: the heart of dramatherapy," *Dramatherapy*, 14(1), 4-7.

Jennings, S. (1992) "The nature and scope of dramatherapy: theatre of healing," in M. Cox (ed.) *Shakespeare Comes to Broadmoor*, London, Jessica Kingsley.

Jennings, S. (ed.) (1992) *Dramatherapy Theory and Practice 2*, London, Routledge.

Jennings, S. (1993) *Introduction to Dramatherapy*, London, Jessica Kingsley.

Jennings, S. (forthcoming) *Shakespeare's Theatre of Healing*.

Jennings, S. (forthcoming) *The Greek Theatre of Healing*.

Jennings, S. and Minde, A. (1993) *Dramatherapy and Art Therapy*, London, Jessica Kingsley.

Johnson, L. and O'Neill, C. (eds) (1984) *Dorothy Heathcote: Collected Writings on Education and Drama*, London, Hutchinson.

Jones, P. (1991) "Dramatherapy: five core processes," *Dramatherapy*, 14(1).

Jones, P. (1993) "The active witness: the acquisition of meaning in dramatherapy," in H. Payne (ed.) *One River, Many Currents*, London, Jessica Kingsley.

Kelly, G. (1955) *The Psychology of Personal Constructs*, New York, Norton.

Kersner, M. (1990) "Are questionnaires a useful tool for arts therapies research?," in M. Kersner (ed.) *The Art of Research*, Proceedings of the Second Arts Therapies Research Conference, City University, London (April).

Kumiega, J. (1987) *The Theatre of Grotowski*, London and New York, Methuen.

Lahad, M. (1992) "Storymaking: an assessment method for coping with stress. Six-piece storymaking and the BASIC Ph," in S. Jennings (ed.) *Dramatherapy Theory and Practice 2*, London, Routledge.

Landy, R. (1986) *Drama Therapy: Concepts and Practices*, Springfield, IL, Charles C. Thomas.

Landy, R. (1990) "A role model of dramatherapy," Keynote speech to the Conference of the British Association for Dramatherapists, Newcastle.

Landy, R. (1991) "The dramatic basis of role theory," *The Arts in Psychotherapy*, 19, 29-41.

Landy, R. (1992) "One-on-one: the role of the dramatherapist working with individuals," in S. Jennings (ed.) *Dramatherapy Theory and Practice 2*, London, Routledge.

Landy, R. (1992) "A taxonomy of roles: a blueprint for the possibilities of being," *The Arts in Psychotherapy*, 18(5), 419-31.

Landy. R. (1992) "The case of Hansel and Gretel," *The Arts in Psychotherapy*, 19, 231-41.

Landy, R. (1992) "The dramatherapy role method," *Dramatherapy*, 14(1), 7-15.

Langer, S. (1953) *Feeling and Form*, London, Routledge & Kegan Paul.

Langley, D. (1989) "The relationship between psychodrama and dramatherapy," in P. Jones (ed.) *Dramatherapy: State of the Art*, Papers presented at 2-day conference held by the Division of Arts and Psychology, Hertfordshire College of Art and Design.

Langley, D. and Langley, G. (1983) *Dramatherapy and Psychiatry*, London, Croom Helm.

Lewis, G. (1980) *Day of Shining Red*, Cambridge, Cambridge University Press.

Lewis, I. M. (1986) *Religion in Context: Cults and Charisma*, Cambridge, Cambridge University Press.

McDougall, J. (1989) *Theatres of the Body*, London, Free Association Press.

Marrone, M. (1991) Address to the Institute of Dramatherapy, London.

Maslow, A. (1970) *Motivation and Personality*, New York, Harper & Row.

Maslow, A. (1971) *The Farther Reaches of Human Nature*, London, Pelican.

Mead, G. H. (1934) *Mind, Self and Society*, C. W. Morris (ed.), Chicago, IL, University of Chicago Press.

Meldrum, B. (1993) "On 'being the thing I am': an enquiry into the therapeutic aspects of Shakespeare's As You Like It," in H. Payne (ed.) *One River, Many Currents*, London, Jessica Kingsley.

Meldrum, B. (1993) "A theatrical model of dramatherapy," *Dramatherapy*, 14(2): 10-13.

Mitchell, S. (1990) "The theatre of Peter Brook as a model for dramatherapy," *Dramatherapy*, 13(1).

Mitchell, S. (1992) "Therapeutic theatre: a para-theatrical model of dramatherapy," in S. Jennings (ed.) *Dramatherapy Theory and Practice 2*, London, Routledge.

Mitchell, S. (1992) "The similarities and differences between the theatre director and the dramatherapist," Keynote speech at the Shakespeare symposium, Stratford-upon-Avon.

Neelands, J. (1990) *Structuring Drama Work: a Handbook of Available Forms in Theatre and Drama*, T. Goode (ed.), Cambridge, Cambridge University Press.

O'Donnell Fulkerson, M. (1977) *Language of the Axis*, Dartington Theatre Papers, First Series No. 12.

O'Neill, C. and Lambert, A. (1982) *Drama Structures*, London, Hutchinson.

Opie, I. and Opie, P. (1992) *I saw Esau*, London, Walker Books.

Ouspensky, P. D. (1977) *In Search of the Miraculous*, London, Routledge & Kegan Paul.

Parkin, D. (1985) "Reason, emotion and the embodiment of power," in J. Overing (ed.) *Reason and Morality*, ASA Monograph 24, London, Tavistock.

Parten, M. (1927) cited in D. Irwin and M. Bushwell, *Observational Strategies for Child Study* (1980), New York, Holt, Rinehart & Winston.

Piaget, J. (1962) *Play, Dreams and Imitation in Childhood*, New York, Norton.

Pilgrim, D. (1990) "British psychotherapy in context," in Windy Dryden (ed.) *Individual Therapy*, Milton Keynes, Open University Press.

Read Johnson, D. (1982) "Developmental approaches in drama," *The Arts in Psychotherapy*, 9, 183-90.

Read Johnson, D. (1992) "Thedramatherapist 'in-role'," in S. Jennings (ed.) *Drama Theory and Practice 2*, London, Routledge.

Reason, P. (ed.) (1988) *Human Enquiry in Action: Developments in New Paradigm Research*, London, Sage.

Reason, P. and Rowan, J. (1981) *Human Enquiry: a Sourcebook of New Paradigm Research*, Chichester, John Wiley.

Rebillot, P. (1993) *The Call to Adventure: Bringing the Hero's Journey to Daily Life*, New York, HarperCollins.

Rebillot, P. and Kay, M. (1979) "A trilogy of transformation," *Pilgrimage*, 7(1).

Rees, E. (1992) *Christian Symbols, Ancient Roots*, London, Jessica Kingsley.

Roose-Evans, J. (1989) *Experimental Theatre from Stanislavski to Peter Brook*, London, Routledge. [This book is the only published account of Anna Halprin's work, although individual commentaries can be found in *The Drama Review*, 1960-1979.]

Roth, G. (1989) *Maps to Ecstasy*, San Rafael, CA, New World Publishing.

Rycroft, C. (1985) *Psycho-analysis and Beyond*, London, Hogarth.

Salmon, P. (1985) *Living in Time*, London, Dent.

Sanctuary, R. (1984) "Role play with puppets for social skills training," unpublished report for London University.

Schechner, R. and Appel, W. (eds) (1990) *By Means of Performance*, Cambridge, Cambridge University Press.

Schwartzman, H. B. (1978) *Transformations: the Anthropology of Children's Play*, New York, Plenum Press.

Sellin, E. (1986) *The Dramatic Concepts of Antonin Artaud*, Chicago, IL, University of Chicago Press.

Shaffer, R. (1989) "Early social development," in A. Slater and G. Bremner (eds) *Infant Development*, London, Lawrence Erlbaum.

Sinason, V. (1992) *Mental Handicap and the Human Condition*, London, Free Association Press.

Stern, D. (1985) *The First Relationship: Infant and Mother*, London, Fontana.

Turner, V. (1982) *From Ritual to Theatre*, New York, Performing Arts Journal Publishing.

Valente, L. and Fontana, D. (1990) "Research on the use of drama in therapy," in. M. Kersner (ed.) *The Art of Research*, Proceedings of the Second Arts Therapies Research Conference (April).

Van Gennep, A. (1960) *The Rites of Passage*, London, Routledge & Kegan Paul.

Watts, A. (1973) *Psychotherapy East and West*, Harmondsworth, Pelican.

Watts, A. (1973) *The Book on the Taboo against Knowing Who You Are*, London, Abacus.

Watts, A. (1976) *Nature, Man and Woman*, London, Abacus.

Watts, A. (1976) *The Wisdom of Insecurity*, London, Rider.

Wickham, G. (1985) *A History of the Theatre*, Oxford, Phaidon.

Williams, A. (1989) *The Passionate Technique*, London, Tavistock/Routledge.

Wilshire, B. (1982) *Role Playing and Identity: the Limits of Theater as Metaphor*, Bloomington, IN, Indiana University Press.

Wilson, C. (1986) *G.I. Gurdjieff: the War Against Sleep*, Wellingborough, Aquarian Press.

Winnicott, D. W. (1974) *Playing and Reality*, London, Pelican.

Yalom, I. (1985) *The Theory and Practice of Group Psychotherapy* (3rd edn), New York, Basic Books.

Yalom, I. (1990) *Existential Psychotherapy*, New York, Basic Books.

Yalom, I. (1991) *Love's Executioner*, London, Penguin Books.

찾아보기: 인명

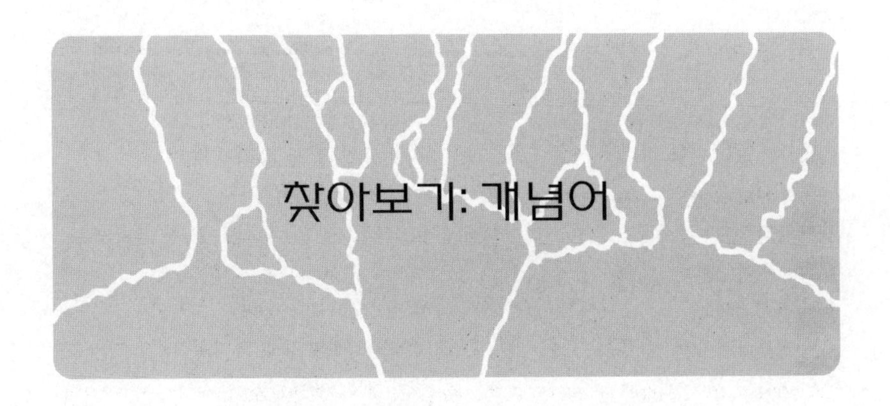

찾아보기: 개념어

올력의 책

인문-사회과학 분야

과학 기술 시대의 삶의 양식과 윤리
도성달 외 지음

누가 세계를 약탈하는가 환경정의연대 선정 환경도서
반다나 시바 지음 | 류지한 옮김

누가 아이의 마음을 조율하는가
버너데트 호이 지음 | 황헌영, 김세준 옮김

대외 경제 협력의 전략적 모색
김종걸 지음

대중문화 심리 읽기 문화관광부 선정 교양도서
김헌식 지음

대항지구화와 '아시아 여성주의'
문화관광부 선정 우수학술도서
태혜숙 지음

동북공정의 선행 작업들과 중국의 국가 전략
간행물윤리위원회 선정 이달에 읽을 만한 책
우실하 지음

동아시아 공동체
다니구치 마코토 지음 | 김종걸, 김문정 옮김

라스카사스의 혀를 빌려 고백하다
박설호 지음

미국의 권력과 세계 질서
크리스천 류스-슈미트 지음 | 유나영 옮김

미래를 살리는 씨앗
조제 보베, 프랑수아 뒤푸르 지음 | 김민경 옮김

분노의 대지
앙드레 뽀숑 지음 | 김민경 옮김

불가능한 교환
장 보드리야르 지음 | 배영달 옮김

불확실한 인간
프랑크 텡랭 지음 | 이경신 옮김

비너스 · 마리아 · 파티마
에케하르트 로터 • 게르노트로터 지음 | 신철식 옮김

비판, 규범, 유토피아
세일라 벤하비브 지음 | 정대성 옮김

성윤리
류지한 지음

세계는 상품이 아니다
환경정의연대 선정 환경도서
조제 보베 • 프랑수아 뒤푸르 지음 | 홍세화 옮김

세계화와 그 적들
다이엘 코엔 지음 | 이광호 옮김

언어 혁명
데이비드 크리스털 지음 | 김기영 옮김

열성 팬 창조와 유지의 구조
와다 미츠오 지음 | 오현전 옮김

우리 없이 우리에 대한 것은 없다
제임스 찰턴 지음 | 전지혜 옮김

위기 시대의 사회 철학
선우현 지음

이윤에 굶주린 자들
프레드 맥도프 외 엮음/윤병선 외 옮김

인간복제 무엇이 문제인가
서울시, 부산시 교육청 권장 도서
제임스 왓슨 외 지음 | 류지한 외 옮김

인간의 미래는 행복한가
어빈 라즐로 지음 | 홍성민 옮김

인륜성의 체계
헤겔 지음 | 김준수 옮김

인터넷 숭배 간행물윤리위원회 선정 청소년 권장 도서
필립 브르통 지음 | 김민경 옮김

자발적 복종
에티엔느 드 라 보에티 지음 | 박설호 옮김

정보 사회와 윤리
추병완 지음

정보과학의 폭탄
폴 비릴리오 지음 | 배영달 옮김

정신분석과 횡단성
펠릭스 가타리 지음 | 윤수종 옮김

정치와 운명
조셉 갬블 지음 | 김준수 옮김

중국의 대외 전략과 한반도
문흥호 지음

촛불, 어떻게 볼 것인가
사회와 철학 연구회 엮음

칸트 읽기
마키노 에이지 지음 | 세키네 히데유키 외 옮김

칸트와 현대 사회 철학 문화관광부 선정 우수학술도서
김석수 지음

트렌드와 심리: 대중문화 읽기
수 제닝스 외 지음 | 이효원 옮김

평등 문화관광부 선정 교양도서
알렉스 캘리니코스 지음 | 선우현 옮김

포위당한 이슬람
아크바르 아흐메드 지음 | 정상률 옮김

폭력의 고고학 학술원 선정 우수학술도서
삐에르 끌라스트르 지음 | 변지현 · 이종영 옮김

한국 사회의 현실과 사회철학
선우현 지음

해방론
헤르베르트 마르쿠제 지음 | 김택 옮김

현대 사회 윤리 연구 문화관광부 선정 우수학술도서
진교훈 지음

히틀러의 뜻대로
귀도 크놉 지음 | 신철식 옮김

과학-기술 분야

과학을 사랑하는 기술
파스칼 누벨 지음 | 전주호 옮김

보이지 않는 컴퓨터
도널드 노먼 지음 | 김희철 옮김

예술 분야

드라마와 치료: 연극과 삶
필 존스 지음 | 이효원 옮김

배우와 일반인을 위한 연기훈련
아우구스또 보알 지음 | 이효원 옮김

수 제닝스의 연극치료 이야기
수 제닝스 지음 | 이효원 옮김

억압받는 사람들을 위한 연극치료
로버트 랜디 지음 | 이효원 옮김

연극치료와 함께 걷다
이효원 지음

연극치료 핸드북
수 제닝스 외 지음 | 이효원 옮김

영화 구조의 미학
스테판 샤프 지음 | 이용관 옮김

영화에 관한 질문들 영화진흥위원회 선정 학술지원도서
스티븐 히스 지음 | 김소연 옮김

진짜 눈물의 공포 영화진흥위원회 선정 우수학술도서
슬라보예 지젝 지음 | 오영숙 외 옮김

크리에이티브 드라마
수 제닝스 지음 | 이귀연 외 옮김

환상의 지도
김소연 지음

문학 분야

느와르
올리비에 포베르 지음 | 이현웅 옮김

문학과 비평 : 다른 눈으로
이기언 지음

생도 퇴를레스의 혼란
로베르트 무질 지음 | 박종대 옮김

어느 인질에게 보내는 편지
생텍쥐페리 지음 | 이현웅 옮김

작은 것이 위대하다 : 독일 현대시 읽기
박설호 엮고 지음

절망에서 살아남기
피터 셀윈 지음 | 한명희 옮김

카산드라의 낙인
칭기스 아이뜨마또프 지음 | 손명곤 옮김

현대시와 오이디푸스 콤플렉스
한명희 지음

교육 분야

MIPS 환경 교육
카롤린 데커 외 지음 | 남유선 외 옮김

구술 면접의 길잡이
황인표 지음

논리와 가치 교육
김재식 지음

도덕 교육과 통일 교육
황인표 지음

도덕 · 가치 교육을 위한 100가지 방법
하워드 커센바움 지음 | 정창우 외 옮김

배려 윤리와 도덕 교육
박병춘 지음

상상력을 활용하는 교수법
키런 이건 지음 | 송영민 옮김

윤리와 논술 I
정창우 지음

정보 윤리 교육론 문화관광부 선정 교양도서
추병완 지음

초등 도덕과 교육의 이해
김재식 지음

콩글리쉬 클리닉
박성학 지음